1 NOVEMBRE 2015

«PANDORA»

ANNA TODD

AFTER
COME MONDI LONTANI

Traduzione di Ilaria Katerinov

Sperling & Kupfer

Questo libro è un'opera di fantasia. Qualsiasi riferimento ad avvenimenti storici e a persone e luoghi reali è usato in chiave fittizia. Gli altri nomi, personaggi, località ed eventi sono il prodotto della fantasia dell'autrice e ogni rassomiglianza con fatti, luoghi e persone, realmente esistenti o esistite, è puramente casuale.

Realizzazione editoriale a cura di Studio Dispari.

After We Fell
Copyright © 2014 by Anna Todd
Originally published by Gallery Books,
a Division of Simon & Schuster, Inc.
All rights reserved, including the right to reproduce this book
or portions therefore in any form whatsoever
Design Infinity Logo © Grupo Planeta – Art Department
© 2015 Sperling & Kupfer Editori S.p.A.

ISBN 978-88-200-5869-2

I Edizione settembre 2015

Anno 2015-2016-2017- Edizione   3 4 5 6 7 8 9 10

A J.:
tante persone sognano di essere amate come lui ama me.
E a tutti gli Hardin del mondo:
meritano anche loro che qualcuno racconti la loro storia.

Prologo
Tessa

MENTRE fisso il volto familiare di questo estraneo i ricordi mi sommergono.

Me ne stavo lì seduta a pettinare la mia Barbie. Spesso pensavo che avrei voluto essere come lei: bella, elegante, sempre perfetta. I suoi genitori saranno fieri di lei, mi dicevo. Suo padre probabilmente era l'amministratore delegato di una grande azienda e viaggiava molto per lavoro, mentre sua madre stava a casa e si prendeva cura della famiglia.

Il padre di Barbie non sarebbe mai tornato a casa barcollando e gridando così forte da costringere Barbie a nascondersi nella serra per non sentire il fracasso dei piatti rotti. E se per caso i suoi genitori litigavano per qualche banale fraintendimento, Barbie aveva sempre Ken, il perfetto fidanzato biondo, a tenerle compagnia... perfino nella serra.

Barbie era perfetta, quindi doveva esserlo anche la sua vita. E i suoi genitori.

Mio padre, che mi ha abbandonata nove anni fa, ora è di fronte a me, sporco e vestito di stracci. Diverso da come dovrebbe essere, diverso da come lo ricordavo. Quando mi sorride, rivedo un'altra immagine del passato.

Mio padre, la notte in cui se n'è andato... Mia madre impietrita, senza lacrime, che aspettava di vederlo uscire dalla porta. Da quella notte mia madre è cambiata: non è più stata affettuosa come prima. È diventata brusca, scostante, infelice.

Però è rimasta con me. Lui invece no.

1
Tessa

«Papà?» L'uomo di fronte a me non può essere mio padre, benché abbia gli stessi occhi marroni.

«Tessie?» La sua voce è più roca di come me la ricordavo.

Hardin mi lancia un'occhiata di fuoco, poi torna a guardare mio padre.

Mio padre. Qui, in un quartiere malfamato, con i vestiti sporchi e il cattivo odore che si percepisce già a distanza.

«Tessie? Sei davvero tu?»

Sono immobilizzata. Non ho niente da dire a questo ubriaco con la faccia di mio padre.

Hardin mi posa una mano sulla spalla, tentando di farmi reagire. «Tessa…»

Faccio un passo verso lo sconosciuto e lui mi sorride. La barba castana è brizzolata, i denti non sono più bianchi come un tempo… Come ha fatto a ridursi così? Tutte le speranze che si fosse lasciato i problemi alle spalle, come ha fatto Ken, sono svanite, e mi spezza il cuore dover ammettere che quest'uomo è mio padre.

«Sono io», risponde una voce, e dopo un istante realizzo che erano mie quelle parole.

Lui mi viene incontro e mi abbraccia. «Non ci posso credere! Eccoti qua! Ti…»

Viene interrotto da Hardin, che lo strattona via da me. Indietreggio, non sapendo cos'altro fare.

L'estraneo – mio padre – saetta lo sguardo tra me e Hardin con aria preoccupata, ma non riprova a toccarmi, e io gliene sono grata.

«Ti cercavo da mesi», dice. Si passa una mano sulla fronte, lasciando tracce di sporco sulla pelle.

Hardin si piazza davanti a me per farmi scudo, pronto a intervenire. «Ero qui», spiego a mio padre, sporgendomi da dietro la sua spalla. Mi fa piacere che voglia proteggermi, e solo ora capisco che dev'essere molto confuso.

Mio padre lo guarda bene. «Wow. Noah è molto cambiato.»

«No, questo è Hardin», ribatto.

Mio padre gli gira intorno per avvicinarsi a me. Sento Hardin irrigidirsi.

Sarà l'alcol a confonderlo, perché Hardin e Noah non si somigliano affatto: nessuno potrebbe mai scambiare l'uno per l'altro. Mio padre mi posa un braccio sulle spalle, Hardin mi fissa e io scuoto lentamente la testa per dirgli di non intervenire.

«Chi è?» Il suo braccio resta sulle mie spalle troppo a lungo, mettendomi a disagio. Hardin sembra in procinto di esplodere: non necessariamente per la rabbia, ma perché è spiazzato e non sa cosa fare.

Siamo in due a non saperlo. «Lui è… Hardin è il mio…»

«Ragazzo. Sono il suo ragazzo», finisce lui per me.

L'uomo è attonito. «Piacere, Hardin. Io sono Richard.» Gli porge la mano sporca.

«Ehm… sì, piacere», Hardin è chiaramente disorientato.

«Cosa ci fate da queste parti, voi due?»

Colgo l'occasione per allontanarmi da lui e raggiungere Hardin, che si riscuote e mi tira a sé.

«Hardin si è fatto fare un tatuaggio», rispondo con voce meccanica. La mia mente non riesce a tenersi al passo con gli eventi.

«Ah, bene. Anch'io sono venuto in zona, una volta.»

Ricordo quando prendeva il caffè ogni mattina prima di andare al lavoro. Non aveva questo aspetto, non parlava così, e di sicuro non si faceva tatuaggi, quando lo conoscevo io. Quando ero la sua bambina.

«Sì, li fa il mio amico Tom.» Tira su la manica della felpa rivelando un teschio sull'avambraccio.

All'inizio non mi sembra adatto a lui, ma guardandolo meglio penso che, forse, gli si addice. «Oh…» è tutto ciò che mi esce di bocca.

Che situazione assurda. È mio padre, l'uomo che ha abbandonato me e la mamma. E adesso è davanti ai miei occhi… ubriaco. E io non so cosa pensare.

Una parte di me è felice di rivederlo: una parte molto piccola, con cui in questo momento non voglio avere niente a che fare. Covavo la segreta speranza di incontrarlo fin da quando mia madre mi ha detto che era tornato in zona. So che è una stupidaggine, ma in un certo senso mi pare che stia meglio di prima. È ubriaco e probabilmente è un senzatetto, ma mi è mancato più di quanto mi rendessi conto, e forse ha solo passato un brutto periodo. Chi sono io per giudicarlo, se non so niente di lui?

Osservo la strada intorno a noi e mi sembra strano che la vita vada avanti come al solito, che il tempo non si sia fermato nell'istante del nostro incontro.

«Dove abiti?» gli chiedo.

Hardin posa su di lui uno sguardo minaccioso.

«Be'… un po' qua e un po' là, al momento.» Si asciuga la fronte con la manica.

«Ah.»

«Lavoravo giù da Raymark, ma mi hanno licenziato.»

Ricordo vagamente il nome, credo sia una fabbrica. Faceva l'operaio?

«Come stai? Sono passati… Cinque anni, no?» dice.

Percepisco l'indignazione di Hardin quando rispondo: «No, ne sono passati nove».

«Nove? Mi dispiace, Tessie.» Ha la voce un po' impastata.

Quel soprannome mi fa torcere lo stomaco: lo usava ai bei tempi. Quando mi caricava in spalla e correvamo in giardino. Non so cosa pensare. Voglio piangere, perché non lo vedevo da tanto tempo; voglio ridere, perché è paradossale incontrarlo qui; voglio insultarlo perché mi ha abbandonata. Sono confusa. Lo ricordavo come un alcolizzato aggressivo, non un alcolizzato che sorride, mi fa vedere i tatuaggi e stringe la mano al mio ragazzo. Forse è diventato una persona migliore…

«Penso che sia ora di andarcene», interviene Hardin guardando mio padre.

«Mi dispiace tanto, ma non è stata tutta colpa mia. Tua madre… lo sai com'è fatta.» Alza le mani in atteggiamento difensivo. «Ti prego, Theresa, dammi una possibilità», mi supplica.

«Tessa…» sibila Hardin.

«Dacci un secondo», dico a mio padre. Prendo Hardin per il braccio e lo faccio spostare di qualche metro.

«Che cavolo stai facendo? Non vorrai davvero…» inizia lui.

«È mio padre, Hardin.»

«È un barbone ubriaco del cazzo», sbotta lui.

È la verità, ma la cattiveria con cui lo dice mi fa venire le lacrime agli occhi. «Non lo vedevo da nove anni.»

«Esatto: perché ti ha abbandonata. Sprechi il tuo tempo, Tessa.» Si gira un momento verso mio padre.

«Non mi importa. Voglio sentire cos'ha da dirmi.»

«Be', ci manca solo che lo inviti a casa.»

«Lo inviterò, se voglio. E se vuole venire, verrà. È anche casa mia», ribatto brusca. Mi volto a guardare mio padre, lì impalato con i suoi vestiti sporchi, gli occhi fissi a terra. Quand'è stata l'ultima volta che ha dormito in un letto? E l'ultima volta che ha fatto un pasto completo? Quel pensiero mi dà una stretta al cuore.

«Non stai seriamente pensando di portarlo a casa con noi, vero?» domanda Hardin passandosi le dita tra i capelli, un gesto che fa sempre quando è nervoso.

«Non per sempre, solo per stanotte. Possiamo offrirgli la cena», propongo. Mio padre alza la testa e incrocia i miei occhi. Quando accenna un sorriso, distolgo lo sguardo.

«Cena?» ripete sbigottito. «Tessa, è un alcolizzato di merda e non lo vedevi da quasi dieci anni… e adesso vuoi offrirgli la cena?»

Imbarazzata dalle sue urla, lo tiro per il colletto e parlo a voce più bassa. «È mio padre, Hardin! E ho tagliato i ponti con mia madre.»

«E per questo devi riallacciare i rapporti con… quello lì? Finirà male, Tess. Sei troppo buona con le persone che non lo meritano.»

«È importante per me», ammetto, e la sua espressione si addolcisce prima che io possa fargli notare l'ironia insita nella sua obiezione.

Sospira e si tira i capelli, frustrato. «Dannazione, Tessa, non andrà a finire bene.»

«Non puoi sapere come andrà a finire», bisbiglio. Mio padre si sta accarezzando la barba. Forse ha ragione Hardin, ma ho il diritto di provare a conoscere quell'uomo, o quantomeno di ascoltare cos'ha da dirmi.

Torno da lui, e quando gli parlo mi trema un po' la voce. «Vuoi venire a cena a casa nostra?»

«Davvero?!» esclama, e il suo viso si accende di speranza.

«Davvero.»

«Okay! Sì, okay!» Sorride, e per un istante rivedo l'uomo che conoscevo, l'uomo che c'era prima dell'alcol.

Hardin non dice una parola mentre andiamo verso la macchina. So che è arrabbiato e lo capisco. Ma so anche che suo padre è cambiato in meglio: insomma, è diventato rettore dell'università! Sono così pazza se spero che succeda lo stesso al mio?

Quando arriviamo alla macchina, mio padre chiede: «Accidenti, è tua questa? È una Capri, vero? Fine anni Settanta?»

«Già», fa Hardin salendo al posto di guida.

Quella risposta secca non sembra turbare mio padre, per fortuna. Appena Hardin avvia il motore, entrambi abbiamo l'istinto di alzare il volume della radio, nella speranza di coprire con la musica quel silenzio imbarazzante.

Per tutto il tragitto verso casa mi domando come la prenderebbe mia madre. L'idea mi dà i brividi, quindi cerco di pensare al mio imminente trasferimento a Seattle.

Ma è quasi peggio: non so come parlarne a Hardin. Chiudo gli occhi e appoggio la testa al finestrino. La mano calda di Hardin si posa sulla mia, e pian piano mi calmo un po'.

«Ehi, ma è qui che abitate?» Dal sedile posteriore, mio padre osserva stupefatto il nostro palazzo.

Hardin mi lancia un'occhiata come a dire: Ecco, lo sapevo. Rispondo: «Sì, ci siamo trasferiti qui qualche mese fa».

In ascensore, lo sguardo protettivo di Hardin mi scalda il cuore. Accenno un sorriso, sperando di tranquillizzarlo. Sembra funzionare, ma l'idea di essere a casa nostra con quell'uomo, praticamente un estraneo, è così imbarazzante che inizio a pentirmi di averlo invitato. Ma ormai è tardi.

Hardin apre la porta, entra in casa e va dritto in camera senza dire una parola.

«Torno subito», faccio a mio padre, e lo lascio solo nell'ingresso.

«Ti spiace se vado al bagno?» mi grida dietro.

«Certo che no, è in fondo al corridoio», gli indico la porta senza girarmi.

Trovo Hardin seduto sul letto a togliersi gli anfibi. Mi fa cenno di chiudere la porta.

«So che ce l'hai con me», comincio a bassa voce, andando verso di lui.

«Sì.»

Prendo il suo viso tra le mani, gli accarezzo le guance con i pollici. «Non avercela con me.»

Chiude gli occhi per gustarsi le mie carezze, mi cinge in vita. «Ti farà soffrire. Cerco solo di evitarti un dolore.»

«Non può farmi soffrire, come potrebbe? Non lo vedevo da… quanto?»

«Starà rubando qualcosa, ci scommetto», sbuffa. Mi viene da ridere. «Non c'è niente da ridere, Tessa», commenta lui.

Sospiro e gli sollevo il mento perché mi guardi. «Potresti per favore rilassarti e vedere il lato positivo? Sono già abbastanza confusa senza che tu mi tenga il muso.»

«Non ti tengo il muso, cerco di proteggerti.»

«Non ho bisogno che tu… È mio padre.»

«Non è tuo padre…»

«Scusa?» Gli passo il pollice sul labbro e la sua espressione si addolcisce.

Sospira di nuovo. «E va bene, andiamo a cena con questo

tizio. Scommetto che da un pezzo non mangia altro che roba pescata nei rifiuti.»

Il sorriso mi si spegne sulla faccia, mi trema il labbro e lui se ne accorge.

«Scusa, non piangere.» Sospira ancora. Non fa altro da quando abbiamo incontrato mio padre fuori dal negozio del tatuatore. Vedere Hardin... preoccupato – anche se, come tutte le sue emozioni, la preoccupazione è venata di rabbia – non fa che rendere più surreale la situazione.

«Non ho detto altro che la verità, ma vedrò di darmi una regolata.» Si alza in piedi e mi bacia sull'angolo della bocca. Mentre usciamo dalla stanza, borbotta: «Andiamo a sfamare il mendicante», e questo non migliora il mio umore.

L'uomo che troviamo in salotto sembra un pesce fuor d'acqua: si guarda intorno, osserva i libri sugli scaffali.

«Preparo la cena; perché intanto non accendi la televisione?» gli propongo.

«Posso aiutarti?» si offre.

«Ehm, okay», acconsento con un mezzo sorriso, e lui mi segue in cucina. Hardin resta in salotto: mantiene le distanze, come immaginavo.

«È incredibile che tu sia adulta e abbia una casa tutta tua», dice mio padre.

Tiro fuori dal frigo un pomodoro e cerco di fare ordine tra i pensieri. «Vado all'università, alla Washington Central. E anche Hardin», spiego, ma naturalmente ometto di precisare che lui sta per essere espulso.

«Davvero? La Washington Central University? Wow.» Si siede a tavola. Mi accorgo che si è lavato le mani e il viso, e ha una chiazza bagnata sulla maglietta, come se avesse tentato di togliere una macchia. Ed è nervoso. Vederlo nervoso mi fa sentire un po' meglio.

Vorrei raccontargli di Seattle e della piega inaspettata che sta prendendo la mia vita, ma non ne ho ancora parlato con Hardin. La ricomparsa di mio padre mi ha portata ulteriormente fuori rotta. Non so quanti altri problemi avrò la forza di affrontare.

«Ho sempre saputo che saresti diventata qualcuno. Vorrei aver assistito alla tua trasformazione.»

«Ma non l'hai fatto, non c'eri», ribatto in tono secco. Mi sento subito in colpa, ma non voglio rimangiarmelo.

«Lo so, ma adesso sono qui e spero di riuscire a farmi perdonare.»

Parole semplici ma anche un po' crudeli: perché mi inducono a sperare che dopotutto non sia cattivo, che abbia solo bisogno di aiuto per smettere di bere.

«Ma... bevi ancora?»

«Sì», risponde abbassando lo sguardo. «Non quanto prima. So che non si direbbe, a guardarmi, ma ho passato alcuni mesi difficili... tutto qui.»

Hardin appare sulla soglia della cucina: capisco che lotta con se stesso per restare in silenzio. Spero proprio che ci riesca.

«Ho visto tua madre, qualche volta.»

«Ah sì?»

«Sì. Non ha voluto dirmi dov'eri. Mi è sembrata in ottima forma.»

Nella mia testa rimbomba la voce di mia madre, a ricordarmi che quest'uomo ci ha abbandonate. Che è stato quest'uomo a ridurla com'è oggi.

«Cos'è successo... tra voi due?» Metto in padella il petto di pollo e lo osservo sfrigolare mentre aspetto una risposta. Non voglio guardare mio padre dopo avergli fatto una domanda così diretta e inaspettata, ma non sono riuscita a trattenermi.

«Non eravamo compatibili; lei voleva più di quanto io potessi darle, e sai com'è fatta.»

Lo so bene, ma quel tono critico non mi piace. Sta tentando di scaricare la colpa su di lei.

Decido di rimettere la colpa al posto che le spetta. Mi giro di scatto e gli chiedo: «Perché non ci hai chiamate?»

«Vi chiamavo in continuazione. Ti mandavo regali a ogni compleanno. Ma lei non te l'ha mai detto, vero?»

«No.»

«Be', è così. Mi sei mancata tanto. E ora sei qui davanti a me. Non ci posso credere.» Ha gli occhi lucidi e gli trema la voce; si alza e viene verso di me. Non so come reagire; non conosco più quest'uomo, se mai l'ho conosciuto.

Hardin entra in cucina per creare una barriera tra noi, e anche stavolta gli sono grata per l'intrusione. Ho i pensieri in subbuglio e sento il bisogno di mantenere una distanza fisica tra me e mio padre.

«So che non puoi perdonarmi», dice sull'orlo delle lacrime.

Mi si stringe lo stomaco. «Non è questo il punto. Ho bisogno di tempo per farti rientrare nella mia vita. Non ti conosco nemmeno.»

«Lo so, lo so.» Torna a sedersi a tavola e aspetta che finisca di preparare la cena.

2
Hardin

QUEL pezzo di merda, il donatore di sperma che ha generato Tessa, divora due piatti strapieni senza fermarsi neanche per respirare. Vive per strada: ci credo che moriva di fame. Non è che non mi senta solidale con le persone in difficoltà... ma questo qui è un alcolizzato e ha abbandonato sua figlia, quindi per lui non provo alcuna compassione.

Beve un sorso d'acqua e sorride alla mia ragazza. «Sei un'ottima cuoca, Tessie.»

Se la chiama così un'altra volta, mi metto a urlare.

«Grazie.» Tessa sorride, perché è una persona gentile, lei. Mi accorgo che quell'uomo sta facendo presa su di lei: inizia a rimarginare le ferite che le ha inferto abbandonandola quando era piccola.

«Dico sul serio, magari potresti darmi questa ricetta.»

E dove cucineresti? Non ce l'hai, una cucina.

«Certo», fa lei alzandosi per sparecchiare.

«Ora posso andare. Grazie per la cena», saluta Richard... *Dick lo Stronzo.* Si alza.

«No, puoi... puoi fermarti a dormire, se vuoi, e domattina ti riaccompagniamo... a casa», propone lei evidentemente incerta.

Io invece sono certissimo di una cosa: la situazione non mi piace per niente.

«Ne sarei felice», risponde Dick massaggiandosi le braccia.

È nervoso, il bastardo. Sarà in astinenza dall'alcol, scommetto.

Tessa sorride. «Fantastico. Vado a prendere un cuscino e le lenzuola.» Mi guarda per un momento e sembra accorgersi del mio umore, perché mi chiede: «Posso lasciarvi soli per un minuto, vero?»

Suo padre ride. «Sì, d'altronde voglio conoscerlo meglio.»

Oh no, non lo vuoi, te l'assicuro.

Lei mi osserva perplessa ed esce dalla cucina.

«Allora, Hardin, dove hai conosciuto la mia Tessa?» chiede. La sento chiudere la porta e aspetto un paio di secondi per assicurarmi che non ci senta. «Hardin?» ripete lui.

«Chiariamo subito una cosa», ringhio, e mi sporgo di scatto sopra il tavolo facendo sussultare l'uomo. «Lei non è la tua Tessa, è la mia Tessa. E ho capito che intenzioni hai, quindi non pensare di fregarmi.»

Alza le mani e con espressione arrendevole dice: «Non ho nessuna intenzione…»

«Cos'è che vuoi, soldi?»

«Eh? Ma no, certo che non voglio soldi. Voglio riallacciare i rapporti con mia figlia.»

«Hai avuto nove anni per riallacciarli, e invece sei qui solo perché l'hai incontrata per caso per strada. Non sei venuto a cercarla», urlo, e ho una voglia matta di strozzarlo.

«Lo so», dice abbassando lo sguardo. «So di aver commesso molti errori, ma ho intenzione di rimediare.»

«Sei ubriaco. Qui, seduto nella mia cucina, sei ubriaco, porca vacca. So riconoscere un ubriaco quando lo vedo. Non ho alcuna compassione per un uomo che abbandona la sua famiglia e nove anni dopo non ha ancora messo la testa a posto.»

«So che parli così per il bene di mia figlia, e mi piace vedere che la difendi, ma non farò altri sbagli. Voglio solo conoscerla… e conoscere te.»

Resto in silenzio e cerco di calmarmi.

«Sei molto più gentile quando c'è lei», osserva a bassa voce.

«E tu sei un attore meno bravo quando lei non c'è», ribatto.

«Hai tutto il diritto di non fidarti di me, ma per il suo bene dammi una possibilità.»

«Se la fai soffrire sei morto.» Forse dovrei sentirmi in colpa per aver minacciato così il padre di Tessa, ma provo solo rabbia e sfiducia nei confronti di questo tizio patetico. L'istinto mi dice di proteggere Tessa, non di simpatizzare con un estraneo alcolizzato.

«Non la farò soffrire», promette.

14

Lo guardo con sufficienza e bevo un sorso d'acqua.

Lui, convinto che quella promessa abbia risolto tutto, prova a fare una battuta. «Questa conversazione dovrebbe avvenire a ruoli invertiti, sai?»

Non gli rispondo e me ne vado in camera. Altrimenti lo strozzo.

3
Tessa

Ho in mano un cuscino, una coperta e un asciugamano quando Hardin irrompe nella stanza.

«Cos'è successo?» gli chiedo. Mi aspetto che inizi a gridare, che mi accusi di avere invitato mio padre a dormire qui senza prima essermi consultata con lui.

Va a sdraiarsi sul letto e mi guarda. «Niente. Abbiamo scoperto di avere un'ottima intesa. Poi ho capito che avevo dedicato fin troppo tempo al nostro carissimo ospite, perciò ho deciso di venire qui.»

«Ti prego, dimmi che non l'hai maltrattato.» Conosco a malapena mio padre, non voglio certo creare altre tensioni.

«Ho tenuto le mani a posto», risponde chiudendo gli occhi.

«Gli porterò una coperta e mi scuserò per il tuo comportamento, come sempre», ribatto stizzita.

In salotto, trovo mio padre seduto a terra a giocherellare con gli strappi sui jeans. Mi sente entrare e alza lo sguardo.

«Puoi sederti sul divano», e intanto poso sul bracciolo il fagotto di cose.

«Be'... non volevo sporcarlo.»

Vederlo imbarazzato mi fa male al cuore. «Non preoccuparti... puoi fare la doccia, e Hardin ti presterà dei vestiti.»

«Non voglio approfittarmi», protesta debolmente senza incrociare i miei occhi.

«Non c'è problema, davvero. Ti cerco qualcosa da mettere, tu intanto va' a farti la doccia. Ecco un asciugamano.»

Accenna un sorriso. «Grazie. Sono davvero felice di rivederti. Mi sei mancata così tanto... e adesso eccoti qui.»

«Mi dispiace se Hardin è stato scortese con te. È...»

«Protettivo?»

«Sì, direi di sì. Ma a volte finisce per essere maleducato.»

«Stai tranquilla, sono un uomo, ho la scorza dura. Si preoccupa per te, e non ha torto: non mi conosce. Cavolo, non mi conosci neppure tu. Mi ricorda una persona...» Si interrompe e sorride.

«Chi?»

«Me. Ero proprio come lui: non rispettavo le persone che non lo meritavano e calpestavo chiunque mi sbarrasse la strada. Ero irascibile quanto lui. L'unica differenza è che lui ha molti più tatuaggi di me.» Ridacchia, e quel suono evoca in me ricordi a lungo sopiti.

Mi godo quella sensazione e sorrido con lui, poi lui si alza e prende l'asciugamano. «Penso che accetterò la tua offerta di una doccia.»

Gli dico che gli lascerò dei vestiti puliti fuori dalla porta del bagno e vado in camera.

Hardin è ancora sdraiato sul letto, con gli occhi chiusi.

«Sta facendo la doccia. Gli ho detto che può mettersi i tuoi vestiti.»

16

Si alza a sedere. «E perché?»

«Perché non ha niente da mettersi.» Mi avvicino al letto allargando le braccia per calmarlo.

«Ma certo, Tessa, fa' pure, dagli i miei vestiti. Vuoi che gli offra anche la mia parte del letto?»

«Smettila, è mio padre, e voglio vedere cosa succede. Solo perché tu non riesci a perdonare il tuo, non significa che devi boicottare i miei tentativi di riallacciare i rapporti con il mio», ribatto in un tono aspro quanto il suo.

Mi guarda e stringe gli occhi, probabilmente per lo sforzo di non dire le parole cariche d'odio che ha in testa.

«Non è questo il punto; è che sei troppo ingenua. Quante volte te lo devo ripetere? Non tutti meritano la tua gentilezza, Tessa.»

«Ah, la meriti solo tu, giusto?» sbotto. «Sei l'unico che dovrei perdonare, l'unico a cui dovrei dare il beneficio del dubbio? È una fesseria, ed è molto egoista da parte tua.» Cerco nel cassetto un paio di pantaloni della tuta. «E sai una cosa? Preferisco essere ingenua, ma capace di trovare il buono nelle persone, piuttosto che essere stronza con tutti e partire dal presupposto che gli altri vogliano fregarmi.»

Prendo una maglietta e dei calzini ed esco dalla stanza. Mentre appoggio i vestiti davanti alla porta del bagno, sento mio padre che canticchia sotto la doccia. Accosto l'orecchio alla porta e mi viene da sorridere. Ricordo che mia madre si lamentava sempre quando mio padre cantava, invece a me piace molto la sua voce.

Riaccendo il televisore in salotto e poso il telecomando sul tavolo per fargli capire che può guardare ciò che vuole. Vede mai la televisione?

Sistemo la cucina lasciando un po' di avanzi sul bancone

nel caso gli torni fame. Quando è stata l'ultima volta che ha fatto un pasto completo? mi domando di nuovo.

In bagno l'acqua scorre ancora: evidentemente si sta godendo la doccia calda perché non gli capitava di farla da un po'.

Quando torno in camera trovo Hardin con il nuovo raccoglitore di pelle sulle gambe. Gli passo accanto senza guardarlo, ma lui mi prende per un braccio.

«Possiamo parlare?» mi chiede tirandomi tra le sue gambe.

«Dimmi.»

«Mi dispiace di essermi comportato male, okay? È solo che non so cosa pensare di tutta questa storia.»

«Quale storia? Non è cambiato niente.»

«Sì, invece. Quest'uomo, che nessuno di noi due conosce davvero, è in casa mia e vuole riallacciare i rapporti con te dopo tutti questi anni. Non mi fido, e il mio primo istinto è mettermi sulla difensiva. Lo sai.»

«Ti capisco, ma non puoi dire cose del genere, dargli dell'accattone. Lo offendi.»

Intreccia le dita alle mie e mi tira più vicina a sé. «Scusa, piccola. Mi dispiace davvero.» Si porta le mie mani alla bocca e mi bacia lentamente le nocche, una dopo l'altra.

Sento dissipare la rabbia. «La smetti con le cattiverie?»

«Sì», risponde tracciando delle linee sul palmo della mia mano.

«Grazie.» Il suo dito arriva al mio polso, poi scende di nuovo verso i polpastrelli.

«Ma sta' attenta, va bene? Perché non ci penso due volte a...»

«Però pare una persona a posto, non credi? Insomma, è educato», mormoro per interrompere le sue minacce di violenza.

Le sue dita si fermano. «Non lo so. Sembra tranquillo, sì.»

«Non era così quand'ero piccola.»

Hardin mi fissa con il fuoco negli occhi, ma parla in tono

gentile. «Non dirmi queste cose quando lui è così vicino, per favore. Mi sto già sforzando, non provocarmi.»

Mi siedo sulle sue gambe, lui si sdraia e io mi stendo sopra di lui.

«Domani è il grande giorno», sospira.

«Già», bisbiglio, accoccolata contro di lui. Domani si terrà l'udienza in cui decideranno se espellerlo per aver picchiato Zed. Nulla di cui andare fieri, insomma.

All'improvviso ricordo il messaggio che mi ha scritto Zed. Me n'ero quasi dimenticata, dopo aver incontrato mio padre fuori dal negozio. Il telefono aveva vibrato nella mia tasca mentre aspettavamo il ritorno di Steph e Tristan, e Hardin mi aveva guardata in silenzio mentre leggevo. Per fortuna non mi aveva chiesto cosa dicesse il messaggio.

Devo parlarti domattina. Da sola, per favore, aveva scritto Zed.

Non so cosa pensare: non sono sicura che sia il caso di parlargli, dato che ha detto a Tristan di voler sporgere denuncia contro Hardin. Spero l'abbia detto solo per farsi bello con lui, per difendere la propria reputazione. Non so cosa farei se Hardin si trovasse in guai seri. Dovrei rispondere al messaggio, ma non mi sembra una buona idea incontrare Zed e parlargli da sola. Hardin è già abbastanza arrabbiato.

«Mi ascolti?» dice.

Alzo la testa dal conforto del suo abbraccio. «No, scusa.»

«A cosa stai pensando?»

«A tutto: domani, la denuncia, l'espulsione, l'Inghilterra, mio padre...» Sospiro. «Tutto.»

«Vieni con me, però? A sentire se mi espellono?» C'è una nota di nervosismo sotto la voce pacata.

«Se mi vuoi.»

«Ho bisogno di te.»

«Allora ci sarò.» Devo assolutamente cambiare argomento. «Non ci credo ancora che ti sei fatto quel tatuaggio. Fammelo rivedere.»

Mi sposta delicatamente per girarsi. «Tirami su la maglietta.»

Sollevo l'orlo della t-shirt nera per scoprire la schiena e scosto le bende bianche che proteggono le parole appena tatuate sulla pelle.

«C'è un po' di sangue sulle bende», gli faccio notare.

«È normale», spiega, e dal tono capisco che è divertito dalla mia ignoranza.

Lascio scorrere un dito sulla pelle arrossata, rileggendo le splendide parole. Il tatuaggio che si è fatto per me è già diventato il mio preferito. Parole perfette: parole che significano molto per me, e a quanto pare anche per lui. Ma che non tengono conto del mio trasferimento a Seattle, di cui non gli ho ancora parlato. Glielo dirò domani, appena sapremo il verdetto sull'eventuale espulsione. Mi sono già ripromessa mille volte di farlo: più aspetto e più si arrabbierà.

«È un impegno abbastanza serio per te, Tessie?»

Lo guardo storto. «Non chiamarmi così.»

«Detesto quel diminutivo», dice. Resta sdraiato a pancia in giù ma alza la testa nella mia direzione.

«Anch'io, ma non voglio dirglielo. Comunque, il tatuaggio mi basta.»

«Sicura? Perché posso farci aggiungere il tuo ritratto.» Ride.

«No, per favore!»

«Sicura che basti?» Si alza a sedere e si tira giù la maglietta. «Niente matrimonio», aggiunge.

«Per questo l'hai fatto? Ti sei fatto un tatuaggio come alternativa al matrimonio?» Non so cosa pensare.

«No, non proprio. Me lo sono fatto perché lo volevo, e perché era un po' che non ne facevo uno.»

«Che pensiero gentile.»

«Ma l'ho fatto anche per te, per dimostrarti che voglio... questo.» Indica me e poi se stesso, e mi prende per mano. «Qualsiasi cosa sia, quello che c'è tra noi, non voglio mai perderlo. L'ho già perso una volta, e non l'ho ancora recuperato del tutto, ma sento che ci siamo quasi.»

La sua mano è calda e si adatta perfettamente alla mia.

«Perciò, anche stavolta ho preso in prestito le parole di un uomo molto più romantico di me per esprimere i miei pensieri.» Fa un gran sorriso, ma intuisco il terrore che c'è sotto.

«Penso che Darcy sarebbe disgustato dall'uso che hai fatto delle sue celebri affermazioni», lo prendo in giro.

«Credo invece che mi batterebbe il cinque.»

Scoppio in una risata. «Fitzwilliam Darcy non batterebbe mai il cinque a nessuno.»

«Secondo te si reputa superiore? No: si siederebbe con me a bere una birra. Parleremmo della cosa che abbiamo in comune: donne testarde.»

«Voi due siete fortunati ad averci, perché nessun altro vi sopporterebbe.»

«Ah, è così?»

«Ovvio.»

«Hai ragione, forse. Ma preferirei Elizabeth a te.»

Indispettita, lo guardo aspettando una spiegazione.

«Solo perché la pensa come me sul matrimonio.»

«Ma alla fine si sposa anche lei», gli ricordo.

Mi prende per i fianchi e mi fa poggiare la testa sui cuscini che detesta, come mi ripete in continuazione. «Ecco! Darcy può avervi entrambe!» La sua risata rieccheggia nella stanza, insieme alla mia.

Questi bisticci sui personaggi della letteratura, durante i quali lui ride come un bambino, sono i momenti che mi fanno pensare sia valsa la pena di soffrire tanto. Mi faccio scudo di istanti come questi contro le difficoltà passate e gli ostacoli che abbiamo ancora davanti.

«Sento che è uscito dal bagno», dice Hardin in tono guardingo.

«Vado a dargli la buonanotte.» Mi separo da lui e gli scocco un bacio sulla fronte.

Trovo mio padre in salotto. È strano vedergli addosso i vestiti di Hardin, ma gli stanno meglio di quanto mi aspettassi.

«Grazie ancora dei vestiti. Li lascio qui quando vado via domattina», mi dice.

«Non importa, puoi tenerli… se ti servono.»

Si siede sul divano con le mani in grembo. «Hai già fatto abbastanza per me, più di quanto meritassi.»

«Non c'è problema, davvero.»

«Sei molto più comprensiva di tua madre.» Sorride.

«Non sono sicura di capirci granché, per ora, ma ci voglio provare.»

«Non chiedo altro: solo un po' di tempo per conoscere la mia piccola… be', la mia… grande figlia, già adulta.»

Faccio un sorriso tirato. «Mi farebbe piacere.»

Dovrà impegnarsi molto, e non lo perdonerò da un giorno all'altro. Ma è mio padre, e non ho le energie per odiarlo. Voglio credere che possa cambiare: l'ho visto succedere ad altre persone. Ken, per esempio, è riuscito a voltare pagina, anche se Hardin non sembra in grado di lasciarsi alle spalle il dolore del passato. E ho visto cambiare anche Hardin, e al mondo ci sono poche persone più testarde di lui: quindi immagino che ci sia speranza anche per mio padre, per quanto brutta sia la situazione.

«Hardin mi odia. Dovrò lavorare molto con lui.»

Il suo umorismo è contagioso: mi viene da ridere. «Sì, sì,

ci vorrà tempo.» Mi giro a guardare il mio ragazzo, vestito di nero, che ci osserva sospettoso.

4
Tessa

«SPEGNILA», borbotta Hardin quando il trillo della sveglia risuona nella stanza buia.

Cerco a tentoni il telefono e finalmente lo metto a tacere. Mi alzo a sedere sul letto e sento le spalle pesanti: è il fardello delle tensioni di oggi. La decisione dell'università sull'espulsione di Hardin, il rischio che Zed lo denunci, e infine le possibili reazioni di Hardin alla mia decisione di andare a Seattle e alla richiesta di venire con me in una città che dice di odiare.

Non so quale di queste prospettive mi spaventi di più. In bagno, mentre mi lavo il viso con l'acqua fresca, giungo alla conclusione che la possibile denuncia è la cosa più grave. Se Hardin va in prigione non so proprio come faremo: il solo pensiero mi fa star male. Mi torna in mente che Zed mi ha chiesto di vederci stamattina, e mi domando di cosa voglia parlarmi; soprattutto dal momento che, l'ultima volta che ci siamo visti, ha confessato di essersi «innamorato» di me.

Sospiro e affondo il viso sull'asciugamano. Dovrei rispondere a Zed, sentire almeno cosa vuole? Forse può spiegarmi perché a Tristan ha detto una cosa e a me un'altra. Mi sento in colpa per avergli chiesto di non sporgere denuncia, considerando le botte che ha preso; ma amo Hardin, e Zed all'inizio aveva le sue stesse intenzioni: vincere una scommessa. Nessuno dei due ha la coscienza pulita.

Senza concedermi altro tempo per riflettere scrivo subito un messaggio a Zed, ripetendomi che lo faccio solo per aiutare Hardin.

Quando vedo la coperta ben ripiegata sul bracciolo del divano, mi si stringe lo stomaco. Se n'è andato? *Come farò a rintracciarlo...*

Ma poi sento aprirsi uno sportello in cucina. Entro nella stanza buia e accendo la luce: mio padre trasalisce, il cucchiaio gli sfugge di mano e cade a terra.

«Scusa, cercavo di non far rumore», si giustifica, chinandosi a raccoglierlo.

«Non fa niente, ero già sveglia. Potevi anche accendere la luce», ridacchio.

«Non volevo svegliare nessuno. Mi stavo preparando un po' di cereali, spero non sia un problema.»

«Certo che no.» Avvio la macchina del caffè e guardo l'orologio. Tra un quarto d'ora devo svegliare Hardin.

«Che programmi hai per oggi?» mi chiede con la bocca piena di cereali. La colazione preferita di Hardin.

«Be', ho lezione, e Hardin ha un incontro con il consiglio accademico.»

«Il consiglio accademico? Sembra una cosa seria...»

Guardo mio padre e mi chiedo: Faccio bene a dirglielo? Ma da qualche parte dovrò pur iniziare, mi dico. «È stato coinvolto in una rissa nel campus.»

«E ora deve difendersi davanti al consiglio? Ai miei tempi ti facevano una ramanzina e basta.»

«Ha distrutto mezzo laboratorio, roba costosa, e ha rotto il naso all'altro ragazzo.» Sospiro e metto lo zucchero nel caffè. Ho bisogno di una dose extra di energia, stamattina.

«Ah, però. Per cosa litigavano?»

«Per me, più o meno. La tensione si andava accumulando da tempo, e alla fine... è esplosa.»

«Be', ora Hardin mi sta ancora più simpatico di ieri sera», afferma con un gran sorriso. Sono contenta che il mio ragazzo inizi a piacergli, anche se non per il motivo giusto. Preferirei che ad unirli non fosse la violenza.

Scuoto la testa e bevo mezza tazza di caffè in un sorso solo, sperando che mi aiuti a placare l'ansia.

«Da dove viene?» Mio padre sembra davvero interessato a conoscere Hardin.

«Dall'Inghilterra.»

«Mi pareva di aver riconosciuto l'accento, ma a volte non distinguo gli inglesi dagli australiani. La sua famiglia è ancora là?»

«Sua madre sì. Suo padre vive qui. È il rettore della WCU.»

I suoi occhi marroni mi scrutano curiosi. «Paradossale, quindi, la faccenda dell'espulsione.»

«Già», sospiro.

«Tua madre l'ha conosciuto?»

«Sì, e lo odia.»

«Odio è una parola forte.»

«Credimi, in questo caso non è abbastanza forte.» Il dolore per la rottura con mia madre si sta attenuando con il passare del tempo. Non so se sia un bene o un male.

Mio padre posa il cucchiaio e commenta: «A volte è un po' testarda, ma solo perché si preoccupa per te».

«Non ce n'è motivo. Sto bene.»

«Be', allora dalle il tempo di cambiare idea. Non sei tenuta a scegliere fra lui e lei.» Sorride. «Neanch'io piacevo a tua nonna; mi starà ancora insultando dalla tomba.»

È così strano fare colazione con mio padre, dopo tutti questi anni. «È solo che è difficile, perché siamo sempre state molto unite... insomma, nei limiti delle sue capacità.»

«Ha sempre voluto plasmarti a sua immagine e somiglianza, fin da quando eri piccola. Non è una brutta persona, Tessie. Ha solo paura.»

Lo guardo perplessa. «Paura di cosa?»

«Di tutto. Di perdere il controllo. Sono sicuro che vederti con Hardin l'ha terrorizzata e le ha fatto capire che non può più darti ordini.»

Fisso la tazza vuota. «Per questo te ne sei andato? Perché lei voleva darti ordini?»

Fa un sospiro sommesso, incerto. «No, me ne sono andato perché avevo problemi miei, e perché non eravamo fatti l'uno per l'altra. Non preoccuparti per noi.» Sghignazza, e conclude: «Preoccupati di te e del tuo fidanzato combinaguai».

Non riesco a immaginare quest'uomo e mia madre che intavolano una conversazione: sono così diversi...

Guardo l'orologio e vedo che sono le otto passate. Mi alzo e metto la tazza in lavastoviglie. «Devo svegliare Hardin. Ieri sera ho messo a lavare i tuoi vestiti. Il tempo di vestirmi e li tiro fuori dall'asciugatrice.»

Hardin è già sveglio e si sta infilando una maglietta nera. «Forse dovresti vestirti in modo un po' più formale, per l'incontro...» suggerisco.

«E perché?»

«Perché decideranno il futuro della tua istruzione, e una maglietta nera non darà prova di grande impegno da parte tua. Puoi cambiarti subito dopo, ma penso proprio che dovresti metterti una camicia.»

«Merda!!!» esclama con ostentata esasperazione.

Vado a prendere la sua camicia nera e i pantaloni eleganti.

«No, i pantaloni con la piega no, per l'amor di Dio.»

Glieli porgo. «Solo per qualche ora.»

Li prende con due dita come fossero radioattivi. «Se mi metto questa roba e mi cacciano lo stesso, do fuoco all'intero campus.»

«Come sei melodrammatico.» Ma non sembra affatto divertito mentre si infila i pantaloni.

«Il nostro appartamento continua a essere un ricovero per i senzatetto?»

Lascio cadere sul letto la camicia, ancora sulla gruccia, e vado alla porta.

Si passa una mano tra i capelli. «Merda, Tess, scusa. Sono in ansia, e non posso neppure scoparti per rilassarmi perché c'è tuo padre sul divano.»

Quelle parole volgari risvegliano i miei ormoni, ma ha ragione lui: mio padre nell'altra stanza è un ostacolo non da poco. Torno da Hardin, che sta cercando di allacciarsi il primo bottone della camicia, e gli scosto le mani. «Faccio io.»

Il suo sguardo si addolcisce, ma capisco che sta per abbandonarsi al panico. Detesto vederlo in questo stato, è così strano per lui. Ha sempre un tale autocontrollo, sembra che non gli importi mai di niente... tranne che di me, e anche con me è bravo a dissimulare i sentimenti.

«Andrà tutto bene, piccolo. Si risolverà tutto.»

«Piccolo?» Le sue labbra si schiudono all'istante in un sorriso, e io mi sento arrossire.

«Sì... piccolo.» Gli sistemo il colletto della camicia e lui si sporge a baciarmi sul naso.

«Hai ragione: alla peggio, ce ne andiamo in Inghilterra.»

Fingo di non aver sentito e vado a prendere i miei vestiti.

«Pensi che mi faranno entrare?» gli chiedo, indecisa su cosa mettermi.

«Vuoi entrare?»

«Se posso sì.» Tolgo il pigiama e indosso l'abito nuovo viola che pensavo di mettere l'indomani per andare alla Vance. Infilo un paio di scarpe nere con il tacco e reggendomi il vestito sul davanti chiedo a Hardin, dandogli le spalle: «Mi aiuti?»

«Mi stai torturando.» Le sue dita mi sfiorano le spalle e la schiena, facendomi venire la pelle d'oca.

«Scusa.» Ho la bocca secca.

Tira su la lampo, molto lentamente, e mi dà un brivido baciandomi sul collo. «Dobbiamo andare», gli dico.

Fa un lamento e mi stringe i fianchi. «Per strada telefono a mio padre. Dobbiamo accompagnare il senz... tuo padre da qualche parte?»

«Ora mi informo; mi prendi la borsa?»

«Tess?» mi chiama mentre sto per uscire dalla stanza. «Mi piace quel vestito. E mi piaci tu. Be', ti amo, naturalmente... e amo il tuo nuovo vestito», farfuglia. «Amo te e i tuoi bei vestiti.»

Faccio la riverenza e una piroetta. Detesto vederlo nervoso, ma in un certo senso è anche piacevole, perché mi ricorda che dopotutto non è invincibile.

Mio padre si è riaddormentato sul divano. Non so se svegliarlo o lasciarlo lì a riposare finché torniamo dall'università.

«Lascialo dormire», fa Hardin leggendomi nel pensiero.

Scrivo un biglietto spiegando a che ora torniamo e lasciando i nostri numeri di telefono. Dubito che abbia un cellulare, ma glieli lascio lo stesso.

Il tragitto verso il campus è breve, troppo breve, e Hardin sembra trattenersi a stento dal prendere a pugni qualcosa. Quando arriviamo, cerca nel parcheggio la macchina di Ken.

«Ha detto di vederci qui», spiega, controllando il telefono per la quinta volta in cinque minuti.

«Eccolo.» Indico la macchina grigia metallizzata che sta entrando nel parcheggio.

«Finalmente, cazzo. Perché ci ha messo tanto?»

«Sii gentile con lui, sta cercando di aiutarti. Per favore, non trattarlo male», lo scongiuro.

Lui fa un gran sospiro ma poi annuisce.

Con Ken ci sono Karen e Landon. Hardin si stupisce, ma io sorrido: sono molto contenta che vogliano sostenerlo, anche se lui dichiara di non avere bisogno del loro aiuto.

«Non avevi niente di meglio da fare?» dice a Landon.

«E tu?» ribatte Landon. Hardin scoppia a ridere.

Karen, che finora sembrava preoccupata, sorride.

Mentre ci incamminiamo verso l'edificio dell'amministrazione, Ken esordisce: «Spero che non durerà molto. Ho chiamato varie persone e ho fatto tutto il possibile, quindi speriamo in bene». Si ferma e si gira verso Hardin. «Lascia parlare me, lì dentro: dico sul serio», e aspetta una reazione da parte del figlio.

«Okay», risponde Hardin senza protestare.

Ken apre il grande portone per farci entrare tutti. Senza voltarsi, in tono autorevole aggiunge: «Tessa, mi spiace ma non puoi entrare nella stanza con noi. Non volevo esagerare con le richieste. Ma puoi aspettare subito fuori». Poi mi guarda e mi sorride.

Ma Hardin va nel panico. «Come sarebbe, che non può entrare? Ho bisogno che lei entri!»

«Lo so, e mi dispiace, ma può entrare solo la famiglia», spiega suo padre facendoci strada in corridoio. «A meno che lei non fosse una testimone, ma anche in questo caso sarebbe un enorme conflitto di interessi.»

Si ferma davanti a una sala riunioni, pensieroso: «D'altronde anch'io ne ho uno, perché sono il rettore. Ma tu sei mio figlio, e limitiamoci a un solo conflitto di interessi, va bene?»

«Ha ragione», annuisco rivolta a Hardin. «È meglio così. Non preoccuparti.»

Mi lascia andare la mano, poi lancia un'occhiataccia a suo padre, che con un sospiro dice: «Hardin, per favore, fa' del tuo meglio per...»

«Sì, sì», lo interrompe lui alzando una mano, e mi dà un bacio sulla fronte.

Entrano nella stanza, tutti e quattro: vorrei chiedere a Landon di aspettare con me, ma Hardin ha bisogno di lui lì dentro, che voglia ammetterlo o no. Mi sento talmente inutile, seduta lì fuori mentre un gruppo di uomini in giacca e cravatta decide del futuro di Hardin. Be', forse c'è un modo per aiutarlo...

Tiro fuori il telefono e scrivo a Zed. *Sono al rettorato. Puoi venire?*

Resto a fissare lo schermo aspettando una risposta, che arriva dopo nemmeno un minuto: *Sì, sto arrivando.*

Ti aspetto fuori, scrivo.

Lancio un ultimo sguardo alla porta ed esco. Fa freddo, troppo freddo per il mio abitino al ginocchio, ma non ho molta scelta.

Dopo aver aspettato per un po', sono sul punto di rientrare quando il vecchio pick-up di Zed entra nel parcheggio. Lui scende: indossa una felpa nera e jeans scuri. I lividi che ha sul volto mi lasciano sbigottita, anche se li avevo già visti.

Infila le mani nel tascone sul davanti della felpa. «Ciao.»

«Ciao. Grazie di essere venuto.»

«Te l'ho chiesto io, ricordi?» Mi sorride.

Mi sento un po' meno a disagio e ricambio il sorriso. «Hai ragione.»

«Volevo parlarti delle cose che mi hai detto all'ospedale.»

Esattamente ciò di cui volevo parlargli io. «Idem.»

«Comincia tu.»

«Steph sostiene che hai detto a Tristan di voler denunciare Hardin.» Cerco di non guardarlo negli occhi pesti e iniettati di sangue.

«È così.»

«Ma a me hai detto che non l'avresti fatto. Perché mi hai mentito?» chiedo con la voce che trema.

«Non ti ho mentito; quando te l'ho detto lo pensavo davvero.»

Faccio un passo verso di lui. «E cosa ti ha fatto cambiare idea?»

Si stringe nelle spalle. «Molte cose. Ho pensato a tutto quello che lui mi ha fatto, e che ha fatto a te. Non merita di passarla liscia.» Indica il proprio viso. «Insomma, guardami.»

Non so bene cosa dire. Zed ha tutto il diritto di essere arrabbiato con Hardin, ma preferirei che non lo trascinasse in tribunale.

«È già nei guai con l'università», spiego, sperando di riuscire a farlo ragionare.

«Non avrà nessun guaio; Steph mi ha riferito che suo padre è il rettore», sbuffa lui.

Dannazione, Steph, perché gliel'hai detto? «Ma non significa che non lo puniranno», puntualizzo.

Il solo risultato che ottengo è di irritarlo di più. «Tessa, perché continui a difenderlo? Combatti sempre le sue battaglie!»

«Non è vero», mento.

«Sì, invece!» esclama incredulo. «E lo sai benissimo! Mi hai detto che avresti riflettuto sulle mie parole, sul mio consiglio di lasciarlo, e pochi giorni dopo ti vedo con lui da un tatuatore. Non ha senso.»

«So che non capisci, ma io lo amo.»

«Se lo ami così tanto, perché scappi a Seattle?»

Quelle parole mi irritano. Esito per un istante, ma poi ribatto: «Non scappo a Seattle. Ci vado per trovare un lavoro migliore».

«E lui non viene con te. Tra amici ci diciamo le cose, sai.»

Eh? «Voleva venire», mento, ma capisco che Zed non mi crede.

Mi guarda con aria di sfida. «Se mi dici che non provi nulla per me, non sporgerò denuncia.»

L'aria sembra raffreddarsi, il vento sembra soffiare più forte. «Cosa?»

«Mi hai sentito. Chiedimi di lasciarti in pace e non rivolgerti più la parola, e lo farò.» Mi ricorda una cosa che mi ha detto Hardin, tanto tempo fa.

«Ma non è quello che voglio», ammetto.

«Allora cos'è che vuoi?» ha la voce venata di tristezza e di rabbia. «Perché mi sembri confusa quanto me! Continui a scrivermi e a chiedere di vedermi; mi baci, dormi nel mio letto; corri sempre da me quando lui ti fa soffrire! Cosa vuoi da me?»

Pensavo di aver chiarito le mie intenzioni quando abbiamo parlato all'ospedale. «Non so cosa voglio da te, ma amo lui, e questo non cambierà. Mi dispiace se ti ho fatto credere diversamente, ma…»

«Spiegami perché vai a Seattle tra una settimana e non gliel'hai ancora detto!» grida agitando le braccia.

«Non lo so… Gliene parlerò quando ne avrò l'occasione.»

«Non lo fai perché sai che ti lascerà», sbotta, guardando dietro di me.

«Lui… be'…» Ho paura che abbia ragione.

«Be', indovina un po'? Mi ringrazierai.»

«Di cosa?»

Fa un sorrisetto perfido, indica qualcosa alle mie spalle, e a me vengono i brividi. «Di averglielo detto al posto tuo.»

So che quando mi girerò vedrò Hardin. Mi sembra già di sentirlo ansimare sopra il rumore del vento.

5
Hardin

APPENA esco, il vento mi porta una voce che non mi aspettavo di sentire. Sono dovuto restare zitto ad ascoltare un mucchio di persone che parlavano male di me: ora non voglio altro che sentire la voce della mia ragazza, il mio angelo.

Ed eccola. Ma distinguo anche la voce di... lui. Giro l'angolo e lo vedo. Eccoli, insieme. Tessa e Zed.

Il mio primo pensiero è: Cosa cazzo ci fa lui qui? Perché Tessa è qui fuori a parlargli? Eppure l'ho avvertita di stargli lontana.

Quando quello stronzo si mette a gridare, mi avvicino: nessuno può permettersi di trattarla così. Ma quando parla di Seattle... mi fermo di colpo. *Tessa vuole andare a Seattle? E Zed lo sapeva, e io no?*

Non può essere. Non sta succedendo davvero. Lei non se ne andrebbe mai senza dirmelo...

Il sorriso beffardo di Zed sembra prendersi gioco di me. Mentre cerco di capire cosa succede, Tessa si gira con una lentezza esasperante e mi guarda attonita.

«Hardin…» Vedo muoversi le sue labbra, ma la sua voce si perde nel vento.

Resto lì impalato ad aprire e richiudere la bocca senza sapere cosa dire, finché trovo le parole: «Perciò era questo il tuo piano, eh?»

Si scosta i capelli dal viso, stringe le labbra e si strofina le braccia conserte. «No! Non è così, Hardin, io…»

«Vi siete organizzati bene, voi due, vero? Tu…» faccio additando il bastardo, «tu complotti alle mie spalle e continui a provarci con la mia ragazza. Più ti spacco la faccia e più torni strisciando da lei come uno scarafaggio.»

Incredibilmente, Zed osa rispondere. «Lei è…»

«E tu…» Punto il dito addosso alla ragazza bionda da cui dipende la mia felicità. «Tu… tu continui a prendermi in giro, mi fai credere che te ne freghi qualcosa di me, invece sapevi già che mi avresti lasciato! Sai benissimo che non verrò a Seattle, eppure decidi di andarci lo stesso… e senza neanche accennarmelo!»

«È per questo che non te ne avevo ancora parlato, Hardin, perché…» comincia, gli occhi lucidi.

«Chiudi la bocca, cazzo», sbotto; e lei si porta una mano sul petto, come se le mie parole le causassero un dolore fisico.

Forse è così. Forse voglio che soffra, così capirà come mi sento io.

Come può umiliarmi così? E davanti a Zed, per giunta.

«Cosa ci fa lui qui?» le chiedo.

Lei si gira a guardarlo – e lui non sorride più – prima di rispondermi. «Gli ho chiesto di vederci qui.»

Arretro di un passo fingendomi sorpreso. O forse sono sorpreso davvero: non capisco più niente, troppe emozioni tutte insieme. «Be', ecco! Mi sembra chiaro che c'è qualcosa tra voi!»

«Volevo solo parlargli della denuncia. Sto cercando di aiutarti, Hardin. Per favore, ascoltami», mi implora facendo un passo verso di me.

«Stronzate!» grido scuotendo la testa. «Ho sentito tutta la vostra conversazione. Se non lo vuoi diglielo adesso, davanti a me.»

I suoi occhi lucidi mi pregano in silenzio di non costringerla a umiliarlo davanti a me, ma non desisto.

«Subito. Oppure ho chiuso con te.» Quelle parole mi bruciano come acido sulla lingua.

«Non ti voglio, Zed», dice, guardando me. Pronuncia quelle parole in fretta, con foga, e so che è doloroso.

«Neanche un po'?» chiedo, imitando il sorriso strafottente di Zed.

«Neanche un po'.»

«Non vuoi più rivederlo», sentenzio. «Girati e diglielo.»

Ma è Zed a parlare. «Hardin, smettila. Lascia stare, ho recepito il messaggio. Tessa, non devi stare al suo gioco sadico. Ho capito.» È patetico, fa il broncio come un bambino.

«Tessa…» inizio a dire. Ma quando mi guarda, nei suoi occhi vedo solo il disgusto. È disgustata da me.

Mi viene incontro. «No, Hardin, non lo farò. Non perché voglio stare con lui, perché non è vero. Amo te, e solo te, ma vuoi avere ragione a tutti i costi, ed è brutto, è crudele, e non ti aiuterà.» Si morde l'interno della guancia per non piangere.

Che cavolo sto facendo?

Riprende in tono concitato: «Me ne vado a casa. Quando vuoi parlare di Seattle, mi trovi lì». Si gira e si allontana.

«Non hai la macchina!» le grido dietro.

«La accompagno io», interviene Zed.

A quel punto non mi trattengo più. «Se non fossi già nella merda per colpa tua, ti ammazzerei. Non ti romperei solo qualche osso, ti spaccherei il cranio sull'asfalto e ti guarderei morire dissanguato…»

«Smettila!» grida Tessa coprendosi le orecchie.

«Tessa, se…» mormora Zed.

«Zed, ti ringrazio di tutto quello che hai fatto, ma ora basta.» Il tono severo non le riesce.

Con un ultimo sospiro, lui se ne va.

Mi avvio alla macchina, e quando l'ho quasi raggiunta vedo arrivare mio padre e Landon… Ci mancavano solo loro. Sento il rumore dei tacchi di Tessa alle mie spalle.

«Ce ne andiamo», taglio corto senza dar loro il tempo di parlare.

«Ti chiamo tra poco», dice Tessa a Landon.

«Parti sempre mercoledì, vero?» le chiede lui.

Lei gli sorride, un sorriso falso per nascondere il panico. «Sì, certo.»

Landon mi guarda storto, perché ha notato la tensione tra noi. *È a conoscenza del suo piano? Probabile, anzi l'avrà aiutata.*

Salgo in macchina senza provare neppure a dissimulare l'impazienza.

«Ti chiamo», ripete Tessa a Landon, e saluta mio padre con la mano prima di salire in macchina. Mentre si allaccia la cintura io spengo l'autoradio.

«Fa' pure», mi dice in tono inespressivo.

«Cosa?»

«Grida pure. So che lo farai.»

Resto ammutolito. Sì, avevo intenzione di gridare, ma il fatto che lei se lo aspetti mi coglie alla sprovvista.

Ma certo che se l'aspetta, succede sempre. Sono fatto così…

«Allora?» Stringe le labbra.

«Non griderò.»

Mi lancia un'occhiata e poi si gira a guardare fuori dal finestrino.

«Non so cos'altro fare... è questo il problema.» Sospiro sconfitto e mi appoggio con la fronte al volante.

«Non stavo organizzando tutto alle tue spalle, Hardin. Non di proposito.»

«A me sembra proprio di sì.»

«Non ti farei mai una cosa del genere. Ti amo. Lo capirai quando ne parleremo.»

Le sue parole mi scivolano addosso: la rabbia sta prendendo il sopravvento. «Quello che capisco è che stai per trasferirti. Presto, non so neppure quando... Io e te conviviamo, Tessa. Dormiamo nello stesso letto, porca miseria, e tu prendi e te ne vai? Ho sempre saputo che sarebbe andata a finire così.»

Sento slacciare la cintura di sicurezza e poi le sue mani sulle spalle. In pochi istanti me la ritrovo in grembo, le cosce nude a cavalcioni delle mie, le braccia fredde intorno al mio collo, il volto rigato di lacrime appoggiato al mio petto.

«Levati di dosso», le ordino, cercando di staccarla da me.

«Perché pensi sempre che io voglia lasciarti?» domanda, stringendomi più forte.

«Perché lo farai.»

«Non vado a Seattle per lasciarti, ci vado per me stessa e per la mia carriera. Ho sempre avuto in programma di andarci, ed è un'occasione da non perdere. L'ho chiesto a Mr Vance mentre io e te cercavamo di capire cosa fare, e ho provato a dirtelo tante volte, ma tu mi hai interrotta oppure non volevi parlare di cose serie.»

Riesco a pensare solo a lei che fa i bagagli e mi abbandona con uno stupido biglietto sul tavolo della cucina. «Non ti azzardare a scaricare la colpa su di me.» Ma lo dico in tono meno convinto di quanto volessi.

«Non ti sto dando la colpa, ma sapevo che non mi avresti sostenuta. Eppure sai quanto è importante per me.»

«Allora cosa vuoi fare? Se parti, non posso venire con te. Ti amo, Tessa, ma non andrò a Seattle.»

«Perché? Non sai neppure se ti piacerebbe o no. Potremmo almeno provarci, e se non ti trovi bene potremmo andare in Inghilterra... forse», dice tirando su con il naso.

«Non sai neanche tu se ti piacerà.» La guardo inespressivo. «Scusami, ma devi scegliere: Seattle o me.»

Mi fissa per un momento, poi torna sul sedile del passeggero senza una parola.

«Non devi decidere subito, ma non resta molto tempo.» Innesto la marcia ed esco dal posteggio.

«Non riesco a credere che tu mi imponga di scegliere», afferma senza incrociare i miei occhi.

«Sapevi come la pensavo su Seattle. Ti è andata bene che ho mantenuto la calma con lui.»

«Mi è andata bene?» sbuffa in una risata.

«La giornata è già iniziata male; non litighiamo. Avrò bisogno di una risposta entro venerdì. A meno che, naturalmente, per allora tu sia già partita.» La sola idea mi dà i brividi.

So che sceglierà me, per forza. Possiamo andare in Inghilterra e lasciarci alle spalle tutto questo schifo. Non ha detto una parola sulle lezioni che ha saltato oggi, e ne sono contento, perché è un altro litigio che preferisco evitare.

«Sei così egoista», mi accusa.

Non ribatto, perché so che ha ragione. Ma dico: «Be', qualcuno definirebbe egoista anche non comunicare a una persona che si ha in programma di lasciarla. Dove andrai a vivere? Hai già una casa?»

«No, pensavo di cercarne una domani. Partiamo mercoledì

per il viaggio con la tua famiglia.» Ci metto un istante a capire di cosa parla.

«Chi?»

«Hai promesso che saresti venuto…»

«Sto ancora cercando di riprendermi dalla notizia di Seattle, Tessa.» So di essere uno stronzo, ma è tutto così assurdo… «E non dimentichiamo che hai chiamato Zed», aggiungo.

Tessa resta in silenzio. Mentre guido devo girarmi varie volte a controllare che sia sveglia.

«Ora non mi rivolgi la parola?» chiedo alla fine mentre entriamo nel parcheggio del nostro… del mio appartamento.

«Non so cosa dire.» Parla a voce bassa, in tono sconfitto.

Mentre parcheggio, mi torna in mente. *Merda.* «Tuo padre è ancora qui, vero?»

«Non so dove altro potrebbe andare…» replica senza guardarmi.

Scendiamo dalla macchina. «Be', gli chiederò dove vuole che lo accompagni.»

«No, lo accompagno io», borbotta.

Si incammina accanto a me, e mi sembra lontanissima.

6
Tessa

Sono troppo delusa per ribattere, e Hardin è troppo arrabbiato per parlare senza alzare la voce. Ha incassato la notizia meglio di quanto pensassi, a essere sinceri; ma come può obbligarmi a scegliere? Sa quanto è importante Seattle per me, e non gli dispiace certo che io rinunci a qualcosa per lui... È questo che mi fa più soffrire: dice sempre che non riesce a stare lontano da me, che non può vivere senza di me, e poi mi dà questo ultimatum. È ingiusto.

«Se ha rubato qualcosa...» inizia a dire mentre andiamo alla porta.

«Basta», esclamo esasperata, sperando che non insista.

«Dicevo per dire.»

Giro la chiave, e per un momento i suoi sospetti mi sembrano fondati: non conosco davvero quell'uomo.

Ma appena entriamo mi tranquillizzo: mio padre è stravaccato sul divano con la bocca aperta e russa sonoramente.

Hardin va dritto in camera senza aggiungere altro, e io vado in cucina a prendere un bicchiere d'acqua e a riflettere sul da farsi. Non voglio assolutamente litigare con Hardin, ma non ne posso più del suo egoismo. So che è cambiato, che si è impegnato molto, ma continuo a concedergli una possibilità dopo l'altra e il risultato è un tira e molla insostenibile. Non so quanto resisterò ancora, prima di essere travolta da questa marea che noi due chiamiamo relazione. Ogni volta che mi pare di riuscire a stare a galla, vengo risucchiata da un altro conflitto.

Mio padre russa ancora, a un volume che troverei divertente se non fossi così di cattivo umore. Prendo una decisione e vado in camera.

Hardin è sdraiato con le mani dietro la testa e osserva il soffitto. Sto per parlare quando è lui a spezzare il silenzio.

«Mi hanno espulso. Nel caso te lo domandassi.»

Il cuore mi balza in gola. «Cosa?»

«Già. Proprio così», dice stringendosi nelle spalle.

«Mi dispiace, avrei dovuto chiedertelo prima.» Ero convinta

che Ken sarebbe stato in grado di tirare fuori da quel guaio suo figlio. Sono distrutta.

«Non fa niente. Eri troppo impegnata con Zed e con i progetti per Seattle, ricordi?»

Mi siedo sul letto, più lontana possibile da lui, e mi sforzo di non ribattere. Sarebbe fiato sprecato. «Cercavo di scoprire che intenzioni avesse per la denuncia. Dice che è ancora…»

«L'ho sentito. C'ero anch'io lì, te ne sei scordata?» mi interrompe con aria sarcastica.

«Hardin, ne ho abbastanza della tua strafottenza. Capisco che sei arrabbiato, ma devi smetterla di mancarmi di rispetto.» Scandisco le parole, sperando che facciano qualche effetto.

Resta spiazzato per un momento, ma si riprende subito. «Scusa?»

Cerco di assumere un'espressione severa ma neutra. «Mi hai sentita: smettila di parlarmi con quel tono.»

«Scusa, ma… Mi cacciano dall'università, poi ti trovo con… quello lì, poi scopro che vai a Seattle. Direi che ho il diritto di essere arrabbiato.»

«Sì, ma non hai il diritto di trattarmi male. Speravo che potessimo parlarne da adulti… per una volta.»

«Cosa vorrebbe dire?» Si alza a sedere sul letto, ma io mantengo le distanze.

«Vuol dire che, dopo sei mesi, pensavo che avessimo imparato a risolvere un problema senza che uno dei due se ne vada o spacchi qualcosa.»

«Sei mesi?» ripete stupefatto.

«Sì, sei mesi.» Evito il suo sguardo. «Insomma, da quando ci conosciamo.»

«Non mi ero reso conto che fosse passato tanto tempo.»

«Be', è così.» *A me sembra passata una vita.*

«Non sembra così tanto…»

«È un problema? Ci frequentiamo da troppo tempo?» Finalmente riesco a guardarlo negli occhi.

«No, Tessa, ma è strano pensarci. Non avevo mai avuto una storia, quindi sei mesi sono molti per me.»

«D'accordo, in effetti non stiamo insieme da sei mesi interi: per gran parte di questo tempo abbiamo litigato o ci siamo evitati.»

«Quanto tempo sei stata con Noah, esattamente?»

La domanda mi stupisce. Qualche volta abbiamo parlato della mia storia con Noah, ma la conversazione non è mai durata più di cinque minuti, e terminava bruscamente per la gelosia di Hardin.

«Eravamo migliori amici fin da piccoli, ma ci siamo messi insieme a metà del liceo. Forse stavamo insieme anche prima, ma non ce n'eravamo accorti.» Lo scruto cauta, aspettando una reazione.

Parlare di Noah mi fa sentire la sua mancanza. Non nel senso che vorrei tornare con lui, ma come se fosse un parente che non vedo da tempo.

«Ah.» Posa le mani in grembo, e mi viene voglia di stringerle tra le mie. «Litigavate?»

«Qualche volta. Su quale film vedere, o quando veniva a prendermi in ritardo.»

Non alza lo sguardo dalle mani. «Non come litighiamo noi, quindi?»

«Penso che nessuno litighi come litighiamo noi.» Sorrido nel tentativo di rassicurarlo.

«Cos'altro facevate?» Mi guarda con gli occhioni verdi da bambino impaurito.

«Niente di che, a dire il vero», rispondo alzando le spalle. «Studiavamo e guardavamo un mucchio di film. Eravamo migliori amici, in pratica.»

«Lo amavi.»

«Non come amo te», gli ripeto per la milionesima volta.

«Avresti rinunciato a Seattle per lui?» Si tormenta le pellicine intorno alle unghie. Leggo l'insicurezza nei suoi occhi.

Ecco perché stiamo parlando di Noah: la scarsa autostima di Hardin ha di nuovo condotto i suoi pensieri in quella direzione, a non sentirsi all'altezza di me.

«No», rispondo.

«Perché no?»

Gli prendo la mano per consolarlo, proprio come farei con un bambino spaventato. «Perché non sarei stata obbligata a scegliere. Lui ha sempre saputo dei miei progetti e dei miei sogni, quindi non mi avrebbe costretta a una decisione del genere.»

«Non c'è niente per me a Seattle», afferma con un sospiro.

«Io... ci sarei io.»

«Non basta.»

Oh... Gli volto le spalle.

«So che è brutto da dire, ma è la verità. Non ho niente laggiù, mentre tu avresti un nuovo lavoro e ti faresti nuovi amici...»

«Anche tu avresti un nuovo lavoro: Christian ha detto che ti assumerebbe. E troveremmo nuovi amici insieme.»

«Non voglio lavorare per lui... e io e te non ci sceglieremmo gli stessi amici. Sarebbe tutto così diverso, là.»

«Come fai a saperlo? Dopotutto sono diventata amica di Steph.»

«Solo perché eravate compagne di stanza. Non voglio andare a vivere lì, Tessa, soprattutto ora che mi hanno espulso. È più logico tornare in Inghilterra e finire l'università lì.»

«Non si tratta solo di cosa è più logico per te.»

«Considerando che hai rivisto Zed a mia insaputa, non credo proprio che tu abbia voce in capitolo.»

«Ah, davvero? Io e te non abbiamo neanche stabilito se

stiamo di nuovo insieme. Ho accettato di tornare a vivere qui, e tu hai promesso di trattarmi meglio.» Mi alzo dal letto e inizio a camminare avanti e indietro. «Ma poi sei andato da lui e l'hai picchiato, e sei stato espulso: quindi se c'è qualcuno che non è nella posizione di dare ordini, quello sei tu.»

«Me l'hai tenuto nascosto!» esclama alzando la voce. «Progettavi di lasciarmi e non me l'hai detto!»

«Lo so! E mi dispiace. Ma invece di litigare su chi ha torto, perché non proviamo a risolvere il problema o a trovare un compromesso?»

«Tu…» Esita e si alza dal letto. «Tu non…»

«Cosa?»

«Non lo so, non riesco neppure più a pensare, per quanto sono arrabbiato con te.»

«Mi dispiace che tu l'abbia scoperto in questo modo, ma non so cos'altro dire.»

«Di' che non ci andrai.»

«Non ho intenzione di decidere adesso. Non puoi costringermi.»

«E quando, allora? Non starò ad aspettare…»

«E cosa farai, allora? Te ne andrai? Che ne è stato di *Non voglio mai più separarmi da te*?»

«Davvero vuoi tirare in ballo quella storia? Non pensi che il momento migliore per dirmi di Seattle fosse prima che mi facessi uno stupido tatuaggio per te?»

«Stavo per farlo!»

«Ma non l'hai fatto.»

«Quante altre volte me lo vuoi ripetere? Per me possiamo andare avanti così fino a domani, ma non ho proprio le energie. Ho chiuso.»

«Chiuso? Hai chiuso?» scandisce, e per poco non si mette a ridere.

«Sì, chiuso.» È vero: ne ho abbastanza di litigare con lui su Seattle. È soffocante, non serve a niente, non ce la faccio più.

Prende una felpa nera dall'armadio e si rimette gli anfibi.

«Dove vai?» gli chiedo.

«Via da qui.»

«Hardin, non devi andartene», gli grido dietro, ma mi ignora.

Se non ci fosse mio padre in salotto, lo inseguirei e lo costringerei a restare.

Ma sinceramente mi sono stufata di corrergli dietro.

7
Hardin

IL padre di Tessa è sveglio, siede sul divano a braccia conserte e guarda fuori dalla finestra con aria inespressiva.

«Hai bisogno di un passaggio?» gli chiedo. Non mi piace l'idea di accompagnarlo chissà dove, ma ho ancora meno voglia di lasciarlo solo con lei.

Lui sobbalza e gira di scatto la testa verso di me. «Ehm… sì, per te va bene?»

«Sì.»

«Okay, voglio solo salutare Tessie», dice guardando verso la nostra camera.

«D'accordo, vado a prendere la macchina.»

Non so dove andrò dopo aver scaricato quel vecchio imbecille, ma non è bene che io resti qui: sono troppo arrabbiato con me stesso. So che non è tutta colpa di Tessa, ma sono soggetto agli scatti d'ira e lei è sempre con me, quindi è un bersaglio facile. Il che fa di me uno stronzo, lo so. Tengo gli occhi fissi sul portone del palazzo, aspettando Richard. Se non arriva subito lo pianto qui. Anzi no, non voglio lasciarlo nell'appartamento con lei.

Finalmente il Padre dell'Anno esce dal portone, tirandosi giù le maniche della maglia. Non indossa più i miei vestiti che gli ha dato Tessa: si è rimesso i suoi, che nel frattempo Tessa ha lavato. Dannazione, è troppo buona.

Mentre sale in macchina alzo il volume della radio, sperando che la musica lo dissuada dal fare conversazione.

Purtroppo non funziona. «Mi ha chiesto di dirti di fare attenzione», riferisce, poi si allaccia la cintura di sicurezza come se volesse insegnarmi come si fa, con i gesti plateali di una hostess su un aereo. Annuisco e mi immetto sulla strada.

«Com'è andata la riunione di oggi?» domanda poi.

«Eh?» faccio guardandolo perplesso.

«Era solo una domanda.» Tamburella le dita sul ginocchio. «Sono contento che lei sia venuta con te.»

«Già.»

«Mi ricorda molto sua madre.»

«Figuriamoci», ribatto guardandolo storto. «Non ha niente in comune con quella donna.» *Sta cercando di farsi scaricare in mezzo all'autostrada?*

Ride. «Solo i lati positivi, ovviamente. È molto determinata, proprio come Carol. Ma Tessie è decisamente più dolce, più gentile.»

Ecco, ci risiamo con il diminutivo.

«Ho sentito che litigavate. Mi avete svegliato.»

«Scusa se ti abbiamo svegliato a mezzogiorno mentre dormivi sul nostro divano», commento esasperato.

Ridacchia di nuovo. «Ti capisco, ce l'hai con il mondo.

Ero così anch'io. Anzi, lo sono ancora. Ma quando trovi una persona disposta a sopportarti, non c'è più bisogno di arrabbiarsi tanto.»

Be', vecchio mio, cosa mi consigli di fare, dato che è tua figlia a farmi arrabbiare così? «Senti, ammetto che non sei male quanto pensavo; ma non ti ho chiesto consigli, quindi non sprecare tempo a darmene.»

«Non ti sto dando consigli, parlo per esperienza. Non vorrei proprio che vi lasciaste.»

Non ci lasceremo, stronzo. Le dico solo come la penso. Voglio stare con lei, e ci starò: Tessa deve solo arrendersi e venire con me. Non posso accettare che abbia rivisto Zed, al di là del motivo per cui lo ha fatto.

Spengo la radio. «Non mi conosci neppure... e non conosci neanche tua figlia, se è per questo. Che te ne importa?»

«So che sei la persona giusta per lei.»

«Ah sì?» ribatto in tono sarcastico. Per fortuna ci stiamo avvicinando a destinazione, e tra poco potrò smettere di ascoltarlo.

«Sì.»

Non lo ammetterei mai, ma è piacevole sentirmi dire che sono l'uomo giusto per Tess, anche se a dirlo è quell'alcolizzato di suo padre. Meglio di niente.

«Hai intenzione di rivederla?» gli chiedo, e subito aggiungo: «E dove ti sto portando, esattamente?»

«Lasciami vicino al negozio dove ci siamo incontrati ieri, da lì proseguo a piedi. E sì, spero di rivederla. Ho molte cose da farmi perdonare.»

«Puoi dirlo forte.»

Il parcheggio fuori dal negozio di Drew è deserto. Logico, non è neanche l'una.

«Puoi portarmi in fondo a questa strada?»

Supero il negozio; oltre ci sono solo un bar e una lavanderia a gettoni.

«Grazie del passaggio.»

«Prego.»

«Vuoi venire al bar?»

Bere qualcosa con il padre senzatetto e alcolizzato di Tessa non mi sembra la cosa più saggia da fare, al momento.

Tuttavia, non sono celebre per la mia saggezza. «Al diavolo», borbotto spegnendo il motore, e lo seguo nel locale. Tanto non sapevo dove andare.

Il bar è immerso nella penombra e odora di muffa e whisky. Seguo Richard al bancone e mi siedo su uno degli sgabelli, lasciandone uno vuoto tra noi. Ci viene incontro una donna di mezz'età, con addosso quelli che spero siano i vestiti della figlia adolescente. Senza dire una parola porge a Richard un bicchiere di whisky con ghiaccio.

«E per te?» mi chiede, con una voce rauca e più profonda della mia.

«Lo stesso.»

Mi rimbomba nella testa la voce di Tessa che mi intima di non bere, ma la scaccio.

Brindiamo e beviamo. «Come ti paghi da bere, se non lavori?» mi informo.

«Faccio le pulizie un giorno sì e uno no, e mi danno da bere gratis.» Dalla sua voce traspare chiara la vergogna.

«Non ti conviene restare sobrio e farti pagare?»

«Non lo so, ci ho provato in tutti i modi.» Fissa il bicchiere con gli occhi socchiusi, e per un attimo mi ricorda me stesso. «Spero che diventerà più facile, se potrò vedere mia figlia più spesso.»

Annuisco, non mi scomodo a fare battute e mi godo il

whisky che mi brucia in gola. Quando poso il bicchiere vuoto sul bancone, la donna me ne versa un altro.

8
Tessa

«Tuo padre?» esclama incredulo Landon al telefono.

Avevo dimenticato di non avergliene parlato. «Sì, l'abbiamo incontrato ieri...»

«Come sta? Cos'ha detto? Com'è andata?»

«È...» Non so perché, ma mi imbarazza dire a Landon che mio padre beve ancora. So che non mi giudicherebbe, ma sono a disagio lo stesso.

«È ancora?...»

«Sì. Era ubriaco quando l'abbiamo incontrato, ma l'abbiamo portato a casa e si è fermato a dormire.» Mi avvolgo una ciocca di capelli intorno al dito.

«Hardin gliel'ha permesso?»

«Non c'era niente da permettere, è anche casa mia», ribatto brusca. Ma mi sento subito in colpa, e aggiungo: «Scusa, è solo che non ne posso più della sua prepotenza».

«Tessa, vuoi che venga lì?»

«No, sto ingigantendo la cosa.» Sospiro pensando a quanto è buono Landon, e mi guardo intorno nella camera da letto. «Penso che verrò in università, invece. Sono ancora in tempo per l'ultima lezione.» Un po' di yoga mi farebbe bene, e anche un po' di caffè.

Continuo ad ascoltare Landon mentre mi vesto per lo yoga. Mi sembra uno spreco arrivare fin lì per una sola lezione, ma non voglio starmene a casa da sola ad aspettare che Hardin torni.

«Il professor Soto ha chiesto di te, oggi, e ha presentato una deposizione scritta in favore di Hardin; me l'ha detto Ken. Ma cosa succede?»

«Ah sì? Non lo so... Il professore si era offerto di aiutarlo, ma non pensavo che dicesse sul serio. Forse gli sta simpatico...»

«Simpatico? Hardin?» Landon scoppia a ridere, e io con lui.

Mentre mi lego i capelli il telefono mi cade nel lavandino. Impreco e lo riporto all'orecchio appena in tempo per sentire Landon che dice che sta andando in biblioteca prima della lezione successiva. Ci salutiamo, e inizio a scrivere un messaggio a Hardin, per informarlo. Ma poi ci ripenso e rinuncio.

Cambierà idea su Seattle: deve farlo.

Quando arrivo in università, si è alzato il vento e il cielo è coperto. Prendo un caffè: mi resta ancora mezz'ora prima della lezione di yoga. La biblioteca è dalla parte opposta del campus, quindi non ho tempo di passare da Landon; decido di aspettare fuori dall'aula del professor Soto. La lezione starà per finire...

I miei pensieri vengono interrotti da una marea di studenti che si riversa fuori dalla porta. Mi faccio strada tra la gente per entrare nell'aula. Il professore mi dà le spalle, si sta infilando la giacca di pelle.

Quando si gira e mi vede, sorride. «Miss Young.»

«Buongiorno, professor Soto.»

«Che ci fa qui? Vuole sapere l'argomento del diario di oggi, visto che non è venuta a lezione?»

«No, me l'ha già dato Landon. Ero venuta a ringraziarla.» Mi dondolo sui talloni, imbarazzata.

«Di cosa?»

«Di aver testimoniato a favore di Hardin. So che non è stato gentile con lei, quindi lo apprezzo particolarmente.»

«Di nulla. Tutti meritano un'istruzione di qualità, anche le teste calde», dice ridendo.

«Penso di sì.» Gli sorrido e mi guardo intorno, incerta su come proseguire.

«E poi Zed se lo meritava», continua lui.

Eh?

Torno a incrociare i suoi occhi. «Cosa intende?»

Il professor Soto batte ripetutamente le palpebre e sembra riscuotersi. «Niente, è solo… Sono sicuro che Hardin avesse un buon motivo per prendersela con lui. Tutto qui. Ora è meglio che vada, ho una riunione, ma grazie di essere passata. Ci vediamo mercoledì a lezione.»

«Non ci sarò mercoledì, vado in vacanza.»

Liquida l'argomento con un cenno della mano. «Be', allora si diverta. Ci vediamo al suo ritorno.» Si allontana a passo veloce, lasciandomi un po' scombussolata.

9
Hardin

IL mio improbabile compagno di bevute, Richard, è andato in bagno per la quarta volta da quando siamo qui. Ho l'impressione che Betsy la Barista non sia indifferente al suo fascino, e questo mi mette davvero molto a disagio.

«Un altro?» mi chiede la donna.

Le faccio cenno di sì. Sono le due del pomeriggio e ho bevuto quattro whisky; non sarebbe poi così grave, se non fosse whisky quasi liscio.

Ho i pensieri annebbiati e trabocco ancora di rabbia. Non so con chi o con cosa avercela di più, quindi ho smesso di ragionare e ho deciso di abbandonarmi all'incazzatura.

«Ecco qua.» La barista mi posa il bicchiere davanti mentre Richard torna e si siede sullo sgabello accanto a me. Mi era sembrato che capisse l'importanza dello sgabello vuoto tra di noi; evidentemente mi sbagliavo.

Mi guarda, si passa la mano sulla barba ruvida producendo un fruscio disgustoso. «Me ne hai ordinato un altro?»

«Dovresti rasarti.»

«Dici?» Fa scorrere di nuovo le dita sulla barba.

«Sì. Non ti dona.»

«Però tiene caldo.» Ride, e io bevo un sorso per non ridere con lui.

Quando la chiama a gran voce, Betsy viene a prendere il bicchiere vuoto. Poi Richard mi guarda. «Vuoi dirmi cos'è che stai affogando nell'alcol?»

«No.» Faccio ruotare il bicchiere e l'unico cubetto di ghiaccio tintinna contro il vetro.

«E va bene, niente domande. Solo whisky», concede, non troppo dispiaciuto.

Il mio odio nei suoi confronti si è dissipato quasi completamente. Almeno finché non mi torna in mente la bambina bionda che si nasconde nella serra. Gli occhi sbarrati per il terrore… e poi arriva a salvarla il bambino biondo con il suo stupido cardigan.

«Una sola domanda», insiste Richard, riscuotendomi dai pensieri.

Faccio un respiro profondo e bevo un lungo sorso per impedirmi di fare qualche idiozia. Cioè, un'idiozia ancora peggiore che ubriacarmi con il padre alcolizzato della mia ragazza. È un vizio di famiglia, la mania di fare domande. «Una sola», concedo.

«Davvero ti hanno espulso dall'università?»

Ci penso su, mentre osservo l'insegna al neon che pubblicizza una birra e mi rammarico dei quattro... anzi, dei cinque bicchieri che ho bevuto. «No. Ma lei pensa di sì.»

«E perché lo pensa?» *Che ficcanaso.*

«Perché le ho detto così. E per oggi basta con le confessioni.»

«Come ti pare.» Alza il bicchiere per brindare, ma io mi tiro indietro scuotendo la testa. Da come ride capisco che non si aspettava che brindassi con lui, e che mi trova molto divertente. Io invece lo trovo irritante.

Una donna della sua età viene a sedersi accanto a lui, gli posa un braccio sulle spalle e lui la saluta calorosamente. Non mi sembra una senzatetto, ma è chiaro che lo conosce. Probabilmente Richard passa quasi tutto il suo tempo in questa bettola. Approfitto della distrazione per controllare il telefono: nessun messaggio e nessuna chiamata da Tessa.

Sono contento che non mi abbia cercato, ma sono anche infastidito. Contento perché sono ubriaco, infastidito perché mi manca già. Ogni bicchiere di whisky che mi scende in gola mi spinge a volerla di più, rende più dolorosa la sua assenza.

Porca puttana, come mi ha ridotto?

Mi fa imbestialire. Mi tormenta in continuazione: sembra che passi il tempo a escogitare nuovi modi di mandarmi su tutte le furie. In questo momento sarà seduta sul letto a gambe incrociate, con quella stupida agenda sulle ginocchia, una penna tra i denti e un'altra dietro l'orecchio, a compilare una lista di metodi per farmi incazzare.

Stiamo insieme da sei mesi. È tantissimo: non avrei mai pensato di poter sopportare una persona così a lungo. Sì, a dire il vero non siamo rimasti sempre insieme: un bel po' di questo tempo l'ho passato... anzi, l'ho sprecato... sforzandomi di stare lontano da lei.

La voce di Richard interrompe le mie riflessioni. «Lei è Nancy.»

Rivolgo un cenno di saluto alla donna e torno a fissare il legno scuro del bancone.

«Nancy, questo giovanotto così educato è Hardin. È il ragazzo di Tessie», dice orgoglioso.

Perché dovrebbe essere fiero che sua figlia esce con me?

«Tessie ha il ragazzo! C'è anche lei? Non vedo l'ora di conoscerla. Richard mi ha parlato tanto di lei!»

«Non è qui», borbotto.

«Peccato. Com'è andata la sua festa di compleanno? Era lo scorso weekend, giusto?»

Cosa?

Richard mi implora con lo sguardo di stare al gioco, perché evidentemente le ha raccontato qualche bugia. «Sì, è stata bella», risponde al posto mio prima di scolare il resto del whisky.

«Mi fa piacere», dice Nancy, poi indica la porta. «Ah, eccola!»

Mi giro subito a guardare, e per un momento penso che stia parlando di Tessa, ma non avrebbe senso, non la conosce. Invece vedo entrare una bionda troppo magra, che viene verso di noi. Questo bar sta diventando affollato.

Alzo il bicchiere vuoto. «Un altro.»

La cameriera borbotta qualche insulto, ma lo riempie.

«Questa è mia figlia Shannon», mi informa Nancy.

Shannon mi squadra da capo a piedi con occhi pesantemente truccati.

«Shannon, lui è Hardin», mi presenta Richard, ma io non accenno neppure un saluto.

Molti mesi fa avrei degnato almeno di uno sguardo quella ragazzina disperata. Forse le avrei anche permesso di farmi un pompino nel lurido bagno di questo bar. Ma ora voglio solo che la pianti di fissarmi.

«Non penso che tu possa abbassarla più di così senza togliertela», esordisco, dato che si sta tirando in giù la maglietta per mettere in mostra il poco seno che ha.

«Scusa?» sbuffa, mettendo le mani sui fianchi magri.

«Mi hai sentito.»

«Okay, okay, calmiamoci tutti», interviene Richard alzando le mani.

Nancy e quella svergognata di sua figlia vanno a cercare un tavolo.

«Prego», dico a Richard.

Ma lui scuote la testa. «Sei insopportabile.» E prima che io possa reagire, aggiunge: «Mi piacciono, quelli come te».

Tre bicchieri dopo, rischio di cadere dallo sgabello. Richard, che pure beve di mestiere, sembra avere lo stesso problema e si sporge troppo verso di me.

«Insomma, il giorno dopo esco e mi tocca fare tre chilometri a piedi! E ovviamente inizia a piovere…»

Continua a raccontarmi dell'ultima volta che l'hanno arrestato. Io continuo a bere e fingo che non stia parlando con me.

«Se vuoi che serbi il tuo segreto, potresti almeno spiegarmi perché hai raccontato a Tessie che ti avevano espulso», dice infine.

Logico: aspettava che fossi davvero ubriaco per tornare sull'argomento. «Se pensa così è più facile», ammetto.

«E perché?»

«Perché voglio che venga in Inghilterra con me, e lei non vuole venirci.»

«Non capisco», risponde stringendosi la base del naso tra due dita.

«Tua figlia vuole lasciarmi e io non posso permetterglielo.»

«Quindi le dici che ti hanno espulso perché così verrà in Inghilterra con te?»

«In pratica.»

Guarda il bicchiere, poi guarda me. «È una fesseria.»

«Lo so.» Effettivamente lo sembra, detta a voce alta, ma nella mia mente contorta ha un suo senso. «E comunque chi sei tu per darmi consigli?»

«Nessuno. Dico solo che se vai avanti così ti ridurrai come me.»

Vorrei mandarlo a quel paese, ma quando alzo gli occhi su di lui rivedo la somiglianza che avevo notato quando ci siamo seduti al bancone. Porca vacca.

«Non dirglielo», gli ricordo.

«Non glielo dirò.» Si volta verso Betsy. «Un altro giro.»

Lei gli sorride e inizia a versarci da bere. Non penso di poterne reggere un altro.

«Per me basta. Vedo già tre occhi sulla tua faccia», gli annuncio.

«Io ne prendo un altro», replica lui.

Sono un fidanzato di merda, mi dico, domandandomi cosa starà facendo adesso Tessie... *Tessa, cazzo.*

«Sono un padre di merda», afferma Richard.

Sono troppo ubriaco per capire la differenza tra pensare e parlare, quindi non so se sia una coincidenza o se l'ho detto a voce alta...

«Spostatevi», dice in tono brusco una voce maschile alla sinistra di Richard.

Alzo gli occhi e vedo un uomo basso, con la barba ancora
più lunga del mio compagno di bevute.

«Non ci sono più sgabelli, socio», risponde lentamente
Richard.

«Allora dovrete spostarvi», minaccia l'altro.

Merda, ci mancava solo questa.

«Non andiamo da nessuna parte», gli dico.

E lui commette l'errore di prendere Richard per il colletto
e tirarlo in piedi.

10
Tessa

DOPO la lezione di yoga, il tragitto verso la macchina mi sembra
molto più lungo del solito. Lo yoga mi ha aiutata a non pensare
per un po' all'espulsione di Hardin e al trasferimento a Seattle,
ma ora, fuori dall'aula, quel peso è tornato a gravarmi sulle
spalle più opprimente di prima.

Mi accingo a uscire dal parcheggio quando sento vibrare il
telefono sul sedile del passeggero. È Hardin.

«Pronto?» Mi fermo e disinnesto la marcia.

Ma sento una voce di donna e il cuore mi balza in gola.
«Tessa?»

«Sì?»

«Bene, ho qui tuo padre e…»

«Il suo… ragazzo…» sento biascicare in sottofondo la voce
di Hardin.

«Già, il tuo ragazzo», ripete la donna in tono sarcastico. «Vieni a riprenderteli, questi due, prima che qualcuno chiami la polizia.»

«Polizia? Ma dove sono?» domando ingranando di nuovo la marcia.

«Al *Dizzy's*, sulla Lamar Avenue. Lo conosci?»

«No, ma lo cercherò su Google.»

«Ah. Be', certo.»

Ignoro il suo tono strafottente, chiudo la chiamata e cerco subito l'indirizzo del bar. *Cosa cavolo ci fanno Hardin e mio padre in un bar alle tre del pomeriggio? E cosa cavolo ci fanno insieme?*

Non ha senso… e la polizia? Cos'hanno combinato? Avrei dovuto chiederglielo. Spero solo che non si siano presi a botte tra di loro. Ci mancherebbe solo quello.

Quando arrivo al bar ho già immaginato tutti gli scenari peggiori, e sono giunta alla conclusione che Hardin deve aver ammazzato mio padre o viceversa. Non vedo macchine della polizia e mi sembra un buon segno. Parcheggio davanti all'ingresso e corro dentro.

«Eccola!» esclama giubilante mio padre.

Capisco che è ubriaco quando lo vedo barcollare verso di me.

«Dovevi esserci, Tessie!» Batte le mani. «Hardin gliel'ha fatta vedere!»

«Dov'è?…» chiedo, ma poi si apre la porta del bagno e lo vedo uscire: si sta pulendo il sangue dalle mani con un fazzoletto di carta.

«Cos'è successo?» grido da un capo all'altro del locale.

«Niente… calmati.»

Gli vado incontro. «Sei ubriaco?»

Ha gli occhi iniettati di sangue, e distoglie subito lo sguardo. «Forse.»

«Non ci posso credere.» Incrocio le braccia per impedirgli di prendermi per mano.

«Ehi, dovresti ringraziarmi per aver difeso tuo padre. L'avrebbero messo al tappeto se non fosse stato per me.» Indica un uomo seduto a terra, che si preme una borsa del ghiaccio sulla guancia.

«Non ti ringrazio di un bel niente: sei ubriaco a metà pomeriggio! E con mio padre, per di più. Ma che razza di problema hai?!» Lo pianto lì e torno al bancone, dov'è seduto mio padre.

«Non arrabbiarti con lui, Tessie; ti ama», dice. Non ci posso credere: lo sta difendendo.

Hardin mi si avvicina e io stringo i pugni lungo i fianchi. «Cos'è successo? Avete bevuto insieme e ora siete amici per la pelle? Nessuno di voi due dovrebbe toccare alcol!» urlo.

«Piccola», mi dice Hardin all'orecchio, e cerca di abbracciarmi.

«Ehi», interviene la cameriera, tamburellando le dita sul bancone per attirare la mia attenzione. «Devi portarteli via.»

Faccio cenno di sì e torno a guardare i due idioti ubriachi. Mio padre ha una guancia arrossata, come se avesse incassato uno schiaffo, e le mani di Hardin si stanno gonfiando.

«Puoi venire a casa nostra per stasera, per smaltire la sbornia, ma questo non è un comportamento accettabile», sentenzio, come una madre a due bambini indisciplinati. «Per nessuno dei due.»

Esco dal bar e sono già alla macchina prima che loro arrivino alla porta. Hardin guarda storto mio padre che cerca di posargli un braccio sulle spalle. Salgo in macchina, disgustata.

Sono nervosa: so com'è Hardin quando beve, e non sono sicura di averlo mai visto così ubriaco, neppure quella sera che ha rotto tutti i piatti. Mi mancano i bei tempi in cui non beveva altro che acqua, anche alle feste. Abbiamo già un mucchio di problemi, e l'alcol peggiora soltanto le cose.

* * *

A quanto pare, mio padre è passato dalla sbronza rabbiosa
alla sbronza allegra: racconta una barzelletta dietro l'altra, quasi
tutte di pessimo gusto. Per l'intero tragitto in macchina ride
troppo forte delle sue stesse battute, e ogni tanto Hardin si unisce
a lui. Non era così che immaginavo di trascorrere la giornata.
Non so come sia nata questa strana amicizia con mio padre, ma
non mi piace affatto, se li porta a ubriacarsi in pieno giorno.

Quando arriviamo a casa lascio mio padre in cucina a mangiare i cereali di Hardin e vado in camera: la stanza in cui
iniziano e finiscono quasi tutti i nostri litigi.

«Tessa», comincia Hardin appena chiudo la porta.

«No», ribatto gelida.

«Non ti arrabbiare, abbiamo solo bevuto qualcosa.» Il suo
tono è divertito, ma io non sono in vena di scherzi.

«Bevuto qualcosa? Con mio padre, un alcolizzato con il
quale sto cercando di riallacciare i rapporti, e che speravo
provasse almeno a disintossicarsi? È con lui che hai… solo
bevuto qualcosa?»

«Piccola…»

«Non chiamarmi piccola. Non mi sta bene, neanche un po'.»

«Non è successo niente.» Mi prende per un braccio per tirarmi a sé, ma quando me lo scrollo di dosso perde l'equilibrio
e cade sul letto.

«Hardin, hai fatto a botte di nuovo!»

«Solo un paio di cazzotti. Chi se ne importa?»

«A me importa.»

Ancora seduto sul letto, alza su di me gli occhi cerchiati. «E
allora perché mi lasci, se te ne frega qualcosa di me?»

Mi cadono le braccia. «Non ti lascio, ti sto chiedendo di
venire con me», sospiro.

«Ma io non ci voglio venire», piagnucola.

«Lo so, ma non mi resta altro; a parte te, ovviamente.»

«Ti sposo.»

Arretro sbigottita. Devo aver capito male. «Cosa?» Alzo le mani per tenerlo a distanza.

«Ho detto che ti sposo, se scegli me.» Si alza e mi viene incontro.

Quelle parole mi scuotono nel profondo, pur sapendo che sono dettate dall'alcol che gli scorre nelle vene. Infatti gli ricordo: «Sei ubriaco».

Mi sta proponendo di sposarmi solo perché ha bevuto, ed è peggio che se non me lo proponesse affatto.

«E allora? Dico sul serio.»

«No che non dici sul serio.»

«Sì, invece… non ora, certo, ma tra… sei anni o giù di lì…» Si gratta la fronte con aria pensierosa.

Sospiro. La vaghezza di quel proposito dimostra che gli sta tornando un briciolo di lucidità. «Vedremo come la pensi domattina», gli dico, ben sapendo che non ricorderà di averlo detto.

«Ti metti quei pantaloni?» chiede con un sorrisetto.

«No, e non ricominciamo con questi maledetti pantaloni.»

«Sei stata tu a mettterteli. Lo sai che effetto mi fanno.» Si guarda l'inguine, poi alza gli occhi con espressione d'intesa.

Quand'è così, ubriaco e spiritoso, è adorabile… ma non abbastanza da distrarmi.

«Vieni qui», mi supplica facendo il broncio.

«No, sono arrabbiata.»

«Dai, Tessie, non te la prendere.» Ride e si stropiccia gli occhi.

«Se uno di voi due mi chiama così un'altra volta, giuro…»

«Tessie, cosa succede, Tessie? Non ti piace il nome Tessie, Tessie?»

Più lo guardo sorridere, più sento venir meno la forza di volontà.

«Vuoi lasciarti togliere quei pantaloni?»

«No. Ho molto da fare, oggi, e devo restare vestita. Ti chiederei di venire con me, ma hai deciso di ubriacarti con mio padre, quindi devo andarci da sola.»

«Vai da qualche parte?» Ha la voce roca, impastata dall'alcol.

«Sì.»

«Non ci vai vestita così, però, vero?»

«Sì. Mi vesto come mi pare.» Prendo una felpa e mi dirigo alla porta. «Torno presto, non fare niente di stupido perché non verrò a pagare la cauzione né a te né a mio padre.»

«Mi piaci quando sei così determinata. Ma ho in mente altre cose che potresti fare con quella boccaccia che ti ritrovi.» Dato che lo ignoro, frigna: «Resta con me».

Esco in fretta dalla stanza e dall'appartamento prima che mi convinca a restare. Mentre oltrepasso la porta mi sento chiamare ancora con quel nomignolo e devo coprirmi la bocca per non sghignazzare. Ecco il mio problema: quando c'è di mezzo Hardin, il mio cervello non sa distinguere il bene dal male.

11
Tessa

QUANDO arrivo alla macchina sono già pentita di non essere rimasta in camera con Hardin e il suo buonumore.

Ma ho troppe cose da fare: devo richiamare per l'appartamento a Seattle, comprare alcune cose per la vacanza con la famiglia di Hardin e, soprattutto, prendere una decisione su Seattle. La proposta di matrimonio di Hardin mi ha quasi convinta, ma so che domani avrà già cambiato idea. Cerco disperatamente di non dare peso alle sue parole, ma è molto più difficile di quanto pensassi.

Ti sposo, se scegli me.

Quelle parole mi hanno sorpresa... scioccata, anzi. Sembrava così calmo, parlava in tono così pacato, come se annunciasse cosa c'era per cena. Ma so come stanno davvero le cose: so che è sull'orlo della disperazione. Quella proposta è stata motivata solo dall'alcol e dal bisogno impellente di impedirmi di andare a Seattle. Eppure non riesco a non ripetermi mentalmente quelle parole. Sono patetica, lo so, ma è così che mi sento: sospesa tra la speranza e la consapevolezza che non dovrei consentirmi di sperare.

Quando arrivo ai grandi magazzini non ho ancora telefonato a Sandra (mi pare si chiami così) per parlare dell'appartamento. Sembra bello, a giudicare dalle foto sul sito. Più piccolo di quello in cui abitiamo adesso, ma ampio a sufficienza; e posso permettermi di viverci da sola. Non ci sono le librerie alle pareti né i mattoni a vista che mi piacciono tanto, ma mi accontenterei.

Sono pronta per Seattle. Sono pronta a fare questo passo per costruirmi un futuro; è il momento che aspettavo da una vita.

Entro nel negozio immersa nei miei sogni a occhi aperti, e ben presto mi ritrovo con un cestello pieno di prodotti a caso, nessuno dei quali mi serve per il viaggio. Detersivo per la lavastoviglie, dentifricio, una paletta per raccogliere la polvere. Perché compro queste cose, se sto per trasferirmi? Rimetto a posto la paletta, insieme a dei calzini colorati che non so perché ho preso. Se Hardin non viene con me dovrò comprare nuovi piatti, nuovo… tutto. È un sollievo che l'appartamento sia già arredato, perché così avrò un sacco di pensieri in meno.

Uscita dal negozio, non so bene cosa fare. Non ho intenzione di tornare a casa con Hardin e mio padre, ma non ho altri posti dove andare. Passerò tre giorni con Landon, Ken e Karen, quindi non voglio andare a casa loro e disturbarli adesso. Ho bisogno di trovarmi nuovi amici. O almeno uno. Potrei chiamare Kimberly, ma sarà occupata con il trasloco. Che fortunata: sì, è l'azienda di Christian a portarla a Seattle, ma da come lui la guarda capisco che la seguirebbe ovunque.

Mentre cerco il numero di Sandra sul telefono, rischio di chiamare Steph per errore.

Cosa starà facendo? Hardin si infurierebbe se le telefonassi e le proponessi di vederci. D'altra parte Hardin non ha il diritto di darmi ordini, dato che è ubriaco in pieno giorno.

Decido di telefonarle, e lei risponde subito.

«Tessa! Che combini?» esclama. C'è rumore in sottofondo.

«Niente. Sono nel parcheggio dei grandi magazzini.»

«Ah, te la spassi, eh?» commenta ridendo.

«Non proprio. Tu cosa fai?»

«Niente; vado a mangiare qualcosa con un'amica.»

«Ah, okay. Be', richiamami più tardi.»

«Puoi venire con noi, se vuoi. Andiamo all'*Applebee*, vicino al campus.»

Quel locale mi fa pensare a Zed, ma lì si mangia benissimo e ho una fame da lupi.

«Okay, vengo, se sei sicura che non sia un problema.»

Sento chiudere una portiera. «Sì, vieni subito! Saremo lì tra un quarto d'ora.»

Chiamo Sandra mentre torno verso il campus e le lascio un messaggio in segreteria. Provo uno strano sollievo nel non doverle parlare, ma non capisco bene perché.

L'*Applebee* è molto affollato, e non vedendo i capelli rossi di Steph lascio il mio nome alla cameriera.

«Quanti siete?» mi chiede lei, con un sorriso cordiale.

«Tre, penso.»

«Be', ho un tavolo da quattro, te lo do lo stesso», dice, e prende quattro liste.

La seguo fino a un tavolo verso il fondo del ristorante e aspetto che arrivi Steph. Controllo il telefono, ma Hardin non mi ha cercata: ormai si sarà addormentato. Quando alzo gli occhi, sento una scarica di adrenalina: ho appena visto una chioma rosa.

12
Hardin

APRO i pensili della cucina in cerca di qualcosa da mangiare. Devo diluire il liquore che mi scorre nelle vene.

«Ce l'ha a morte con noi», dice Richard.

«Sì.» Sorrido al ricordo del suo viso arrossato dall'ira, i piccoli pugni stretti lungo i fianchi. Era furiosa.

Non è affatto divertente... be', non dovrebbe esserlo.

«Mia figlia è il tipo che serba rancore?»

Resto a guardarlo per un momento. È strano che un padre debba chiedere certe cose al ragazzo della figlia. «Evidentemente no, dato che sei nella nostra cucina a mangiare i miei cereali», rispondo scuotendo la scatola vuota.

Sorride. «Hai ragione.»

«Sì, ho quasi sempre ragione.» Invece non ce l'ho mai, porca miseria. «Mi dispiace per te: sei arrivato adesso, e tra meno di una settimana lei se ne va», dico, infilando un contenitore ermetico nel microonde. Non so bene cosa ci sia dentro, ma muoio di fame e sono troppo ubriaco per cucinare, e Tessa non è qui a preparare per me. *Come farò quando mi lascerà?*

«Vero», ammette lui con una smorfia. «Per fortuna Seattle non è molto lontana.»

«Ma l'Inghilterra sì.»

Dopo una lunga pausa, replica: «Non verrà in Inghilterra».

Lo incenerisco con lo sguardo. «E tu che cazzo ne sai? La conosci da quanto, due giorni?» Sto per perdere la pazienza quando il trillo del microonde ci interrompe.

«Ma conosco Carol, e lei non andrebbe in Inghilterra.»

È di nuovo l'ubriacone insopportabile di ieri.

«Tessa non è come sua madre, e io non sono come te.»

«Okay», si arrende lui.

13
Tessa

MOLLY.

Spero che sia una semplice coincidenza, ma quando alle sue spalle appare Steph mi lascio cadere sconfitta sullo schienale.

«Ciao, Tessa!» mi saluta Steph e viene a sedersi davanti a me, scorrendo verso la parete per lasciare posto all'«amica». *Perché mi ha invitata a pranzo con lei e Molly?*

«Non ci vedevamo da un pezzo.»

Non so cosa dire a nessuna delle due. Vorrei alzarmi e uscire, invece accenno un sorriso e mi esce un: «Già».

«Hai ordinato?» mi chiede Steph, ignorando completamente il fatto di aver portato con sé la mia peggiore – la mia unica – nemica.

«No.» Tiro fuori il telefono dalla borsa.

«Non c'è bisogno di chiamare papà, non mordo», ghigna Molly.

«Non stavo chiamando Hardin», le rispondo. Gli stavo scrivendo: c'è una bella differenza.

«Certo, come no.» Ride.

«Basta così», interviene Steph. «Molly, hai promesso di fare la brava.»

«Cosa ci fai qui?» chiedo alla ragazza che odio di più al mondo.

«Ho fame», replica con noncuranza. È chiaro che si prende gioco delle mie emozioni.

Faccio per alzarmi e dico: «È meglio se vado».

«No, resta! Per favore, poi parti e non ti vedrò più», mi supplica Steph, facendo il broncio.

«Cosa?»

«Parti tra pochi giorni, no?»

«Chi te l'ha detto?»

Molly e Steph si guardano l'un l'altra, poi Steph risponde: «Zed, mi pare; ma non importa. Pensavo che me ne avresti parlato».

«Te l'avrei detto; è solo che avevo un mucchio di pensieri. Volevo farlo oggi, qui...» mormoro, poi guardo Molly, e spero che Steph capisca la mia riluttanza ad andare avanti.

«Mi dispiace che tu non me l'abbia detto. Sono stata la tua

67

prima amica, al campus.» Per fortuna arriva una cameriera a prendere le ordinazioni, e dobbiamo interromperci.

Mentre Steph e Molly chiedono le bibite, scrivo a Hardin. *Starai dormendo, ma sono a pranzo con Steph... che ha portato Molly :-/* Premo invio e torno a osservare le due ragazze.

«Allora, sei contenta di partire? Cosa farete tu e Hardin?» chiede Steph.

Mi stringo nelle spalle e mi guardo intorno. Non ho intenzione di confidarmi davanti alla figlia di Satana.

«Puoi parlarne in mia presenza. Credimi, la tua barbosa vita non mi interessa granché», sbuffa Molly.

«Crederti?» dico soffocando una risata, e in quel momento sento vibrare il telefono.

Vieni a casa, mi ha scritto Hardin.

Non so cosa mi aspettassi, ma sono delusa dal suo consiglio, o mancato consiglio.

No, ho fame, rispondo.

«Senti, tu e Hardin siete carini e tutto, ma non me ne frega più niente della vostra storia», mi informa Molly. «Ho la mia a cui pensare, adesso.»

«Buon per te.» Mi dispiace per quel povero idiota.

«A proposito, Molly, quando ci farai conoscere quest'uomo del mistero?» domanda Steph.

Molly liquida l'argomento con un cenno della mano. «Non lo so, non adesso.»

La cameriera ci porta da bere e prende l'ordinazione per il cibo. Appena se n'è andata, Molly si gira verso di me, la sua preda. «Comunque, quanto ti fa incazzare che Zed voglia mandare Hardin in galera?»

Resto di stucco. L'idea di Hardin in prigione mi fa gelare il sangue. «Sto cercando di impedire che accada.»

«In bocca al lupo. A meno che tu voglia scoparti Zed, non

c'è altro che tu possa fare.» Si produce in un altro ghigno e tamburella sul tavolo un'unghia laccata di verde acido.

«Non succederà», ringhio.

C'è qualcosa da mangiare qui. Davvero, vieni a casa prima che succeda qualcosa da cui non posso salvarti.

Salvarmi? E da cosa? Da Molly e Steph? Steph è mia amica; inoltre ho già dimostrato di poter tenere testa a Molly da sola, e lo rifarei senza esitare. È insopportabile, ma non ho più paura di lei.

Dal messaggio mi sembra chiaro che è ancora ubriaco.

Dico sul serio, vattene di lì, scrive dato che non rispondo.

Infilo il telefono in borsa e rivolgo la mia attenzione alle ragazze.

«L'hai già fatto una volta, quindi che differenza fa?» chiede Molly.

«Scusa?»

«Non ti sto giudicando. Io mi sono scopata Hardin. E anche Zed», mi ricorda.

Ho voglia di gridare per la frustrazione. «Non sono andata a letto con Zed», dico a denti stretti.

Molly fa un mugugno, e Steph la guarda male.

«Qualcuno vi ha detto che… che sono andata a letto con Zed?» chiedo.

«No», risponde Steph prima che Molly possa aprir bocca. «E, comunque, basta parlare di Zed. Voglio sapere di Seattle. Viene anche Hardin?»

«Sì», mento. Non voglio ammettere, soprattutto davanti a Molly, che Hardin si rifiuta di venire con me.

«Quindi ve ne andate tutti e due? Sarà così strano», dice Steph, rattristata.

Sarà strano ricominciare da capo in un nuovo campus, dopo tutto quello che mi è successo alla Washington Central. Ma è proprio ciò di cui ho bisogno: un nuovo inizio. Questa città è piena di brutti ricordi: tradimenti e amicizie false.

«Dovremmo vederci tutti, questo weekend, per il grande addio», propone Steph.

«No, per carità, niente feste.»

«No, non una festa, solo il nostro gruppo.» Mi guarda supplicante. «Diciamoci la verità: probabilmente non ci rivedremo mai più, e sarebbe giusto che Hardin salutasse i vecchi amici.»

Esito e distolgo lo sguardo.

Molly interrompe il silenzio. «Io non verrò, non preoccuparti.»

In quel momento arriva il nostro pranzo, ma ho perso l'appetito. Davvero gira voce che sono andata a letto con Zed? Zed manderà Hardin in prigione? Tutti questi pensieri mi fanno venire il mal di testa.

Steph mangia qualche patatina e, con la bocca piena, dice: «Parlane con Hardin e fammi sapere. Possiamo vederci a casa di qualcuno… anche da Tristan e Nate. Così non arriverà qualche cretino a rompere le scatole».

«Posso chiedere… non so se vorrà.» Guardo il telefono: tre chiamate senza risposta e un messaggio. *Rispondi al telefono.*

Vado via dopo aver mangiato, calmati. Bevi un po' d'acqua, scrivo.

Ma Molly è chiaramente tesa, e inizia a parlare in tono nervoso. «Be', dovrebbe… eravamo suoi amici molto prima che arrivassi tu a rovinarlo.»

«Non l'ho rovinato.»

«Sì invece. È diverso, non si fa più vivo con nessuno.»

«E nessuno si fa vivo con lui, se è per questo. L'unico che lo chiama è Nate.»

«Perché sappiamo…» comincia Molly.

Ma Steph alza una mano. «Basta, piantatela!» esclama, massaggiandosi la tempia.

«Vado a chiedere di incartarmi il pranzo e me lo porto a casa. È stata una cattiva idea», commento. Non so perché Steph abbia portato Molly, poteva almeno avvisarmi.

Mi guarda rammaricata. «Mi dispiace, Tessa. Pensavo che poteste andare d'accordo, ora che lei non cerca più di portarsi a letto Hardin.» Lancia un'occhiataccia a Molly, che fa spallucce.

«Be', andiamo più d'accordo di prima», ribatte, e io vorrei prenderla a schiaffi, ma il telefono di Steph inizia a squillare interrompendo i miei pensieri violenti. «È Hardin, sta chiamando me», dice perplessa, e mi mostra il display.

«Non sto rispondendo ai suoi messaggi; lo chiamo tra un minuto.»

Annuisce e ignora la chiamata.

«Caspita, è diventato uno stalker», commenta Molly addentando una patatina.

Mi mordo la lingua per non replicare e chiedo alla cameriera una confezione da asporto. Non ho quasi toccato cibo, ma non voglio fare scene nel ristorante.

«Per favore, pensaci, per sabato. Possiamo anche organizzare una cena, invece di una festa», propone Steph sfoderando il suo sorriso più smagliante. «Per favore!»

«Vedrò cosa posso fare, ma vado fuori città…»

«Scegli tu il giorno», cinguetta.

«Grazie, ti farò sapere», le dico, e pago il mio conto.

Non mi piace l'idea, ma in un certo senso ha ragione lei: non li rivedremo più. Hardin andrà da qualche parte, magari non a Seattle, ma ora che l'hanno espulso non resterà qui, ed è giusto che riveda i vecchi amici per un'ultima volta.

«Mi sta chiamando di nuovo», mi fa notare Steph, divertita.

«Digli che sto arrivando.» Mi alzo e vado alla porta.

Quando mi giro Steph e Molly stanno parlando, e il telefono di Steph è sul tavolo davanti a lei.

14
Hardin

«Tessa, se non mi richiami vengo a cercarti, ubriaco o no», minaccio, e poi lancio il telefono sul divano con tanta forza che rimbalza e cade a terra.

«Tornerà», mi rassicura Richard.

«Lo so!» sbraito andando a raccogliere il cellulare. Per fortuna lo schermo non si è incrinato. Lancio un'occhiataccia al vecchio ubriacone e me ne vado in camera.

Che cazzo ci fa qui? E perché cazzo non c'è Tessa? Da un incontro tra lei e Molly non può venire fuori niente di buono.

Sto già meditando come andare a prenderla, calcolando che non ho le chiavi, non ho la macchina e ho un tasso alcolemico nel sangue molto superiore ai limiti di legge… quando sento aprire la porta di casa.

«È andato a… ehm, a sdraiarsi», dice Richard a voce alta, con un'allegria del tutto fuori luogo. Credo voglia avvisarmi dell'arrivo di Tessa.

Apro la porta della camera e con un gesto del braccio la invito a entrare. Non sembra affatto intimidita dalla mia espressione cupa.

«Perché non mi hai risposto al telefono?» le chiedo.

«Perché ti avevo già detto che sarei tornata presto. E sono tornata.»

«Dovevi rispondere. Mi sono preoccupato.»

«Preoccupato?» domanda sorpresa.

«Sì, preoccupato. Cosa ci facevi con Molly?»

Appende la borsa sullo schienale della sedia. «Non saprei proprio. Steph mi ha invitata a pranzo e ha portato anche lei.»

Quella stronza di Steph. «Ma perché?! È stata cattiva con te?»

«Non più del solito», risponde guardandomi perplessa.

«Steph è stata una stronza. Cosa ti hanno detto?»

«A quanto pare girano voci sul mio conto.» Si siede per togliersi le scarpe.

«Eh? Che genere di voci?» *Ovvero: chi devo ammazzare?*

Merda, sono ancora ubriaco. Com'è possibile? Sono passate almeno tre ore. Ho sentito dire che ci vuole un'ora per smaltire ogni bicchiere. In tal caso sono fottuto per altre dieci ore, se ricordo bene.

«Mi hai sentita?» Tessa sembra preoccupata.

«No, scusa.»

Arrossisce. «Penso che giri voce che io e Zed... sai.»

«Cosa?»

«Che siamo... andati a letto insieme.» Ha gli occhi stanchi, parla a voce bassa.

«Chi lo dice?» domando tentando di mantenere la calma.

«È un pettegolezzo che gira; Steph e Molly ne stavano parlando.»

Non so se cercare di consolarla o dare libero sfogo alla rabbia. Sono troppo ubriaco per affrontare una cosa del genere.

Si posa le mani in grembo e abbassa lo sguardo. «Non voglio che la gente pensi questo di me.»

«Non dargli retta, sono un branco di imbecilli. Se gira una voce, farò in modo che non giri più.» La tiro a sedere sul letto accanto a me. «Non preoccuparti.»

«Non sei arrabbiato con me?» mi chiede guardandomi negli occhi.

«Sì, mi sono arrabbiato perché non mi rispondevi, e poi non mi ha risposto neanche Steph. Ma non sono arrabbiato per questo pettegolezzo, non con te almeno; te l'avranno riferito per cattiveria.» L'idea che quelle due cerchino di ferire i suoi sentimenti mi fa imbestialire.

«Non capisco perché abbia portato Molly, che ovviamente non ha mancato di ricordarmi che è venuta a letto con te.» Rabbrividisce. E anch'io.

«È una puttana, non ha altro da fare che rimpiangere i bei tempi in cui me la scopavo.»

«Hardin…» mormora.

«Scusa, ma capisci cosa intendo.»

Si slaccia il braccialetto e si alza per posarlo sul ripiano. «Sei ancora ubriaco?»

«Un po'.»

«Un po'?»

Sorrido. «Un po' più di un po'.»

«Sei così strano…»

«In che senso?» La raggiungo e mi fermo alle sue spalle.

«Sei ubriaco, eppure sei così tranquillo. Prima eri arrabbiato perché non ti rispondevo, ma ora sei…» Mi guarda negli occhi. «Comprensivo, diciamo, su questa storia di Molly.»

«Cosa ti aspettavi?»

«Non lo so… che ti mettessi a gridare, forse. Non sei molto paziente quando hai bevuto», mormora.

Capisco che cerca di non irritarmi, ma vuole farmi sapere che non ha intenzione di girare intorno al problema. «Non griderò, ma non mi piace che tu frequenti quelle persone. Sai come sono fatte, soprattutto Molly, e non voglio che qualcuno ti faccia soffrire.» Poi, calcando ogni parola, aggiungo: «In nessun modo».

«Be', non ci sono riuscite, però… So che è stupido, ma per una volta volevo semplicemente pranzare con un'amica.»

Vorrei dirle che Steph non è l'amica migliore che potesse

scegliersi, ma so che non ne ha altri, a parte Landon e me...
e Noah.

E Zed.

Be', Zed non è più suo amico. Abbiamo chiuso con quelle
stronzate, e sono convinto che quel ragazzino non si farà più
vedere per un bel pezzo.

15
Tessa

MI stupisco, e mi rallegro, che Hardin sia così ragionevole.
Accavalla le gambe e si appoggia all'indietro sulle mani.
Non so se è il momento giusto per parlare di Seattle, dato che
sembra di buonumore.

Ma se aspetto ancora, chissà quando capiterà un'altra
occasione.

I suoi occhi verdi che mi fissano, e decido di farmi avanti.
«Steph vuole dare una festa di addio», gli dico, e aspetto la
sua reazione.

«Dove va? All'Università della Louisiana?»

«No, è per me», spiego, omettendo il piccolo dettaglio che
lui verrebbe a Seattle con me.

Mi guarda storto. «Hai detto agli altri che ti trasferisci?»

«Sì, perché non avrei dovuto?»

«Perché non hai ancora deciso, giusto?»

«Hardin, io vado a Seattle.»

Si stringe nelle spalle. «Hai ancora un po' di tempo per pensarci.»

«Comunque... Che ne pensi di questa festa? Steph ha detto che potremmo cenare a casa di Nate e Tristan, invece che alla confraternita», spiego, ma Hardin è ancora ubriaco e non mi ascolta. Ricontrollo il programma del trasloco per la prossima settimana: spero proprio che Sandra mi richiami al più presto, altrimenti non avrò un appartamento e dovrò stare in un motel. Odio i motel...

«No, non ci andiamo.»

«Cosa?» faccio girandomi verso di lui. «Perché no? Una cena non sarà così male... Niente giochi stupidi come Obbligo o verità o Succhia e vai...»

Sghignazza. «Succhia e soffia, Tess.»

«Hai capito cosa voglio dire! Sarà l'ultima volta che li vediamo... be', che li vedo, e in un certo senso sono miei amici.» Non so cosa pensare della mia «amicizia» con quelle persone.

«Ne parliamo dopo, mi sta venendo mal di testa.»

Sospiro. Dal suo tono capisco che vuole chiudere la discussione.

«Vieni qui.» Torna a sedersi sul letto e allarga le braccia.

Lo raggiungo, lui posa le mani sui miei fianchi e mi guarda con un sorriso sbilenco.

«Non dovresti essere arrabbiata con me?»

«Mi sento oppressa, Hardin», ammetto.

«Oppressa da cosa?»

Alzo le braccia. «Da tutto. Seattle, la nuova università, Landon che se ne va, la tua espulsione...»

«Ho mentito», dice semplicemente, affondando il viso sul mio addome.

Come sarebbe? «Cosa?» Gli sollevo la testa per farmi guardare.

Fa spallucce. «Ti ho mentito sull'espulsione.»

Faccio un passo indietro. Lui cerca di tirarmi a sé ma non glielo permetto. «Perché?»

«Non lo so, Tessa», risponde alzandosi in piedi. «Ero arrabbiato perché ti avevo vista lì fuori con Zed e per tutta quella storia di Seattle.»

«Quindi mi hai detto che ti avevano espulso perché ce l'avevi con me?», gli domando attonita.

«Sì. Be', e anche per un altro motivo.»

«Quale altro motivo?»

Sospira. «Ti arrabbierai da morire.» Ha ancora gli occhi rossi, ma mi sembra che stia rapidamente tornando sobrio.

Incrocio le braccia sul petto. «Sì, è probabile. Ma dimmelo.»

«Pensavo che ti sarebbe dispiaciuto per me e saresti venuta in Inghilterra.»

Non so cosa pensare di questa confessione. Dovrei arrabbiarmi. Sono arrabbiata, infuriata anzi. Che coraggio! Avrebbe dovuto essere sincero fin dall'inizio... ma devo ammettere che mi fa piacere averlo saputo direttamente da lui, anziché nel modo in cui di solito vengono smascherate le sue bugie.

Mi fissa con aria interrogativa. «Tessa?...»

Mi sfugge un sorriso. «Sinceramente mi stupisco che tu abbia confessato prima che me lo dicesse qualcun altro.»

«Anch'io.» Si avvicina, mi posa una mano sul viso. «Per favore, non arrabbiarti con me. Sono un pezzo di merda.»

Sospiro irritata, ma adoro quando mi tocca. «È una pessima linea di difesa.»

«Non mi sto difendendo. Sono un idiota, lo so, ma ti amo e sono stufo di tutte queste stronzate. Prima o poi l'avresti scoperto comunque, tanto più che ora vai in vacanza con la famiglia di mio padre.»

«Quindi me l'hai detto perché sapevi che l'avrei scoperto comunque?»

«Sì.»

Mi tiro indietro per guardarlo meglio. «Me l'avresti tenuto nascosto e avresti comunque tentato di costringermi a venire in Inghilterra con te, per compassione?»

«In pratica...»

Cosa dovrei rispondere a una cosa del genere? Voglio dirgli che è pazzo, che non è mio padre e che deve smettere di manipolarmi, invece resto lì a bocca aperta come una stupida. «Non puoi costringermi a partire con te a forza di bugie e intrighi.»

«Lo so, e non ho idea del perché mi comporti così», ammette con aria preoccupata. «Ma non voglio perderti, e sono disperato.»

Dalla sua espressione capisco che non coglie la gravità del suo comportamento. «No, non lo sai. Altrimenti non mi avresti mentito.»

Posa le mani sui miei fianchi. «Tessa, mi dispiace, davvero. Però devi ammettere che la nostra storia stava andando molto meglio di prima.»

Ha ragione: in un certo senso stiamo diventando molto più bravi a comunicare. La nostra non è certo una storia normale, ma la normalità non ci si addice.

«Allora, la faccenda del matrimonio... Non basta a farti venire con me?»

Il cuore mi martella in petto, e sono sicura che lo sente anche lui. Ma rispondo solo: «Ne parleremo quando sarai sobrio».

«Non sono tanto ubriaco.»

Sorrido e gli accarezzo la guancia. «Sempre troppo, per una conversazione del genere.»

Sorride e mi stringe a sé. «Quando torni da Sandpoint?»

«Tu non vieni?»

«Non lo so.»

«Hai detto che saresti venuto. Non abbiamo mai fatto un viaggio insieme.»

«Seattle.»

Mi viene da ridere. «Sei piombato lì senza preavviso e sei ripartito la mattina dopo.»

Mi passa una mano tra i capelli. «Dettagli.»

«Voglio davvero che tu venga. Landon se ne andrà presto.» Quel pensiero mi fa male.

«E allora?»

«E tuo padre sarebbe molto contento se tu venissi, ne sono sicura.»

«Ah, lui. È solo arrabbiato con se stesso perché mi hanno fatto una stupida multa e mi hanno dato un'ammonizione: alla prossima che combino sono fuori.»

«Allora perché non ti trasferisci con me al campus di Seattle?»

«Non ne posso più di sentire nominare Seattle, per stasera. È stata una giornata lunga e mi scoppia la testa…» taglia corto dandomi un bacio sulla fronte.

Mi tiro indietro. «Ti sei ubriacato con mio padre e hai mentito sull'espulsione: se voglio parlare di Seattle, parleremo di Seattle», replico in tono severo.

«E ti sei messa quei pantaloni per uscire, dopo avermi stuzzicato», ribatte sorridendo. «E non hai risposto alle mie telefonate», conclude facendomi scorrere il pollice sul labbro.

«Non avevi bisogno di chiamarmi tutte quelle volte. È soffocante. Persino Molly ti ha definito uno stalker», dico, ma sorrido sotto il suo tocco gentile.

«Davvero, ha detto così?» domanda continuando ad accarezzarmi le labbra, che si schiudono da sole.

«Sì», ansimo.

«Mmm...»

«Lo so cosa stai facendo.» Gli fermo l'altra mano, che ha iniziato a insinuarsi sotto l'elastico dei pantaloni.

Sorride. «Cosa?»

«Cerchi di distrarmi per farmi passare la rabbia.»

«E ci sto riuscendo?»

«No. E non ho intenzione di fare sesso con te mentre mio padre è in casa.» Gli assesto una sculacciata.

Si spinge contro di me. «Ah, come quando ti ho scopata proprio qui», dice indicando il letto, «mentre mia madre dormiva sul divano?» Dà un'altra spinta. «O quella volta che ti ho scopata in bagno a casa di mio padre, o tutte le altre volte che ti ho scopata mentre Karen, Landon e mio padre erano nella stanza accanto?» Fa scivolare una mano sulla mia coscia. «Oh, aspetta, forse intendi quella volta che ti ho fatta chinare sulla scrivania in ufficio...»

«Okay, okay, ho capito...»

Ride vedendomi arrossire. «Coraggio, Tessie, sdraiati.»

«Sei folle», commento ridendo e mi allontano.

«Dove vai?»

«A vedere cosa fa mio padre.»

«Perché? Così poi torni qui e...»

«No! Dannazione, dormi, fa' qualcosa!» esclamo. Sono contenta che non gli sia passato il buonumore, ma nonostante la sua confessione mi irrita ancora che mi abbia mentito e che sia così testardo da rifiutarsi persino di parlare di Seattle.

Ero sicura che al ritorno dal pranzo l'avrei trovato furioso perché non gli avevo risposto al telefono. Non mi aspettavo che potessimo parlarne con calma e che lui ammettesse di avermi mentito sull'espulsione. Forse Steph l'aveva rassicurato, gli aveva detto che stavo tornando, quindi ha avuto il tempo di calmarsi. Ma d'altronde, il telefono di Steph era sul tavolo quando mi sono girata...

«Hai detto che Steph non ti ha risposto al telefono?» domando.

«Sì, perché?» Mi guarda confuso.

Mi stringo nelle spalle, incerta su cosa dire. «Niente, ero curiosa.»

«Ma perché?» insiste con uno strano tono.

«Le ho chiesto di dirti che stavo arrivando, e mi domando perché non l'abbia fatto.»

«Oh», fa distogliendo lo sguardo.

Non ci capisco più niente. «Vado di là, puoi venire anche tu se vuoi.»

«Vengo, devo solo cambiarmi.»

Sto per uscire dalla camera quando mi domanda: «Come pensi di fare con tuo padre? È appena tornato nella tua vita, e ora te ne vai?» Le sue parole mi lasciano di sasso: non è che non ci avessi già pensato, ma non mi piace che mi tiri addosso questa domanda come un missile mentre gli volto le spalle.

Mi prendo un momento per calmarmi, e senza rispondere esco dalla stanza. In salotto trovo mio padre di nuovo addormentato. Ubriacarsi a mezzogiorno dev'essere stancante. Spengo il televisore e vado in cucina a riempirmi un bicchiere d'acqua. Continuano a ronzarmi in testa le parole di Hardin. Ma il problema è che non posso rimandare il mio futuro per un padre che non vedevo da nove anni. Se le circostanze fossero diverse prenderei in considerazione l'ipotesi di ripensarci, ma è stato lui a lasciarmi.

Quando torno alla porta della camera sento la voce di Hardin da dentro: «Che cazzo ti è saltato in mente?»

Premo l'orecchio sulla porta. Dovrei entrare, ma ho idea

che quella conversazione non sia destinata a essere ascoltata da me. E quindi devo assolutamente farlo.

«Non me ne frega un cazzo, non doveva succedere. Adesso lei è nervosa, e tu devi...» Non sento il resto della frase.

«Non fare casini», sbotta infine.

Con chi parla? E cosa deve fare quella persona? È Steph? O peggio, Molly?

Sento i suoi passi avvicinarsi alla porta e corro a chiudermi in bagno.

Pochi istanti dopo Hardin bussa. «Tessa?»

Devo essere rossa in viso. Il cuore mi martella in petto e ho un nodo allo stomaco. «Ehi, stavo per uscire», rispondo aprendo la porta, ma mi trema un po' la voce.

Mi scruta perplesso. «Okay...» Guarda in corridoio. «Dov'è tuo padre? Dorme?»

«Ehm, sì.»

«Be', allora vieni in camera», dice con un sorriso; mi prende per mano e mi tira delicatamente.

Mentre lo seguo, la paranoia si insinua nei miei pensieri come una vecchia amica.

16
Tessa

LA microscopica parte della mia mente che ospita ancora un briciolo di buonsenso invia segnali d'allarme al resto del cervello, occupato da Hardin e da tutto ciò che lo riguarda.

Mi dice che devo fargli delle domande, che non posso lasciar correre. Lascio correre già troppo spesso.

Ma è l'altra a vincere la battaglia. Voglio davvero litigare con lui, quando potrebbe trattarsi di un semplice malinteso? Forse era solo arrabbiato con Steph perché aveva invitato Molly a pranzo. Non ho ascoltato tutta la telefonata; forse mi stava difendendo. Ha appena confessato di avermi mentito; perché dovrebbe farlo di nuovo?

Si siede sul letto, mi prende le mani e mi fa sedere sulle sue gambe. «Be', abbiamo esaurito gli argomenti seri, e tuo padre dorme. Dovremo trovare un altro modo di passare il tempo...» Il suo sorriso è del tutto ingiustificato, ma è contagioso.

«Non pensi mai ad altro che al sesso?» gli dico spintonandolo sul petto.

Si sdraia sul letto tirandomi sopra di sé. Mi siedo a cavalcioni sul suo corpo.

«No, penso anche ad altro. Per esempio a quelle labbra, chiuse intorno a me...» Quando mi bacia sento il profumo di menta; la pressione delle sue labbra sulle mie mi fa correre una scarica elettrica giù per la schiena, ma non basta a soddisfarmi.

«Penso alla mia faccia affondata tra le tue gambe mentre tu...» inizia, ma gli tappo la bocca con la mano. Però la tolgo subito, perché lui tira fuori la lingua per leccarmi il palmo.

«*Bleah*», esclamo asciugandomi la mano sulla sua maglietta nera.

«Vedrò di non fare rumore», mormora sollevando i fianchi dal materasso per premersi contro di me. «Ci riuscirò meglio di te, naturalmente.»

«Mio padre...» gli ricordo, ma con molta meno convinzione di prima.

«E chi se ne frega? È casa nostra, se non gli piace se ne può andare.»

«Non essere sgarbato», lo rimprovero, seccata ma non troppo.

«Non sono sgarbato… ma ti voglio, e ho il diritto di averti quando mi pare.»

Lo guardo storto. «È del mio corpo che stai parlando.» Fingo che il cuore non mi martelli in petto, fingo di non provare il desiderio che provo sempre per lui.

«Ovvio. Ma so che se faccio così…» Infila una mano nei miei pantaloni e nelle mutandine. «Vedi, lo sapevo che ti avrei trovata pronta, se avessi iniziato a parlare di…»

Lo bacio per impedirgli di pronunciare altre volgarità, mentre lui continua a stuzzicarmi. Mi sfiora appena: mi vuole proprio torturare.

«Per favore», dico in un sospiro.

«Lo immaginavo», ridacchia. Preme con più forza, infila un dito e comincia a muoverlo lentamente.

Ma poi smette, troppo presto. Mi fa sdraiare accanto a lui, si alza a sedere, afferra l'elastico dei pantaloni che gli piacciono tanto e me li tira giù sulle cosce. Sollevo i fianchi per aiutarlo, e lui mi sfila anche le mutandine.

Senza parlare, mi fa cenno di spostarmi verso la testiera del letto. Mi spingo all'indietro sui gomiti e mi appoggio alla testiera. Lui si sdraia a pancia in sotto davanti a me e mi allarga le cosce.

Fa un ghigno. «Almeno cerca di non fare rumore.»

Gli rivolgo un'occhiataccia, ma poi sento avvicinarsi il suo fiato caldo, sempre più caldo, e la sua lingua mi tocca. Afferro il cuscino giallo che lui detesta e me lo appoggio sulla bocca per smorzare i gemiti, mentre la sua lingua accelera sempre di più.

D'un tratto mi sento strappare il cuscino dal viso. «No, piccola, guardami», mi ordina. La sua lingua continua a scorrere

84

su di me, e poi il suo pollice mi tocca nel punto più sensibile. Sento i muscoli delle gambe irrigidirsi mentre il suo dito descrive lenti cerchi sfiorandomi appena, torturandomi.

Gli obbedisco e lo guardo, lì tra le mie cosce, i capelli spettinati, una ciocca che gli ricade sulla fronte. Per metà vedo e per metà immagino la sua bocca che si muove su di me, sento crescere la tensione e capisco che non riuscirò a stare zitta. Mi tappo la bocca con una mano e affondo l'altra fra i suoi riccioli, sollevando i fianchi per andare incontro alla sua lingua. È fantastico.

Gli strattono i capelli e lo sento mugolare, sono sempre più vicina...

«Più forte», ansima lui.

Cosa?

Posa la mano sopra la mia, sui suoi capelli, e mi fa tirare con più forza... Vuole che glieli strappi?

«Così», dice fissandomi con uno sguardo vorace, e poi si china a leccarmi ancora. Gli strattono i capelli con forza, lui alza gli occhi per guardarmi e poi li chiude. Quando li riapre sono del colore brillante della giada. Continua a guardarmi negli occhi mentre mi si appanna la vista.

«Vieni, piccola», bisbiglia.

Lui allunga una mano tra le sue gambe e non resisto più. Lo osservo accarezzarsi, portarsi all'orgasmo con me. Non mi abituerò mai alle sensazioni che mi regala.

«Hai un sapore così buono, piccola», mormora senza staccarsi da me, e la sua mano accelera ancora. Vengo mordendomi la mano e continuando a tirargli i capelli.

Batto le palpebre e riacquisto lentamente la lucidità, mentre lui si sdraia con la testa sulla mia pancia, con gli occhi chiusi e il respiro affannato.

Lo prendo per la spalla e cerco di spostarmi tra le sue gambe.

Mi guarda. «Ehm... già fatto.»

Lo fisso.

«Sono già venuto...» spiega con voce affaticata.

«Ah.»

Accenna un sorriso pigro, ancora mezzo ubriaco, e si alza dal letto. Prende un paio di pantaloncini bianchi da palestra nell'ultimo cassetto del comò.

«Devo farmi la doccia e cambiarmi, ovviamente.» Indica il cavallo dei jeans, dove c'è una chiazza bagnata.

«Come ai vecchi tempi?» sorrido.

Sorride anche lui e viene a baciarmi sulla fronte e sulle labbra. «Mi fa piacere che tu non abbia perso il tocco magico», dice andando alla porta.

«Non era il mio tocco», puntualizzo, e lui esce scuotendo la testa.

Raccolgo i vestiti, sperando che mio padre dorma ancora, o che se è sveglio non fermi Hardin. Pochi istanti dopo sento chiudere la porta del bagno e mi alzo per vestirmi.

Controllo il telefono, ma non ci sono messaggi in segreteria da Sandra. Ho però un nuovo sms: forse è lei.

Lo apro e leggo: *Devo parlarti.*

Sospiro: è Zed.

Cancello il messaggio e poso il telefono sul tavolo. Poi mi assale la curiosità, e cerco il cellulare di Hardin. Mi viene l'ansia quando ricordo com'è finita l'ultima volta che ho spiato tra i suoi messaggi.

Ma ora so che non mi nasconde nulla. Non potrebbe: la situazione è completamente diversa. Si è fatto un tatuaggio per me... Il problema è solo che non vuole trasferirsi a Seattle per me. Non ho niente da temere. *Vero?*

Non trovo il telefono: immagino che se lo sia portato in bagno. Perché è una cosa normale da fare, vero?

Non ho nulla di cui preoccuparmi, sono solo stressata e paranoica, mi ripeto.

E comunque non dovrei sbirciare nel suo telefono. Se lo facesse lui, mi infurierei.

Ma probabilmente lo fa, soltanto non l'ho ancora scoperto.

Hardin rientra in camera e io trasalisco come se mi avesse sorpresa a fare qualcosa di proibito. È a torso nudo e scalzo, dai pantaloncini spunta l'elastico nero dei boxer.

«Tutto bene?» mi chiede, asciugandosi i capelli con un asciugamano. Mi piacciono i suoi capelli quando sono bagnati: il contrasto con gli occhi verdi è incantevole.

«Sì, tutto bene. È stata una doccia rapida, avrei dovuto farti sporcare di più», scherzo, cercando di distrarlo dal fatto che mi trema leggermente la voce.

«Avevo fretta di rivederti», dice in tono poco convincente.

Sorrido. «Hai fame?»

«Sì», ammette con un sorriso.

«Lo immaginavo.»

«Tuo padre dorme ancora? Resterà qui quando ce ne andiamo?»

La sorpresa ha la meglio sulla preoccupazione. «Perché, vieni anche tu?»

«Sì, penso di sì. Se fa schifo come immagino, me ne vado al secondo giorno.»

«Okay.» Gliela do vinta, ma sono felicissima perché so che non se ne andrà prima. Si lamenta solo per salvare le apparenze.

Vedendolo leccarsi le labbra mi torna in mente la sua lingua tra le mie gambe. «Posso farti una domanda?»

Mi guarda negli occhi e fa cenno di sì, poi va a sedersi sul letto.

«Quando sei... be', ecco... Era perché ti stavo tirando i capelli?»

«Eh?» fa ridacchiando.

«Ti è piaciuto quando ti ho tirato i capelli?» chiedo, e mi accorgo che sto arrossendo.

«Sì.»

«Oh.» Devo essere rossa come un peperone.

«Ti sembra strano?»

«No, sono solo curiosa», ammetto, ed è la verità.

«A ciascuno piacciono certe cose durante il sesso; questa è una di quelle che piacciono a me. Ma l'ho scoperto solo oggi.» Sorride, perfettamente a suo agio con l'argomento della conversazione.

«Ah, davvero?» Mi eccita l'idea che abbia imparato qualcosa di nuovo con me.

«Sì. Insomma, altre ragazze mi hanno tirato i capelli, ma con te è diverso.»

«Oh», faccio per la decima volta, ma stavolta con una nota di delusione.

Non se ne accorge e mi fissa incuriosito. «C'è qualcosa che ti piace e che non ti ho ancora fatto?»

«No, mi piace tutto quello che mi fai», mormoro.

«Sì, lo so, ma c'è qualcosa che vorresti fare?»

Scuoto la testa.

«Non vergognarti, piccola, tutti abbiamo delle fantasie.»

«Io no.» Almeno, credo di no. Non ho altra esperienza a parte Hardin, e non conosco nient'altro che quello che abbiamo fatto insieme.

«Sì che ce l'hai, dobbiamo solo scoprirle», conclude sorridendo.

Mi si annoda lo stomaco e non so cosa rispondere.

Ma poi mio padre ci interrompe. «Tessie?» Per fortuna la voce sembra provenire dal salotto e non dal corridoio.

Io e Hardin ci alziamo.

«Vado al bagno», dico.

Lui fa un sorrisetto e va in salotto da mio padre.

Quando entro in bagno trovo il telefono di Hardin sul bordo del lavandino.

So che non dovrei, ma non riesco a fermarmi. Apro subito il registro delle ultime chiamate, ma non trovo niente. Cancellato. Provo con i messaggi.

Niente. Ha eliminato tutto.

17
Tessa

Esco dal bagno con il telefono in mano e trovo Hardin e mio padre seduti in cucina.

«Sto morendo di fame, piccola», dice Hardin.

Mio padre mi guarda imbarazzato. «Be', anch'io mangerei qualcosa...» azzarda.

Appoggio le mani sullo schienale della sedia di Hardin; i suoi capelli umidi sfiorano le mie dita. «Allora vi consiglio di cucinarvi qualcosa», rispondo, e gli poso davanti il telefono.

Mi fissa inespressivo. «Okay...» fa, si alza e va al frigorifero. «Tu hai fame?» chiede.

«Ho ancora gli avanzi dell'*Applebee*.»

«Ce l'hai con me perché l'ho portato a bere?» mi domanda mio padre.

Gli rispondo in tono conciliante, perché sapevo chi era

quando l'ho invitato a casa. «Non ce l'ho con te, ma non voglio che diventi un'abitudine.»

«Non lo diventerà. E comunque tra poco te ne vai», mi ricorda.

Guardo l'uomo che conosco da soli due giorni e non rispondo. Raggiungo Hardin al frigo e apro lo sportello del congelatore.

«Cosa vuoi mangiare?»

Mi scruta guardingo, cercando di sondare il mio umore. «Non so, pollo... oppure possiamo ordinare qualcosa...»

Sospiro. «Ordiniamo qualcosa.» Non voglio essere sgarbata con lui, ma non riesco a smettere di pensare ai messaggi cancellati dal telefono.

Hardin e mio padre bisticciano sulla scelta tra pizza e cinese. Hardin vuole la pizza, e vince la discussione ricordando a mio padre chi sarà a pagare. Dal canto suo, mio padre non sembra offeso: ride e gli fa un gestaccio.

È strano vederli insieme. Dopo che mio padre se n'era andato, mi capitava spesso di sognare a occhi aperti quando vedevo i miei amici con i loro padri. Mi ero creata l'immagine di un uomo che somigliava a quello con cui ero cresciuta, ma più anziano, e certamente non un senzatetto alcolizzato. Me lo immaginavo che usciva di casa la mattina presto, con un caffè in mano e una ventiquattr'ore piena di documenti importanti. Di certo non pensavo che bevesse ancora, che l'alcol l'avesse ridotto così, e che non avesse una casa. Non riesco a figurarmelo sposato con mia madre.

«Come vi siete conosciuti tu e la mamma?» gli chiedo.

«Al liceo.»

Hardin prende il telefono ed esce dalla stanza per ordinare la pizza. O per chiamare qualcuno e cancellare subito le prove.

Mi siedo al tavolo della cucina di fronte a mio padre. «Per quanto siete stati insieme prima di sposarvi?»

«Solo un paio d'anni. Ci siamo sposati giovani.»

Fargli queste domande mi mette a disagio, ma so che non otterrei risposte da mia madre. «Perché?»

«Non ne hai mai parlato con lei?»

«No, non parlavamo mai di te. Se ci provavo non rispondeva.»

«Oh.» Sembra che si vergogni.

«Scusa», dico, anche se non so bene perché.

«No, la capisco.» Chiude gli occhi per un momento. Hardin rientra in cucina e viene a sedersi accanto a me. «Per rispondere alla tua domanda: ci siamo sposati giovani perché lei era incinta di te, e i tuoi nonni mi odiavano e cercavano di allontanarla da me», mi spiega, e sorride al ricordo.

«Vi siete sposati per far dispetto ai miei nonni?» chiedo divertita.

I miei nonni erano un po'… intransigenti. Ricordo che mi zittivano se ridevo a tavola e mi facevano togliere le scarpe quando entravo in casa loro. Ai compleanni, da bambina, mi regalavano libretti di risparmio.

Mia madre è un clone di mia nonna, solo leggermente meno inflessibile. Ma ci prova; passa giorno e notte a sforzarsi di essere perfetta come sua madre.

O perfetta come immagina che lei fosse, mi ritrovo a pensare.

Mio padre scoppia a ridere. «In un certo senso sì, per fare dispetto a loro. Ma tua madre aveva sempre voluto sposarsi: mi ha praticamente trascinato all'altare.» Ride di nuovo, e Hardin incrocia i miei occhi prima di ridere a sua volta.

Lo guardo storto: immagino stia per dire che anch'io voglio trascinarlo all'altare.

«Eri contrario al matrimonio?»

«No. Non mi ricordo, a dire il vero; so solo che ero spaventato a morte all'idea di fare un figlio a diciannove anni.»

«E avevi ragione. Si è visto com'è andata a finire», osserva Hardin.

Gli lancio un'occhiataccia, ma mio padre lo guarda con pacata sufficienza.

«Non lo consiglio a nessuno, ma molti genitori giovani se la cavano bene.» Alza le mani in un gesto rassegnato. «Io non ero uno di loro.»

«Oh», faccio. Non riesco a immaginare di avere un figlio alla mia età.

Mio padre sorride: capisco che è disposto a darmi tutte le risposte che voglio. «Hai altre domande, Tessie?»

«No... penso di no.» Non mi sento del tutto a mio agio con lui, ma stranamente lo sono più di quanto mi sentirei con mia madre.

«Se te ne vengono in mente altre, chiedi pure. Nel frattempo, ti spiace se faccio un'altra doccia prima che arrivi la cena?»

«Certo che no. Va' pure», dico.

Non mi capacito che sia qui da soli due giorni. Sono successe tante cose da quando l'ho incontrato: l'espulsione-non-espulsione di Hardin, l'incontro con Zed nel parcheggio, l'appuntamento con Steph e Molly, le chiamate cancellate dal telefono... troppe cose. Questo stress, questo cumulo di problemi non sembra destinato a sparire tanto presto.

«Che succede?» mi chiede Hardin quando mio padre esce dalla stanza.

«Niente.» Mi alzo per allontanarmi, ma lui mi ferma e mi fa girare.

«Ti conosco: dimmi cosa non va», insiste posando le mani sui miei fianchi.

Lo guardo dritto negli occhi. «Tu.»

«Io… cosa? Parla.»

«Ti comporti in modo strano, e hai cancellato i messaggi e le chiamate.»

«E tu perché hai guardato nel mio telefono?» domanda con evidente irritazione.

«Perché il tuo comportamento è sospetto, e…»

«E quindi frughi tra la mia roba? Non ti avevo già detto di non farlo?»

La sua indignazione è talmente ridicola e ingiustificata che mi fa ribollire il sangue. «So che non dovrei toccare le tue cose, ma tu non dovresti darmene motivo. E comunque cosa te ne importa, se non hai niente da nascondere? A me non dispiacerebbe se tu guardassi nel mio telefono, perché non ho niente da nascondere.» Lo tiro fuori e glielo porgo, e in quel momento mi assale il terrore di non aver cancellato il messaggio di Zed. Ma Hardin lo scaccia via come un insetto molesto.

«Cerchi solo scuse per la tua psicosi», afferma.

Quelle parole mi bruciano dentro, e non so come replicare… Be', in realtà avrei molte cose da dirgli, ma non me ne viene in mente nessuna. Mi scrollo di dosso le sue mani e mi allontano in fretta. È convinto di potermi leggere nel pensiero? Anch'io lo conosco abbastanza bene da accorgermi quando ha paura di essere scoperto. Che si tratti di una piccola bugia o di una scommessa sulla mia verginità, va sempre alla stessa maniera: prima si comporta in modo sospetto; poi, quando gliene chiedo il motivo, si arrabbia e si mette sulla difensiva; infine mi insulta.

«Non andartene», mi grida dietro.

«Non seguirmi», gli ordino andando in camera.

Ma un istante dopo me lo ritrovo lì. «Non mi piace che frughi tra le mie cose.»

«E a me non piace doverlo fare.»

Chiude la porta e ci si appoggia con la schiena. «Non devi:

ho cancellato quella roba perché... per sbaglio. Non c'è motivo di agitarti.»

«Agitarmi? Nel senso della... psicosi?»

Sospira. «Non dicevo sul serio.»

«Allora smettila di dire cose che non pensi. Perché poi non capisco più cos'è vero e cosa no.»

«E tu smettila di spiarmi. Perché poi non capisco se posso fidarmi di te o no.»

«Va bene.» Mi siedo alla scrivania.

«Va bene.» Si siede sul letto.

Non so se credergli; non mi convince. Ma forse dice la verità; forse ha davvero cancellato i messaggi per errore, e forse stava davvero parlando con Steph. Ma non voglio chiedergli conferma, perché non voglio fargli sapere che l'ho sentito parlare al telefono. Tanto non mi direbbe comunque di cosa parlava.

«Non voglio segreti tra noi. Ormai dovremmo aver superato quella fase», gli ricordo.

«Lo so, cazzo. Non c'è nessun segreto, sei tu che vaneggi.»

«Smettila di darmi della pazza. Sei l'ultima persona al mondo che ha il diritto di dare del pazzo al prossimo.» Mi pento subito di quelle parole, ma lui non se la prende.

«Scusa, non sei pazza, va bene?» Sorride. «È solo che mi perquisisci il telefono.»

Faccio un sorriso forzato e cerco di convincermi che ha ragione lui, che sono solo paranoica. Nella peggiore delle ipotesi mi nasconde qualcosa che prima o poi scoprirò, quindi non serve a niente ossessionarmi ora. Presto o tardi, scopro sempre i suoi segreti.

Lo ripeto a me stessa fino a convincermi.

Mio padre ci chiama dall'altra stanza. «Credo che sia arrivata la pizza. Non resterai arrabbiata con me per tutta la sera, vero?» dice Hardin, poi esce dalla camera senza lasciarmi il tempo di rispondere.

Controllo il mio telefono, e come previsto trovo un nuovo messaggio di Zed. Stavolta non mi prendo neanche la briga di leggerlo.

L'indomani mattina, diretta al vecchio ufficio per l'ultima volta, guido più lentamente del solito per osservare ogni strada, ogni palazzo lungo il tragitto. Questo stage è stato il coronamento di un sogno. Continuerò a lavorare per la Vance a Seattle, ma è qui che tutto è cominciato, è qui che la mia carriera ha avuto inizio.

Uscendo dall'ascensore trovo Kimberly alla sua scrivania, circondata di scatoloni.

«Buongiorno!» cinguetta.

«Buongiorno», rispondo, senza riuscire a imitare il suo tono allegro.

«Pronta per l'ultima settimana qui?» chiede mentre mi verso il caffè.

«Sì, anzi è l'ultimo giorno: per il resto della settimana sarò in vacanza.»

«Ah già, me n'ero dimenticata. Wow, il tuo ultimo giorno! Avrei dovuto comprarti un biglietto d'auguri.» Sorride. «Ma d'altronde posso dartelo la prossima settimana nel tuo nuovo ufficio.»

Rido. «E tu sei pronta? Quando partite?»

«Venerdì! La nuova casa è già sistemata e in ordine per il nostro arrivo.»

Non ho dubbi che la nuova casa di Kimberly e Christian sarà bella, spaziosa e moderna come quella in cui vivono adesso.

Il suo anello di fidanzamento riflette la luce e cattura il mio sguardo, come sempre.

«Io sto ancora aspettando che mi richiami l'agente immobiliare», dico.

Si gira nella mia direzione. «Non hai ancora una casa?»

«Le ho già mandato i documenti, dobbiamo solo sistemare i dettagli del contratto d'affitto.»

«Ti restano solo sei giorni!» esclama. Sembra spaventata per me.

«Lo so, ho tutto sotto controllo», la rassicuro, sperando che sia vero.

Se avessi dovuto traslocare qualche mese fa, avrei pianificato tutto fino al più piccolo dettaglio; ma ultimamente sono troppo stressata per concentrarmi.

«Okay, ma se hai bisogno di aiuto fammi sapere», afferma prima di rispondere al telefono che sta squillando.

Nel mio ufficio trovo alcuni scatoloni vuoti sul pavimento. Non ho molti oggetti personali, quindi penso che sarà un lavoro rapido.

Venti minuti dopo, mentre sto chiudendo l'ultimo scatolone con il nastro adesivo, sento bussare alla porta. «Avanti», dico.

Per un momento mi chiedo se sia Hardin, ma girandomi vedo Trevor. Indossa un paio di jeans slavati e una maglietta bianca: mi stupisco sempre quando non è in giacca e cravatta.

«Pronta per il grande trasloco?» mi chiede mentre cerco di sollevare uno scatolone troppo pesante.

«Sì, quasi. E tu?»

«Sono pronto. Parto oggi, appena esco da qui», mi comunica aiutandomi a posare lo scatolone sulla scrivania.

«Mi fa piacere. So che non vedevi l'ora di andare a Seattle, me l'hai detto quando eravamo lì.»

Mi sento arrossire e vedo che arrossisce anche lui. Quando

siamo stati a Seattle, Trevor mi ha portata a cena in un bel ristorante, poi ha provato a baciarmi e io l'ho respinto, e poi Hardin l'ha minacciato e preso a spintoni. Non so proprio perché ho sollevato l'argomento.

Mi guarda senza tradire emozioni. «È stato un weekend... interessante. Comunque, anche tu sarai emozionata: hai sempre voluto vivere a Seattle.»

«Sì, infatti non vedo l'ora.»

Si guarda intorno nel mio ufficio. «So che non sono affari miei, ma Hardin viene a Seattle con te?»

«No.» La mia bocca risponde da sola, senza consultare il cervello. «Be', non lo so ancora. Dice che non vuole, ma spero che cambi idea...» Sto parlando troppo in fretta, e Trevor sembra a disagio.

Infila le mani nelle tasche dei jeans. «Perché non vuole venire con te?»

«Non lo so di preciso, ma spero che venga.» Sospiro e mi siedo alla scrivania.

Gli occhi azzurri di Trevor incontrano i miei. «È pazzo se non viene.»

«È pazzo in ogni caso.» Rido per stemperare la tensione, e lui fa altrettanto.

«Be', sarà meglio che vada a finire quello che ho da fare, così poi posso partire. Ma io e te ci vediamo a Seattle.»

Esce dal mio ufficio sorridendo, e io mi sento un po' in colpa, non so perché. Prendo il telefono e scrivo un messaggio a Hardin, per comunicargli che Trevor è passato nel mio ufficio. Per una volta, la gelosia di Hardin può giocare in mio favore: forse deciderà di trasferirsi con me per tenere a bada Trevor? Mi sembra improbabile, ma non riesco a non aggrapparmi a questa speranza. Manca poco: sei giorni non sono tanti per organizzarsi. Dovrebbe chiedere un trasferimento, ma essendo il figlio del rettore non credo sarebbe un problema.

Sei giorni sono pochi anche per me, ma mi sento pronta per Seattle. D'altronde è il mio futuro, e non posso farlo dipendere da Hardin, se lui non è disposto a cedere ai compromessi. Gli ho fatto una proposta ragionevole: ci trasferiamo a Seattle, e se non funziona possiamo andare in Inghilterra. Ma lui ha rifiutato senza pensarci un istante. Spero che la vacanza con la sua famiglia gli faccia capire che non è poi così difficile affrontare insieme esperienze nuove e divertirci.

D'altra parte, è di Hardin che sto parlando: con lui niente è mai semplice.

Il telefono sulla scrivania squilla, distraendomi da quei cupi pensieri. «C'è qui una persona per te», annuncia Kimberly.

Al pensiero di rivedere Hardin ho un tuffo al cuore. Mi manca sempre quando siamo lontani, anche se non ci vediamo solo da poche ore. «Di' a Hardin di entrare. Mi stupisco che abbia aspettato che tu mi chiamassi», rispondo.

«Ehm», fa Kimberly, «non è Hardin.»

Forse Hardin ha portato qui mio padre? «È un signore con la barba?»

«No... un ragazzo... che somiglia a Hardin», bisbiglia.

«Ha dei lividi in faccia?» chiedo, pur sapendo già la risposta.

«Sì. Gli dico di andarsene?»

Non voglio costringerla a mandare via Zed, che comunque non ha fatto niente di male, a parte disobbedire all'ordine di Hardin di starmi lontano. «No, è un amico. Fallo entrare.»

Cosa ci fa qui? Sarà perché non rispondo ai suoi messaggi. Ma non capisco cosa possa esserci di così urgente da spingerlo a farsi quaranta minuti di macchina.

Riaggancio il telefono e mi domando se scrivere a Hardin che Zed è qui. Infilo il cellulare nel cassetto della scrivania:

non è proprio il caso che Hardin venga qui, perché farebbe una scenata.

Ci manca solo che lo arrestino di nuovo.

18
Tessa

APRO la porta dell'ufficio e vedo Zed profilarsi in corridoio come l'angelo della morte. Indossa una felpa a quadri neri e rossi, jeans scuri e scarpe da ginnastica. Il gonfiore sul viso non si è molto attenuato, ma i lividi intorno agli occhi e al naso sono meno scuri.

«Ciao... scusa se ti piombo in ufficio così.»

«È successo qualcosa?» gli chiedo tornando alla scrivania.

Resta imbarazzato sulla soglia per un momento prima di entrare. «No. Be', sì, è da ieri che ti cerco, ma non rispondi ai messaggi.»

«Lo so, è solo che io e Hardin abbiamo già abbastanza problemi, e non voglio crearne altri. E lui non vuole che io parli con te.»

«Adesso ti lasci dire con chi puoi parlare e con chi no?» Si siede davanti alla scrivania, io mi siedo dietro. La conversazione sembra assumere un tono troppo formale.

Guardo fuori dalla finestra prima di rispondere. «No, non è questo. Sì, è un po' autoritario, e forse sbaglia, ma non posso biasimarlo se non vuole più che io e te siamo amici. Neanch'io vorrei che lui passasse del tempo con una persona per cui prova qualcosa.»

«Cos'hai detto?» chiede Zed esterrefatto.

Dannazione. «Niente, intendevo solo…» Mi manca il fiato. Perché ho detto così? Non è che non sia vero, ma affermarlo complica solo le cose.

«Provi qualcosa per me?» domanda, e gli si illuminano gli occhi.

«No… be', in passato. Non lo so.» Vorrei prendermi a schiaffi.

«Non è un problema se non provi niente, ma non dovresti mentire su una cosa del genere.»

«Non sto mentendo; provavo qualcosa per te. Forse è ancora così, francamente, ma non lo so. Sono molto confusa. Tu mi dici sempre le cose giuste, mi stai sempre accanto quando ne ho bisogno: sarebbe logico, e ti ho già detto che ti voglio bene, ma sappiamo entrambi che è una causa persa.»

«E perché?»

Non so quante altre volte dovrò respingerlo prima che capisca come stanno le cose. «Perché è inutile. Non potrò mai stare con te. O con nessun altro, se è per questo. Nessuno tranne lui.»

«Parli così solo perché ti ha messa in trappola.»

Cerco di placare la rabbia che mi suscitano quelle parole. Zed ha il diritto di avercela con lui, ma non mi piace che insinui che io sia succube di Hardin.

«No, parlo così perché lo amo. E preferirei non dirtelo così chiaro e tondo, ma devo, perché non voglio illuderti più di quanto abbia già fatto. Mi rendo conto che ti sembra strano che io rimanga con lui nonostante tutto… ma lo amo così tanto, lo amo più di ogni altra cosa. E non mi ha messa in trappola: ho deciso di stare con lui.»

È vero. Tutto ciò che ho appena detto a Zed è vero. Che

Hardin venga a Seattle con me oppure no, possiamo provare a far funzionare il nostro rapporto. Possiamo parlarci via Skype, vederci nei fine settimana finché lui non andrà in Inghilterra. Spero che per allora avrà deciso di non voler stare lontano da me.

Forse la lontananza rafforzerà l'amore. Forse Hardin accetterà di venire con me. Non siamo bravi a stare lontani l'uno dall'altra, ormai lo abbiamo capito: che lo vogliamo o no, alla fine torniamo sempre insieme. Non ricordo più i tempi in cui i miei giorni e le mie notti non giravano intorno a lui. Ho provato e riprovato a immaginare una vita senza Hardin, ma è impossibile.

«Secondo me, non ti lascia riflettere davvero su cosa vuoi, o su cosa è meglio per te», dice Zed con convinzione, ma gli si incrina la voce. «Gli importa solo di se stesso.»

«Ed è qui che ti sbagli. So che tra voi ci sono dei problemi, ma...»

«No, tu non sai niente dei nostri problemi. Se solo sapessi...»

«Mi ama, e io amo lui», lo interrompo. «Mi dispiace che tu sia stato coinvolto in questa storia; non avrei mai voluto farti soffrire.»

Si rabbuia. «Continui a ripetermi queste cose, eppure continui a farmi soffrire.»

Odio il conflitto, e detesto ferire persone a cui voglio bene; ma queste cose vanno dette, perché io e Zed dobbiamo chiarire questa... non so neanche come chiamarla. Incomprensione? Fraintendimento? Scarso tempismo?

Lo guardo, sperando che legga nei miei occhi la sincerità. «Non era mia intenzione. Scusami.»

«Non devi continuare a scusarti. Lo sapevo già prima di venire qui. Mi hai detto molto chiaramente come la pensi, quando ci siamo visti fuori dal rettorato.»

«Allora perché sei venuto?»

«Per parlarti.» Si guarda intorno, poi torna a posare gli

occhi su di me. «Lascia perdere, non so perché sono venuto», ammette con un sospiro.

«Sicuro? Un momento fa sembravi molto determinato.»

«No. È inutile, come hai detto tu. Scusa se sono venuto.»

«Non preoccuparti, non c'è bisogno che ti scusi.»

Continuiamo a dirci questa frase, penso.

«Quindi parti lo stesso?» domanda indicando gli scatoloni.

«Sì, sono quasi pronta per partire.»

L'atmosfera si è fatta pesante e nessuno dei due sa cosa aggiungere. Zed guarda il cielo grigio fuori dalla finestra e io guardo la moquette.

Alla fine si alza e parla a voce bassissima, venata di tristezza. «Meglio che vada, allora. Scusa di nuovo se sono venuto. Buona fortuna a Seattle, Tessa.»

Mi alzo anch'io. «Mi dispiace, vorrei che le cose fossero andate diversamente.»

«Lo vorrei pure io. Più di quanto immagini.»

Sono davvero dispiaciuta per lui: è sempre stato così dolce con me, e io non ho fatto altro che illuderlo e respingerlo.

«Hai deciso se sporgere denuncia o no?» Non è il momento giusto per chiederglielo, ma penso che non avrò più contatti con lui.

«Sì, ho deciso che non lo denuncerò. Ho chiuso con questa storia, non ha senso tirarla per le lunghe. E poi ti avevo detto che se non volevi più vedermi avrei lasciato perdere, giusto?»

All'improvviso ho paura di scoppiare a piangere. «Sì», mormoro. Mi sento come Estella in *Grandi speranze*, quando si prende gioco delle emozioni di Pip. Ed è un ruolo che non voglio interpretare.

«Mi dispiace davvero, per tutto. Vorrei che potessimo restare amici.»

«Lo vorrei anch'io, ma non sei autorizzata ad avere amici.» Sospira e si pizzica il labbro inferiore con due dita.

Decido di non ribattere; il punto non è cosa sono autorizzata a fare. Ma mi riprometto di parlare a Hardin di questa impressione che fa agli altri, perché mi dà fastidio che la gente pensi questo di lui.

Lo squillo del telefono spezza il silenzio. Gli faccio cenno di non andarsene e vado a rispondere.

«Tessa.» È Hardin. *Merda.*

«Ciao», dico con voce tremante.

«Tutto bene?»

«Sì, tutto a posto.»

«Non si direbbe.» *Perché mi conosce così bene?*

«Sto bene», ripeto. «Ero solo distratta.»

«Vabbe'. Comunque, volevo sapere cosa devo fare con tuo padre. Ho provato a scriverti ma non mi rispondi. Devo uscire, e non so se lasciarlo qui o no.»

Guardo Zed. È alla finestra, non mi guarda. «Non lo so, non puoi portarlo con te?» Ho il batticuore.

«No. Col cavolo.»

«Allora lascialo lì», rispondo, per chiudere la conversazione. Più tardi gli dirò che Zed è venuto a trovarmi, ma se lo facessi ora si infurierebbe.

«E va bene, te ne occupi tu quando torni.»

«Okay, be', ci vediamo a casa…»

Una musica si diffonde nel mio ufficio, e impiego un secondo a capire che proviene dal telefono di Zed. Lui spegne subito la suoneria, ma Hardin ha già sentito.

«Cos'era? Di chi è quel telefono?» vuole sapere.

Mi si gela il sangue nelle vene, ma poi mi dico che non devo essere così nervosa, perché non ho fatto niente di male; Zed è passato a trovarmi e ora sta per andarsene. Hardin già si irrita quando Trevor viene nel mio ufficio, e Trevor è un collega.

«Quello stronzo di Trevor è lì?»

«No, non è Trevor. C'è Zed», replico trattenendo il fiato.

Silenzio. Guardo il display per accertarmi che non sia caduta la linea. «Hardin?»

«Sì», dice, e sbuffa.

«Mi hai sentito?»

«Sì, Tessa, ti ho sentito.»

Okay? Perché non grida e non minaccia di ammazzarlo?

«Ne parleremo dopo. Fallo andare via. Per favore», mi chiede in tono calmo.

«Okay…»

«Grazie. Ci vediamo a casa.» Riaggancia.

Poso il telefono, ancora sconcertata. Zed si gira verso di me e dice: «Scusa, adesso se la prenderà con te».

«No, non succederà niente», rispondo, ben sapendo che non è vero. La reazione di Hardin mi ha colta alla sprovvista, non mi aspettavo di sentirlo così calmo. Mi aspettavo che venisse qui di corsa. Spero proprio che non lo faccia.

Zed si avvia di nuovo alla porta. «Okay, be', ora è meglio che me ne vada.»

«Zed, grazie di essere passato. Probabilmente non ci rivedremo prima della mia partenza.»

Gli leggo negli occhi un'emozione, ma scompare subito senza lasciarmi il tempo di capire di cosa si tratti. «Conoscerti mi ha complicato la vita, ma non preferirei non averti conosciuta. Sopporterei di nuovo tutto: i litigi con Hardin, le amicizie che ho perso, ogni cosa. Lo rivivrei da capo, per te. La mia solita fortuna: non riesco a trovarmi una ragazza che non ami già un altro.»

Le sue parole mi vanno dritte al cuore, come al solito. È sempre così sincero, e lo ammiro per questo.

«Ciao, Tessa.»

È molto più di un semplice saluto tra amici. Ma se dico la cosa sbagliata, se solo apro bocca, lo illuderò di nuovo. «Ciao, Zed.» Accenno un sorriso.

Fa un passo verso di me. Per un momento temo che voglia baciarmi, invece mi abbraccia, con forza ma solo per un momento, e mi dà un bacio sulla fronte. Poi va dritto alla porta.

«Sta' attenta, okay?»

«Okay. Seattle non è tanto pericolosa», sorrido. Mi sento molto più serena, come se finalmente gli avessi offerto il chiarimento di cui aveva bisogno.

Si gira per andarsene. Mentre richiude la porta, lo sento dire a bassa voce: «Non parlavo di Seattle».

19
Tessa

Appena la porta si richiude e Zed se n'è andato – per sempre – chiudo gli occhi e mi appoggio allo schienale della sedia. Non so come sentirmi; emozioni diverse si danno battaglia dentro di me e io sono avvolta da una nuvola di confusione. Sono sollevata all'idea di avere risolto la questione in sospeso con Zed, ma temo anche di aver perduto qualcosa. Zed è l'unico dei cosiddetti amici di Hardin che sia sempre rimasto al mio fianco, ed è strano pensare che non lo rivedrò mai più. Cerco di calmarmi, ma ho già le guance rigate di lacrime. Non capisco perché piango: dovrei essere contenta di poter finalmente chiudere il capitolo Zed.

Non lo amo, non potrei mai scegliere lui invece di Hardin; ma gli voglio bene e mi dispiace che le cose siano andate così. Avrei preferito non doverlo tagliare completamente fuori dalla mia vita.

Non so perché sia tornato, ma sono contenta che sia andato via prima di dire qualcosa che potesse turbare me o far soffrire Hardin.

Il telefono dell'ufficio squilla. Mi schiarisco la voce prima di rispondere, ma il risultato è comunque patetico.

La voce di Hardin, invece, mi arriva all'orecchio forte e chiara. «Se n'è andato?»

«Sì.»

«Stai piangendo?»

«È solo…»

«Cosa?» implora.

«Non lo so, sono contenta che sia finita», gli dico asciugandomi gli occhi.

Hardin sospira e mi stupisce affermando semplicemente: «Anch'io».

Non piango più, ma ho ancora una voce orribile. «Grazie… di essere così comprensivo.»

È andata molto meglio di quanto mi aspettassi, e non so se essere sollevata o preoccupata. Decido che preferisco il sollievo, per chiudere nel miglior modo possibile la mia permanenza alla Vance.

Verso le tre, Kimberly passa nel mio ufficio, seguita da una bella ragazza che non avevo mai visto.

«Tessa, questa è Amy, la mia sostituta.»

Mi alzo e le rivolgo un sorriso cordiale. «Ciao, Amy, io sono Tessa. Ti troverai molto bene qui.»

«Grazie, mi piace già moltissimo!» esclama lei.

Kim scoppia a ridere. «Be', volevo passare di qui mentre fingiamo di fare un giro dell'ufficio.»

«Ah sì, le stai insegnando a fare il tuo lavoro, capisco», commento in tono sarcastico.

«Ehi, essere la fidanzata del capo ha i suoi vantaggi!» ribatte lei.

Amy scoppia a ridere e Kimberly la accompagna in un altro corridoio. Il mio ultimo giorno di lavoro è terminato, ma vorrei che fosse durato di più: mi mancherà questo posto, e sono un po' nervosa all'idea di tornare a casa da Hardin.

Guardo per l'ultima volta il mio primo ufficio. La scrivania: ho una fitta al cuore al ricordo di me e Hardin lì sopra. Mi sembrava così trasgressivo fare sesso in ufficio, con il rischio che entrasse qualcuno. Ma ero troppo distratta da Hardin per preoccuparmi d'altro... come sempre, ormai.

Prima di andare a casa passo a fare un po' di spesa, ma solo per la cena di stasera, visto che domattina partiamo. Non vedo l'ora, ma sono anche un po' nervosa. Spero che Hardin riesca a tenere a bada la rabbia per questi due giorni con la sua famiglia.

Mi sembra improbabile, quindi mi auguro che la barca sia abbastanza grande per noi cinque, in modo da non dover stare sempre gomito a gomito.

Entro in casa con le buste della spesa. Il salotto è in disordine: bottiglie d'acqua vuote e incarti di cibo sul tavolino. Hardin e mio padre siedono ai capi opposti del divano.

«Com'è andata la giornata, Tessie?» chiede mio padre sporgendosi per guardarmi.

«Bene. Era l'ultimo giorno in quell'ufficio», rispondo, anche se lo sa già. Inizio a mettere ordine.

«Mi fa piacere che tu abbia passato una bella giornata», commenta lui.

Mi giro verso Hardin, che tiene gli occhi fissi sul televisore.

«Preparo la cena e poi vado a fare la doccia», dico. Mio padre mi segue in cucina.

Mi guarda interessato mentre metto a posto la spesa. Alla fine annuncia: «Un mio amico ha detto che può venire a prendermi più tardi, se per te va bene. So che partite domani e state via qualche giorno».

«Sì, va bene. Possiamo anche accompagnarti noi domattina, se preferisci.»

«No, sei già stata fin troppo generosa. Ma promettimi che mi avvertirai quando torni dal viaggio.»

«Okay... come posso contattarti?»

Si massaggia la nuca. «Puoi passare dalle parti della Lamar, di solito sono nei paraggi.»

«Okay, ci passerò.»

«Ora richiamo il mio amico e lo avverto che sono pronto», ed esce dalla cucina.

Sento Hardin che lo prende in giro perché deve imparare i numeri a memoria dato che non ha un telefono.

Preparo dei tacos con carne macinata, una ricetta semplice che non richiede troppa concentrazione. Vorrei che Hardin venisse in cucina a parlarmi, ma forse è meglio aspettare che mio padre sia uscito. Apparecchio la tavola e li chiamo. Hardin entra per primo, senza guardarmi negli occhi, seguito da mio padre.

«Chad verrà a prendermi tra poco. Vi ringrazio per l'ospitalità, siete stati molto generosi.» Saetta lo sguardo tra Hardin e me. «Grazie mille, Tessie... e Bomba H», aggiunge. Da come Hardin lo guarda, capisco che è una battuta tra loro due.

«Di niente», dico.

«Sono davvero contento che ci siamo ritrovati», continua lui iniziando a mangiare voracemente.

«Anch'io...» Non mi capacito ancora che questo sia mio padre. L'uomo che non vedevo da nove anni, l'uomo al quale serbavo tanto rancore, è in casa mia a mangiare con me e il mio ragazzo.

Osservo Hardin, aspettandomi una battuta sgradevole; ma lui continua a mangiare in silenzio. Questo mutismo mi sta facendo impazzire. Vorrei che dicesse qualcosa... qualsiasi cosa.

A volte il suo silenzio è peggio delle sue urla.

20
Hardin

QUANDO finiamo di mangiare, Tessa saluta il padre con un po' di imbarazzo e va a fare la doccia. Pensavo di farla con lei, ma l'amico di Richard ci sta mettendo una vita ad arrivare.

«Viene entro oggi, o...» inizio.

Dick annuisce una ventina di volte, ma poi guarda la finestra con aria un po' preoccupata. «Sì, sì, ha detto che stava arrivando. Si sarà perso.»

«Certo.»

Sorride. «Non ti mancherò?»

«Non direi.»

«Be', magari mi trovo un lavoro e ci vediamo a Seattle.»

«Nessuno di noi sarà a Seattle.»

Mi fissa con aria saggia. «Già.»

Bussano alla porta. Lui va ad aprire e io mi alzo… nel caso abbia bisogno di una spintarella per uscire.

«Grazie del passaggio», fa all'amico, che resta sulla soglia ma si sporge a guardare dentro casa. È alto, con lunghi e sudici capelli neri stretti in una coda di cavallo. Ha le guance scavate, i vestiti strappati e le unghie sporche.

Ma che cazzo.

«Questa è casa di tua figlia?» chiede con voce rauca.

Quest'uomo non è un alcolizzato.

«Sì, è bella, vero? Sono fiero di lei.» Richard sorride e l'altro gli dà una pacca sulla spalla.

«E lui chi è?»

Mi fissano entrambi. Richard fa un altro sorriso. «Ah, lui? È Hardin, il ragazzo di Tessie.»

«Ciao, io sono Chad», risponde lui, come se fosse famoso e io dovessi riconoscerlo.

Non è un alcolizzato. È qualcosa di molto peggio.

«Okay», dico, seguendo il suo sguardo che passa in rassegna il nostro salotto. Per fortuna Tessa è sotto la doccia e non lo vedrà.

Ma poi sento aprirsi la porta del bagno e impreco tra me. Ho parlato troppo presto, cazzo. Chad tira su una manica per grattarsi le braccia, e per un momento mi sembra di essere Tessa: mi viene voglia di passare lo straccio sul pavimento.

«Hardin?» mi chiama lei dal corridoio.

«È meglio che andiate», dico ai due pezzenti nel tono più minaccioso di cui sono capace.

«Voglio conoscerla», fa Chad con una scintilla malevola negli occhi.

Devo stare calmo, resistere alla tentazione di cacciarli via a calci. «No», sentenzio.

«Okay, okay... ce ne andiamo», interviene Richard, e spintona l'amico. «Ci si vede, Hardin. Grazie ancora. Resta fuori di galera.» E con quest'ultima battuta se ne va.

«Hardin?» Tessa entra in salotto.

«Sono appena usciti.»

«Cosa succede?»

«Cosa succede? Be', vediamo. Zed è venuto nel tuo ufficio, e quell'alcolizzato di tuo padre ha fatto entrare in casa nostra un tizio molto poco raccomandabile.» Faccio una breve pausa, poi aggiungo: «Sei sicura che tuo padre beva soltanto?»

«Cosa?» La maglietta – la mia maglietta – le scivola sulla spalla. La tira su e si siede sul divano. «In che senso?»

Non voglio farle venire il sospetto che il padre si droghi. Non sembra messo male quanto l'uomo che è venuto a prenderlo, ma ho comunque un brutto presentimento. Comunque mi limito a dire: «Non lo so. Lascia stare, pensavo a voce alta».

«Okay...»

La conosco troppo bene: il pensiero che il padre si droghi non l'ha neppure sfiorata, e dalle mie parole non indovinerebbe mai che lo sospetto.

«Sei arrabbiato con me?» chiede con una vocetta spaurita.

Capisco che teme di vedermi esplodere da un momento all'altro. C'è un motivo se finora ho evitato di parlarle. «No.»

«Sicuro?» Mi fissa con quegli occhioni bellissimi, mi supplica di dire qualcosa.

Mi arrendo. «No, non sono sicuro. Non lo so. Sono molto arrabbiato, sì, ma non voglio litigare con te. Sto cercando di cambiare, sai? Di non scattare alla minima provocazione.» Sospiro. «Anche se questa non è una cosa da poco. Ti avevo detto e ridetto di non rivedere Zed, ma tu l'hai fatto lo stesso.» La guardo con freddezza, non per cattiveria ma perché ho bisogno di vedere come reagiscono i suoi occhi quando le dico: «Come ti sentiresti se io lo facessi a te?»

Lei crolla, e ammette: «Ci starei malissimo. So di avere sbagliato a rivederlo».

Be', questo non me l'aspettavo. Mi aspettavo che gridasse e difendesse quello stronzo, come sempre. «Sì, hai sbagliato», concordo. «Ma se gli hai detto che è finita, allora è finita. Ho fatto tutto il possibile per tenerlo lontano da te, ma lui non la smette, quindi devi essere tu a tenerlo alla larga.»

«È finita, giuro. Non lo rivedrò più.»

Mi sento ribollire il sangue al ricordo di lei che piange al telefono, dopo che si erano detti addio.

«Non andremo a quella festa, sabato», annuncio.

«Perché no?» domanda lei allibita.

«Perché non mi sembra una buona idea.» Anzi, sono sicuro che non lo è.

«Ma io ci voglio andare», ribatte stringendo le labbra.

«Non ci andiamo», ripeto perentorio.

Lei drizza la schiena e dichiara: «Se voglio andarci, ci andrò».

Com'è testarda. «Porca puttana, possiamo parlarne dopo? Se vuoi che venga su quella barca di merda, dovremo prepararci, cazzo.»

Sorride divertita. «Riusciresti a infilare più parolacce di così in una frase sola?»

E sorrido anch'io, perché la immagino piegata in due sulle mie gambe, e io che la sculaccio per la sua impertinenza. Forse le piacerebbe: qualche colpetto leggero, quanto basta per far arrossire leggermente la pelle...

«Hardin?»

Accantono il pensiero... per il momento. Se le dicessi a cosa sto pensando, si nasconderebbe il viso con le mani per la vergogna.

21
Tessa

Lo scuoto di nuovo per un braccio, più forte di prima. «Hardin! Devi svegliarti! Faremo tardi!»

Sono già vestita e pronta, i bagagli sono già in macchina, gli ho lasciato più tempo possibile per dormire. Ieri sera ho fatto io le valigie, anche perché lui le avrebbe preparate nel modo sbagliato.

«No… non vengo», grugnisce.

«Per favore, alzati!» Cavolo, come vorrei che fosse più mattiniero.

Si copre la faccia con il cuscino, io glielo strappo di mano e lo getto a terra. «No, vattene», dice.

Decido di tentare un altro approccio: poso una mano sui suoi boxer. Ieri sera si è addormentato con i jeans addosso, e ho faticato molto per sfilarglieli senza svegliarlo. Ma ora è vulnerabile al mio tocco.

Sfioro la pelle tatuata appena sopra l'elastico… Non funziona.

Infilo tutta la mano nei boxer e lui apre gli occhi di scatto. «Buongiorno», afferma con un sorriso voglioso.

Tolgo la mano e mi tiro su. «Alzati.»

Fa un grande sbadiglio. «Sono già… alzato, a quanto pare», dichiara guardandosi i boxer. Finge di riaddormentarsi e si mette a russare fortissimo. Mi sta facendo perdere tempo, ma è adorabile: spero che resti di questo umore per tutta la settimana. Mi basterebbe anche per la giornata di oggi.

Infilo di nuovo una mano nei suoi boxer, e quando apre gli occhi per guardarmi come un cagnolino in cerca di biscotti faccio cenno di no e tolgo la mano.

«Non è giusto», piagnucola.

Ma si alza e si rimette i jeans del giorno prima. Va a prendere una maglietta nera, mi guarda, la rimette nel cassetto e ne tira fuori una bianca. Si passa le dita tra i capelli per farli star dritti, poi li spinge giù di nuovo.

«Ho tempo di lavarmi i denti?» chiede sarcastico, con la voce ancora impastata dal sonno.

«Sì, ma sbrigati. Lavati i denti e andiamo.» Faccio un giro dell'appartamento per assicurarmi che sia tutto in ordine.

Pochi minuti dopo, Hardin mi raggiunge in salotto e finalmente usciamo.

Ken, Karen e Landon ci aspettano nel vialetto di casa loro. Abbasso il finestrino. «Scusate il ritardo.»

«Non fa niente!» mi rassicura Karen con un sorriso. «Pensavamo di andare tutti insieme con la nostra macchina, perché è un viaggio lungo».

«Oh cazzo, no», bisbiglia Hardin accanto a me.

«Venite», ci invita Karen indicando il Suv nero parcheggiato lì vicino. «Ken me l'ha regalato per il mio compleanno e non lo usiamo mai.»

«No, col cavolo», risponde Hardin, a voce un po' più alta.

«Andrà tutto bene», gli sussurro.

«Tessa...»

«Hardin, per favore, non complicare le cose.» Lo guardo battendo le palpebre con aria seducente, sperando che funzioni.

Mi fissa per un momento e finalmente cede. «E va bene. Cazzo, ti è andata bene perché ti amo.»

Gli stringo forte la mano e gli dico: «Grazie». Poi sorrido a Karen, le faccio un cenno di assenso e spengo il motore.

Hardin trasferisce i nostri bagagli nel Suv di Karen, tenendo il muso per tutto il tempo.

«Ci divertiremo un mondo!» commenta sarcastico Landon mentre salgo in macchina.

Hardin si siede dietro con me, dopo essersi rallegrato a voce alta di non doversi sedere accanto a Landon. Mentre Ken si immette sulla strada, Karen accende la radio e inizia a canticchiare.

«Come ho fatto a ritrovarmi nel cast di uno stupido telefilm?» si chiede Hardin. Mi prende la mano e la posa sulla sua coscia.

22
Tessa

«WISCONSIN!» esclama Karen battendo le mani e indicando un camion.

Rido dell'espressione inorridita di Hardin. «Ma porca puttana», sbuffa, appoggiandosi allo schienale.

«La smetti? Si sta divertendo», lo rimprovero.

«Texas!» annuncia Landon.

«Apri la portiera, voglio saltare giù», commenta Hardin.

«Come sei melodrammatico», gli dico. «È il gioco delle targhe, che male c'è? D'altronde tu e i tuoi amici adorate i giochi stupidi, come Obbligo o verità.»

Prima che Hardin possa ribattere, Karen esclama: «Non vediamo l'ora di mostrarvi la barca e la casetta!»

«Casetta?» le chiedo.

«Sì, abbiamo una casetta in riva al mare. Penso che ti piacerà, Tessa.»

È un gran sollievo sapere che non dovrò dormire sulla barca.

«Spero che il tempo regga: c'è un bel sole, per essere febbraio. D'estate è ancora meglio. Magari possiamo tornarci tutti insieme?» interviene Ken, guardando nello specchietto retrovisore.

«Sì», rispondiamo in coro io e Landon.

Hardin sbuffa. A quanto pare ha intenzione di tenere il broncio per l'intera durata del viaggio.

«È tutto pronto per Seattle, Tessa?» mi chiede Ken. «Ieri ho parlato con Christian, è molto contento che vada anche tu.»

Mi sento addosso gli occhi di Hardin, ma non mi lascio intimidire. «Penso di iniziare a fare i bagagli quando torniamo, ma mi sono già iscritta ai corsi della nuova università.»

«Non è niente rispetto alla mia università…» scherza Ken, e Karen ride. «No, a dire il vero è un bel campus. Se dovessi avere problemi fammi sapere.»

Sorrido, felice di averlo dalla mia parte. «Grazie, lo farò.»

«Ah, ora che ci penso, la prossima settimana arriverà da noi un nuovo professore dall'Università di Seattle, per sostituire uno dei nostri docenti di religione.»

«Ah, e quale?» vuole sapere Landon, guardandomi perplesso.

«Soto, il più giovane.» Ken guarda di nuovo nello specchietto. «È il vostro professore, vero?»

«Sì», risponde Landon.

«Se ne va, non ricordo dove.»

«Bene», mormora Landon. Gli sorrido: né a me né a lui piace molto lo stile del professor Soto, il suo scarso rigore accademico. Però è stato bello scrivere il diario.

116

La voce di Karen si insinua tra i miei pensieri. «Voi due avete già una casa?»

«No. Pensavo di aver trovato un appartamento, ma l'agente immobiliare sembra sparita dalla faccia della Terra. Era perfetto, non troppo caro e vicino all'ufficio», spiego.

Hardin si agita sul sedile accanto a me. Dovrei puntualizzare che lui non viene a Seattle, ma spero ancora di convincerlo durante questo viaggio, quindi resto in silenzio.

«Sai, Tessa, ho molti amici a Seattle. Posso trovarti un appartamento entro lunedì, se vuoi», si offre Ken.

«No», risponde subito Hardin.

Gli lancio un'occhiata stupita. «Invece mi farebbe piacere», ribatto poi, guardando il viso di Ken riflesso nello specchietto. «Altrimenti spenderò una fortuna in albergo prima di trovare casa.»

Hardin fa un gesto liquidatorio. «Non serve. Sandra la richiamerà.»

Che strano, penso. «Come fai a sapere il suo nome?»

«Eh?» fa battendo le palpebre. «Me l'hai detto cento volte.» Mi posa una mano sulla coscia.

«Be', fammi sapere se vuoi che chiami qualcuno», ribadisce Ken.

Dopo un'altra ventina di minuti, Karen ci guarda con aria entusiasta. «Che ne dite di giocare a Vedo vedo?»

Landon sfodera un gran sorriso. «Sì, Hardin, cosa ne dici?»

Hardin mi posa la testa sulla spalla e mi cinge con un braccio. «No, grazie. Insomma, sarebbe fantastico, ma ho bisogno di un sonnellino. Scommetto che Tessa e Landon saranno felici di giocare.»

Questa dimostrazione d'affetto in pubblico mi fa sorridere.

Ricordo quando mi teneva per mano soltanto sotto il tavolo da pranzo a casa di suo padre, e ora invece lo fa davanti a tutta la famiglia.

«Okay, inizio io!» esclama Karen. «Vedo, vedo... qualcosa di... blu!» strilla.

Hardin sghignazza piano. «La camicia di Ken», bisbiglia al mio orecchio.

«Lo schermo del navigatore?» prova Landon.

«No.»

«La camicia di Ken?»

«Sì! Tocca a te, Tessa.»

Hardin mi dà un pizzicotto, ma non gli bado perché sono concentrata sul largo sorriso di Karen. Si diverte troppo con questi giochi da bambini, però è dolcissima, non posso deluderla.

«Okay, vedo qualcosa...» osservo Hardin «...di nero.»

«L'anima di Hardin!» grida Landon strappandomi una risata.

Hardin apre un occhio e fa un gestaccio al fratellastro.

«Hai indovinato!» rispondo divertita.

«Be', allora chiudete il becco tutti, così io e la mia anima oscura possiamo dormire», interviene con gli occhi chiusi.

Lo ignoriamo e andiamo avanti, e pochi minuti dopo il respiro di Hardin si fa pesante; inizia a russare sommessamente sul mio collo, poi borbotta qualcosa e scivola giù fino a posarmi la testa in grembo. Landon si sdraia sul sedile di mezzo e si addormenta, e persino Karen cede al sonno.

Mi godo il silenzio e osservo il panorama.

«Non manca molto», dice Ken senza rivolgersi a nessuno in particolare.

Annuisco, accarezzando i capelli morbidi di Hardin. Le sue palpebre fremono, ma non si sveglia. Ha un'aria molto serena.

Poco dopo ci immettiamo in una strada più stretta e costeggiata da alti pini: poi, dopo un'altra svolta e una curva, all'improvviso appare il mare.

È bellissimo. L'acqua lucente crea uno splendido contrasto con la costa, ma l'erba è marrone, morta, dopo un inverno più rigido del solito. D'estate dev'essere un posto magnifico.

«Eccoci arrivati», annuncia Ken imboccando un lungo vialetto.

Davanti a noi c'è una grande casa di legno. Evidentemente la loro definizione di «casetta» è molto diversa dalla mia. È un edificio a due piani in legno scuro con una veranda dipinta di bianco.

«Hardin, svegliati», sussurro accarezzandogli il mento.

Apre gli occhi e batte ripetutamente le palpebre, confuso, poi si alza a sedere e si stropiccia gli occhi.

«Tesoro, siamo arrivati», dice Ken a sua moglie; lei e Landon si svegliano.

Ancora intontito, Hardin porta in casa i bagagli e Ken gli mostra la nostra stanza. Seguo Karen in cucina mentre Landon porta in camera la sua valigia.

Il soffitto a volte del salotto è replicato in scala ridotta nella cucina. Dopo un istante mi rendo conto che è una versione più piccola, ma altrettanto elegante, della cucina di casa Scott.

«Che bello, grazie di averci invitati», mi rivolgo a Karen.

«Grazie a te, cara. È bello avere compagnia in questa casa, finalmente.» Sorride e apre il frigorifero. «Siamo felici di avervi qui. Non speravo certo che Hardin avrebbe accettato di venire in vacanza con la sua famiglia. Sono pochi giorni, ma significa moltissimo per Ken», bisbiglia per non farsi sentire dagli altri.

«Anch'io sono contenta che sia venuto, penso che si

divertirà.» Lo dico perché spero che, esprimendolo, il mio desiderio si avveri.

Karen mi prende la mano. «Mi mancherai molto quando sarai a Seattle. Non ho passato molto tempo con Hardin, ma mi mancherà pure lui.»

«Ci vedremo spesso, sono solo un paio d'ore di viaggio», la rassicuro. E rassicuro me stessa.

Sentirò la sua mancanza, e quella di Ken. Per non parlare del fatto che Landon sta per trasferirsi a New York. Non riesco a immaginarlo così lontano. Almeno Seattle è nello stesso Stato, ma New York…

«Lo spero. Ora che se ne va anche Landon, temo che mi sentirò persa. Sono una madre da quasi vent'anni…» mi confida, e le viene da piangere. «Scusami, è solo che sono così fiera di lui.» Si asciuga gli occhi e si guarda intorno in cucina, come per cercare una distrazione. «Forse voi tre potreste andare al negozio qui all'angolo mentre Ken prepara la barca.»

«Sì, certo che ci andiamo», dico mentre i tre uomini entrano in cucina.

Hardin mi si avvicina. «Ho lasciato i bagagli sul letto, disfali tu. Io sbaglierei qualcosa di sicuro.»

«Grazie.» Sono contenta che non ci abbia neppure provato. Detesto la sua abitudine di gettare la roba nei cassetti alla rinfusa. «Ho promesso a Karen che andiamo a fare la spesa mentre tuo padre prepara la barca.»

«Okay», fa rassegnato.

«Anche tu», mi rivolgo a Landon, che annuisce.

«Landon sa dov'è; è in fondo alla strada. Potete andarci a piedi o in macchina. Le chiavi sono appese vicino alla porta», ci avvisa Ken mentre usciamo.

Il tempo è bello, splende il sole e fa più caldo del normale per questa stagione. Sento le onde infrangersi sulla riva, e l'odore della salsedine. Decidiamo di andare al negozio a piedi. Sono vestita comoda, in jeans e maglietta.

«È così bello qui, sembra di essere in un mondo a parte», dico a Hardin e Landon.

«Lo siamo: a nessuno salterebbe in testa di venire in spiaggia a febbraio, cazzo», commenta Hardin.

«Be', a me piace.»

«Comunque...» Landon guarda Hardin, che sta scalciando la ghiaia del vialetto, «questa settimana Dakota ha un'audizione per un piccolo spettacolo.»

«Davvero? È fantastico!» esclamo.

«Sì, è molto emozionata. Spero che ottenga la parte.»

«Ma non ha appena iniziato la scuola? Perché dovrebbero scritturare una dilettante?» domanda Hardin con voce calma.

«Hardin...»

«La dovrebbero scritturare perché è un'ottima ballerina e studia danza da tutta la vita», ribatte Landon.

Hardin alza le mani. «Non ti agitare, era solo una domanda.»

Ma Landon difende il suo amore. «Be', lascia stare. Ha talento e otterrà la parte.»

«Okay... porca miseria», sbuffa Hardin.

«È bello che tu la sostenga», dico a Landon per stemperare la tensione.

«La sosterrò sempre, qualsiasi cosa faccia. È per questo che mi trasferisco a New York», replica Landon guardando Hardin, che serra la mascella.

«Perciò è così che andrà questa vacanza? Voi due coalizzati contro di me? Eh no, mi chiamo fuori. Non volevo neppure venirci, in questo posto di merda.»

Ci fermiamo tutti e tre, e io e Landon ci giriamo verso Hardin. Sto pensando a come tranquillizzarlo, quando Landon all'improvviso butta lì: «Be', non dovevi venire. Saremmo stati tutti meglio, senza te e le tue lamentele».

Sento il bisogno di difendere Hardin, ma resto in silenzio. D'altronde Landon ha ragione: Hardin non dovrebbe sforzarsi così tanto di rovinarci la vacanza senza motivo.

«Scusa? Sei tu quello che si è offeso perché ho dato della dilettante alla tua ragazza.»

«No, eri insopportabile già in macchina.»

«Già, perché tua madre non la smetteva di cantare e gridare nomi di Stati», continua alzando la voce, «mentre io cercavo di… godermi il panorama.»

Mi metto tra loro per separarli. Landon fa un respiro profondo e fissa Hardin con aria di sfida. «Mia madre cerca di farci divertire tutti!»

«Be', allora forse dovrebbe…»

«Piantatela. Non potete litigare per tutta la vacanza. Nessuno vi sopporterebbe, perciò smettetela.» Non voglio dovermi schierare in un litigio tra il mio ragazzo e il mio migliore amico.

Si guardano in cagnesco ancora per un po'. Mi fa quasi ridere che si comportino come fratelli, pur sforzandosi in tutti i modi di non esserlo.

«Okay», sospira infine Landon.

«E va bene», sbuffa Hardin.

Continuiamo a camminare in silenzio, a parte gli anfibi di Hardin che scalciano la ghiaia e Landon che canticchia sottovoce. La quiete dopo la tempesta… o prima.

O solo tra loro due, forse.

«Come ti vesti per andare in barca?» chiedo a Landon mentre torniamo verso la casa.

«Pantaloni corti, penso. Adesso fa caldo, ma porterò una felpa.»

«Ah.» Vorrei che fosse più caldo, per mettermi in costume da bagno. Non ne possiedo neppure uno, ma l'idea di andare a comprarlo con Hardin mi fa sorridere.

Immagino che farebbe commenti volgari; probabilmente si infilerebbe in camerino con me, e non credo che io glielo impedirei.

Devo smetterla di fare questi pensieri, soprattutto perché Landon sta parlando del meteo e dovrei almeno fingere di ascoltarlo.

«La barca è enorme», sta dicendo.

«Oh…» Rabbrividisco: ora che stiamo per salire in barca, mi assale il nervosismo.

Io e Landon andiamo in cucina a sistemare la spesa, mentre Hardin va in camera senza dire una parola.

Landon si gira e lo osserva andare via. «È molto suscettibile quando si parla di Seattle. Non ha ancora accettato di venire con te, vero?»

Mi guardo intorno per accertarmi che nessuno ci senta. «No, non proprio», dico imbarazzata.

«Non capisco, cosa c'è di tanto brutto a Seattle? Ha ricordi spiacevoli di quella città, per caso?»

«No… Be', non che io sappia…» rispondo, ma poi mi torna in mente la lettera di Hardin. Non mi sembra che parlasse di Seattle. Forse ha omesso qualcosa?

Non penso. E spero di no. Non sono pronta per altre sorprese.

«Un motivo dev'esserci, perché non va neppure in bagno senza di te, quindi non riesco a immaginare che rimanga qui se tu te ne vai. Pensavo che avrebbe fatto qualsiasi cosa per tenerti con sé… qualunque cosa», ripete con enfasi.

«Anch'io», ammetto con un sospiro. Non so proprio perché Hardin debba essere così testardo. «Comunque a volte va in bagno senza di me», scherzo.

Landon ride con me. «Ma avrà nascosto una telecamera nei tuoi vestiti per non perderti di vista.»

«Preferisco le cimici alle telecamere», interviene Hardin. Trasalisco, mi volto e lo vedo sulla soglia della cucina.

«Grazie di aver confermato la mia teoria», fa Landon, ma Hardin sghignazza e scuote la testa. Sembra di umore migliore, grazie al cielo.

«Dov'è questa barca? Mi sono stufato di sentirvi parlar male di me.»

«Stavamo solo scherzando», lo rassicuro andando ad abbracciarlo.

«Non importa, anch'io parlo male di te quando non ci sei», replica in tono scherzoso, ma percepisco una nota di serietà dietro le sue parole.

23
Tessa

«IL ponte trema un po', ma è solido. Devo farlo aggiustare…» riflette a voce alta Ken, facendoci strada verso la barca ormeggiata a riva.

Il giardino della casa si affaccia direttamente sull'acqua, e il panorama è fantastico. Le onde si infrangono sugli scogli. Istintivamente mi rifugio dietro Hardin.

«Cosa succede?» bisbiglia lui.

«Niente, sono solo un po' nervosa.»

Si gira verso di me e infila le mani nelle tasche posteriori dei miei jeans. «È solo acqua, piccola. Andrà tutto bene.»

Sorride, ma non capisco se mi prende in giro o è serio. Solo quando mi bacia sulla guancia mi passa il dubbio.

«Dimenticavo che non ti piace l'acqua», dice tirandomi a sé.

«Mi piace... nelle piscine.»

«E nei ruscelli?» mi chiede, con una scintilla divertita negli occhi.

Sorrido al ricordo. «Solo un ruscello in particolare.»

Ero nervosa anche quel giorno. Hardin mi aveva convinta a entrare in acqua solo promettendomi una ricompensa: aveva giurato di rispondere a una delle mie mille domande sul suo conto. Quei giorni sembrano così lontani, storia antica; ma il nostro presente è ancora pieno di segreti.

Mi prende per mano e seguiamo la sua famiglia lungo il molo fino alla spaventosa imbarcazione che ci attende laggiù. Non me ne intendo di barche, ma sembra un enorme battello a fondo piatto. Non è uno yacht, questo è chiaro, ma è più grossa di qualsiasi barca da pesca io abbia mai visto.

«Quant'è grande», bisbiglio a Hardin.

«Shhh, non parlare della mia virilità davanti ai parenti», scherza lui.

Mi piace questo suo umore, scherzoso ma brontolone; il suo sorriso è contagioso. Poi il molo cigola sotto i miei piedi, mi assale il panico e mi stringo a lui.

«Attenti al gradino», ci avverte Ken mentre sale sulla scaletta che collega il molo alla barca.

Hardin posa una mano sulla mia schiena per aiutarmi a salire. Cerco di immaginare che sia la scaletta di uno scivolo al parco giochi. Il tocco rassicurante di Hardin è l'unica cosa che mi impedisce di fuggire, tornare in casa e nascondermi sotto il letto.

Ken ci aiuta a salire uno l'uno dopo l'altro. La barca è molto bella, con arredi in legno bianco e cuoio. Ci sono molti posti a sedere.

Quando arriva il turno del figlio si offre di aiutare anche lui, ma Hardin gli fa cenno di no. Arrivato sul ponte, si guarda intorno e afferma in tono secco: «Mi fa piacere vedere che la tua barca è più bella della casa di mia madre».

Il sorriso orgoglioso si smorza sulle labbra di Ken.

«Hardin», sussurro, tirandolo per la mano.

«Scusa», sbuffa lui.

Ken sospira, ma sembra accettare le scuse del figlio e si dirige verso l'altro lato della barca.

«Tutto okay?» mi chiede Hardin.

«Sì, ma comportati bene, per favore. Ho già il mal di mare.»

«Farò il bravo, gli ho già chiesto scusa.» Si siede su uno dei divanetti e io lo raggiungo.

Landon tira fuori le bibite e gli snack. Mi guardo intorno: il sole si riverbera sull'acqua, è tutto bellissimo.

«Ti amo», mi sussurra Hardin all'orecchio.

Il motore della barca si accende con un ronzio basso. Scorro più vicina a Hardin. «Ti amo», dico a mia volta, ancora guardando l'acqua.

«Se andiamo abbastanza al largo potremmo vedere qualche delfino, e se siamo fortunati una balena!» annuncia Ken.

«Una balena rovescerebbe questa barca in due secondi», osserva Hardin. «Merda, scusa», mi dice vedendomi spaventata.

Più ci allontaniamo dalla riva, più mi sento calma. È strano, pensavo che sarebbe successo il contrario; ma sapermi così distaccata dalla terra mi infonde una certa serenità.

«Vedete spesso i delfini, qui?» chiedo a Karen, che sta bevendo una bibita.

«No, li abbiamo visti una volta sola. Ma ci proviamo!» esclama con un sorriso.

«È incredibile, sembra di essere a giugno», commenta Landon togliendosi la maglietta.

«Vuoi lavorare sull'abbronzatura?» gli chiedo, osservando il suo torace pallido.

«O sul travestimento da fantasma?» aggiunge Hardin.

Landon lo guarda storto ma non gli risponde. «Sì, anche se a New York non serve l'abbronzatura.»

«Se l'acqua non fosse gelida potremmo fare una nuotata», osserva Karen.

«Magari d'estate», dico, e lei annuisce convinta.

«Per fortuna a casa c'è la vasca idromassaggio», interviene Ken.

Hardin resta in silenzio, lo sguardo perso nel vuoto.

«Guardate! Laggiù!» indica Ken alle nostre spalle.

Io e Hardin ci giriamo subito, e dopo un momento vedo un gruppo di delfini che saltano dentro e fuori dall'acqua, seguendo il movimento delle onde.

«È il nostro giorno fortunato!» ride Karen.

Il vento mi scuote i capelli, che mi sferzano il viso coprendomi la visuale per un momento, e Hardin me li sistema dietro l'orecchio. Sono sempre questi gesti semplici e casuali a emozionarmi di più.

«Che bello», gli dico, quando i delfini sono ormai scomparsi.

«Sì, devo ammettere di sì», esclama, sorpreso lui per primo.

Dopo due ore di conversazione sulle barche, sulla bellezza dell'estate in quel tratto di costa, sullo sport, e un imbarazzato riferimento a Seattle che Hardin ha smorzato sul nascere, Ken ci riporta a riva.

«Non è stato poi così male, no?» ci domandiamo io e Hardin nello stesso momento.

«Direi di no», ride lui, aiutandomi a scendere sul molo.

Il sole gli ha arrossato le guance e il naso, i capelli sono spettinati dal vento. È bello da morire.

Mentre entriamo in casa Karen annuncia: «Preparo il pranzo, avrete tutti fame», e sparisce in cucina.

Hardin chiede a suo padre: «Cos'altro c'è da fare qui?»

«Be', in città c'è un buon ristorante, pensavamo di cenare lì domani sera. Poi c'è un vecchio cinema, una biblioteca...»

«Tutta roba da sfigati, insomma», commenta lui, ma in tono scherzoso.

«È un bel posto, dagli una possibilità», dice Ken, per nulla offeso.

Tutti e quattro andiamo in cucina, dove Karen sta riempiendo un piatto di panini e frutta. Hardin, che oggi è molto affettuoso, mi posa una mano sul fianco.

Forse questo posto gli fa bene.

Dopo pranzo aiuto Karen a sistemare la cucina e a preparare la limonata, mentre Landon e Hardin parlano male della narrativa moderna. Sono proprio spassosi: quando Landon menziona *Harry Potter*, Hardin tiene un comizio di cinque minuti sul perché non l'ha mai letto e mai lo leggerà; e Landon cerca disperatamente di fargli cambiare idea.

Quando finiamo di bere la limonata Ken annuncia a tutti: «Io e Karen andiamo a trovare degli amici in una casa qui vicino, staremo via un paio d'ore. Potete venire anche voi, se volete».

Hardin incontra il mio sguardo e io aspetto che risponda. «Resto qui», dice, senza staccare gli occhi da me.

Landon saetta lo sguardo tra me e Hardin. «Io invece vengo», fa in tono inespressivo, ma giurerei di averlo visto ghignare in direzione di Hardin.

24
Hardin

FINALMENTE se ne vanno. Faccio sedere Tessa sul divano con me.

«Non volevi andare con loro?» mi chiede.

«Figuriamoci, perché mai? Preferisco stare qui con te. Da soli.» Le scosto i capelli dal collo, e il tocco leggero delle mie dita le dà un brivido. «Ci tenevi tanto ad ascoltare gente noiosa che parla di cose noiose?» le dico, sfiorandole il mento con le labbra.

«No.» Il ritmo del suo respiro è già cambiato.

«Sicura?» Faccio scorrere il naso sul suo collo, spingendole la testa all'indietro.

«Non lo so, forse sarebbe stato più divertente di questo.»

Sghignazzo, e quando il mio fiato le fa venire la pelle d'oca le do un bacio sul collo. «Improbabile. C'è una vasca idromassaggio sul balcone della nostra stanza, ricordi?»

«Sì, ma è inutile, perché non ho il costume…»

Succhio delicatamente la pelle del suo collo e la immagino in costume da bagno.

Cazzo.

«Non ne avrai bisogno», sussurro.

Mi guarda come se fossi pazzo. «Non esco sul balcone senza vestiti!»

«Perché no?» A me sembra una buona idea.

«Perché ci sono i tuoi parenti.»

«Non capisco perché tu debba sempre usare questa scusa...» Poso una mano sull'orlo dei suoi jeans. «A volte penso che ti piacerebbe.»

«Cosa?» chiede con il fiato già corto.

«Il rischio di essere scoperti.»

«A chi potrebbe mai piacere?»

«Piace a un sacco di gente. Il gusto del proibito, sai?» Applico più pressione tra le sue gambe e lei cerca di chiuderle, combattuta tra ciò che vuole e ciò che non dovrebbe volere, secondo lei.

«No, è... non lo so, ma non mi piace», mente. Scommetto che le piace, invece.

«Mm-mmm...»

«Non mi piace!» si difende, con le guance rosse per l'imbarazzo.

«Tess, non c'è niente di male se ti piace. Anzi, mi eccita molto», la rassicuro.

«Ma non mi piace.»

Certo, Tessa. «Okay, non ti piace.» Alzo le mani in segno di resa, e lei piagnucola perché ho smesso di toccarla. Sapevo che non l'avrebbe mai ammesso, ma... dovevo provarci.

«Vuoi venire nell'idromassaggio con me?»

«Ci vengo... ma non entro.»

«Come ti pare.» Sorrido e mi alzo. So che entrerà nella vasca; ha solo bisogno di più persuasione rispetto alle altre ragazze. Anzi, ora che ci penso, non sono mai stato in una vasca idromassaggio con una ragazza, né vestito né nudo.

Mi prende per il polso e mi segue al piano di sopra, nella stanza che sarà nostra per qualche giorno. Il balcone è il motivo per cui l'ho scelta: quando ho visto la Jacuzzi lì fuori, ho capito che dovevo farci entrare Tessa.

Anche il letto non è male: è piccolo, ma visto che dormiamo abbracciati non ci serve un letto grande.

«Mi piace molto questo posto, è così tranquillo», dice sedendosi sul letto per togliersi le scarpe.

Apro la portafinestra. «Non è male.» Sarebbe certamente meglio se mio padre, sua moglie e Landon non fossero qui.

«Non ho niente da mettermi domani, per andare in quel ristorante di cui parlava tuo padre.»

Vado ad aprire il rubinetto della vasca e con noncuranza rispondo: «Allora non ci andremo».

«Ci voglio andare, ma non sapevo di dover mettere in valigia vestiti eleganti.»

«Hanno sbagliato loro a non dirtelo», rispondo trafficando con i comandi. «Ci andremo in jeans. Non mi sembra una zona così ben frequentata.»

«Non lo so...»

«Be', se non vuoi metterti i jeans, ci sarà pure un negozio di abbigliamento in questo posto infernale.»

Sorride. «Perché sei così di buonumore?»

Infilo un dito nell'acqua. Ci siamo quasi: questo ferrovecchio si riscalda molto in fretta. «Non lo so, è così e basta.»

«Okay... devo preoccuparmi?» chiede uscendo sul balcone.

«No.» *Sì.* Indico la poltroncina di vimini accanto alla vasca. «Vuoi almeno sederti lì mentre mi rilasso nell'acqua bollente?»

Ridendo, fa cenno di sì e va a sedersi. Mi fissa con aria innocente mentre mi spoglio. Lascio indosso i boxer: voglio che sia lei a togliermeli.

«Sicura che non vuoi entrare?» le domando con un piede

già nell'acqua. *Ahia, scotta.* Ma dopo qualche istante il tepore diventa piacevole.

«Sicura», dice guardando il bosco intorno a noi.

«Non ci vedrà nessuno. Pensi davvero che ti chiederei di spogliarti, se potesse vederti qualcuno? Proprio io, con i miei 'problemi di gelosia' e tutte quelle stronzate?»

«E se tornano gli altri?» azzarda a bassa voce, come se qualcuno potesse sentirla.

«Hanno detto che staranno via un paio d'ore.»

«Sì, ma...»

«Pensavo che volessi imparare a vivere un po', no?»

«Sì, è così.»

«E te ne stai lì a fare il broncio su una sedia mentre io mi godo il panorama», le faccio notare.

«Non faccio il broncio», risponde... facendo il broncio.

Le rivolgo un sorriso strafottente, sapendo che la irriterò ancora di più. «Okay», dico chiudendo gli occhi. «Mi sento solo, qui dentro. Forse dovrò arrangiarmi da solo.»

«Non ho niente da mettermi.»

«Déjà vu», commento, ripensando al ruscello per la seconda volta da stamattina.

«Io...»

«Entra in questa vasca, dannazione», affermo senza aprire gli occhi né cambiare tono di voce. Ne parlo come se fosse inevitabile, perché sappiamo entrambi che succederà.

«E va bene, entro!» concede cercando di convincersi che lo fa per zittirmi e non perché lo vuole anche lei.

È stato più facile del previsto. Quando riapro gli occhi mi si mozza il fiato: si sta togliendo la maglietta, e ovviamente indossa quel maledetto reggiseno rosso.

«Togliti il reggiseno.»

132

Si guarda di nuovo intorno e io scuoto la testa. Dal balcone non si vede altro che il mare e il bosco.

«Toglilo, piccola», ripeto, e lei fa scivolare le spalline lungo le braccia.

Non ne ho mai abbastanza di lei. Per quante volte la tocco, la scopo, la bacio, la abbraccio... non mi basterà mai, ne vorrò sempre di più. Non è neanche una questione di sesso, ne facciamo più che a sufficienza; è la consapevolezza di essere l'unico ad averla mai posseduta, e che lei si fida abbastanza di me da spogliarsi su un balcone.

Allora perché sono così stronzo? Non voglio rovinare tutto.

Si toglie i jeans, li ripiega alla perfezione – ovviamente – e li posa sulla poltroncina insieme al resto.

«Anche le mutande», ordino.

«No, tu le hai tenute addosso», ribatte lei infilando un piede nell'acqua. «Ahia!» strilla tirandolo via di scatto. Ma poi entra e sospira quando il suo corpo si abitua alla temperatura.

«Vieni qui», sussurro tirandola a me.

Forse questi scomodi sedili di plastica possono tornare utili, dopotutto. Il suo corpo premuto contro il mio e i getti pulsanti dell'acqua mi fanno venir voglia di strapparle via quelle mutandine.

«Potrebbe essere così ogni giorno, a Seattle», dice, gettandomi le braccia al collo.

«Così come?» Non ho proprio voglia di parlare di Seattle, in questo momento. Se potessi radere al suolo quella maledetta città, lo farei.

«Così.» Indica me e poi se stessa. «Solo noi, senza Molly e gli altri tuoi amici, senza brutti ricordi. Solo io e te, in una nuova città. Potremmo ricominciare da capo, Hardin, insieme.»

«Non è così semplice.»

«Sì, invece. Niente più Zed.»

«Pensavo che tu fossi entrata qui per scoparmi, non per parlare di Zed.»

Si irrigidisce. «Scusa…»

«Calmati, sto scherzando. Be', a proposito di Zed.» La faccio sedere a cavalcioni delle mie gambe, il petto nudo premuto sul mio. «Tu sei tutto per me. Lo sai, vero?» È una domanda che le ho già fatto tante volte.

Ma stavolta non risponde. Posa i gomiti sulle mie spalle, affonda le dita tra i miei capelli e mi bacia.

Mi vuole. Come avevo previsto.

25
Hardin

CONTINUA a baciarmi, e io allungo una mano tra le sue cosce.

Non c'è tempo da perdere.

«Avrei dovuto togliertele», le dico tirando l'elastico delle mutandine.

Inizia a ridere, ma le si mozza il fiato quando la penetro con un dito. La bacio per soffocare i suoi gemiti. Mi morde il labbro e rischio di perdere il controllo. È così sexy, e senza neppure sforzarsi.

Quando comincia a dimenare i fianchi premendosi sulla mia mano, la faccio alzare e la metto a sedere accanto a me, a gambe larghe, per continuare a darle piacere.

Queste mutande mi hanno stufato.

Gliele sfilo rapidamente e lei le scaglia via con un piede. Il getto d'acqua le porta dall'altra parte della vasca; c'è qualcosa di ipnotico in quell'ultima barriera che galleggia via, lontano da noi.

Ma un istante dopo Tessa mi afferra per il polso e mi costringe a toccarla di nuovo.

«Cosa vuoi?» le chiedo. Voglio sentirle pronunciare quelle parole.

«Te.» Fa un sorriso dolce e poi divarica ancora di più le gambe, mostrando di non essere poi così innocente.

«Girati, allora.»

Senza darle il tempo di reagire la faccio voltare di spalle, strappandole uno strilletto. Per un attimo temo di averle fatto male, ma poi capisco che uno dei getti dell'idromassaggio punta dritto tra le sue gambe. Sta mugolando, ma tra un minuto la farò gridare.

Mi inginocchio dietro di lei. Adoro prenderla in questo modo. La sento fino in fondo, posso accarezzarle la pelle candida della schiena, osservare i muscoli che si contraggono e ascoltare i suoi respiri affannosi.

Scosto i lunghi capelli ed entro lentamente in lei, che inarca la schiena verso di me; le prendo i seni nelle mani e inizio a entrare e uscire con un ritmo pacato.

È fantastico. Ancora meglio del solito... sarà merito dell'acqua calda. Mi assicuro che il getto la colpisca ancora. Ha gli occhi chiusi e la bocca spalancata, le nocche sbiancate dalla forza con cui stringe il bordo della vasca.

Voglio muovermi più veloce, affondare in lei, ma mi costringo a mantenere quel ritmo dolorosamente lento.

«Har...din...» mugola.

«Cazzo, finalmente sento ogni centimetro di te.» Appena ho finito di dirlo, mi assale il panico ed esco da lei.

Il preservativo.

Non ci ho neppure pensato. Merda, in che stato mi ha ridotto? «Che succede?» ansima. Ha il viso sudato.

«Non ho il profilattico…» Mi passo le mani sui capelli bagnati.

«Oh», fa in tono calmo.

«Oh? In che senso, oh?»

«Allora mettitelo, no?» suggerisce, guardandomi con quei suoi occhioni.

«Non è questo il punto!» Mi alzo in piedi nella vasca, e lei resta in silenzio. «E se non mi fosse venuto in mente? Potevi restare incinta.»

«Okay, sì, ma ti sei ricordato.»

Perché è così calma? Ha il suo grande progetto di trasferirsi a Seattle, avere un figlio ora rovinerebbe tutto. *Ehi, aspetta…*

«È questo il tuo piano? Se ti metto incinta pensi che verrò con te?» Sembro uno di quei pazzoidi teorici del complotto, ma la mia teoria non è campata in aria.

Si gira ridendo. «Non dici sul serio, vero?» Ma quando cerca di abbracciarmi, la respingo.

«Sì, invece.»

«Ma dai, è assurdo. Vieni qui, piccolo.» Riprova ad abbracciarmi, ma la schivo e mi piazzo sul lato opposto della vasca.

Il dolore sul suo volto è inequivocabile. Si copre il seno con le mani. «Sei tu quello che si è dimenticato il preservativo, e ora mi vieni a dire che sto cercando di restare incinta per incastrarti?» Scuote la testa con aria incredula. «Ma ti ascolti quando parli?»

Be', non sarebbe la prima volta che una pazza ci prova. Provo ad avvicinarmi, ma lei si alza in ginocchio sul sedile. La guardo impassibile, in silenzio.

Mi fissa con le lacrime agli occhi ed esce dalla vasca. «Vado a fare la doccia.» Sparisce in camera, sbattendo prima la porta del balcone e poi quella del bagno.

«Merda!» grido prendendo a pugni l'acqua e desiderando che qualcuno prenda a pugni me. È vero, dovrei ascoltarmi quando parlo. Questa non è una squilibrata qualunque, è Tessa. Che diavolo mi prende? Sono diventato paranoico. Il senso di colpa per la storia di Seattle mi sta facendo perdere la testa... o quel poco che ne rimane.

Devo rimediare, devo almeno provarci. Credo di doverglielo, dato che l'ho accusata del complotto più assurdo immaginabile.

E paradossalmente, vorrei quasi non essermi ricordato del profilattico...

No, no. Non è vero. È solo che non voglio che lei mi lasci, e non so in quale altro modo convincerla a restare. Un figlio non è la risposta, questo è poco ma sicuro. Ho fatto tutto il possibile, a parte chiuderla a chiave nell'appartamento. Certo, mi è venuto in mente qualche volta, ma non penso che la prenderebbe bene. E poi si ammalerebbe, avrebbe una carenza di vitamina D. E non potrebbe più andare a yoga... e mettersi quei pantaloni.

Devo chiederle scusa prima che tornino gli altri. Forse avrò fortuna e si perderanno nei boschi per qualche ora.

Ma prima devo fare un'altra cosa. Esco dalla vasca e rientro nella stanza: sento freddissimo nei boxer bagnati. Guardo il mio telefono e poi la porta del bagno. L'acqua della doccia scorre ancora. Prendo il telefono e un plaid, e torno sul balcone.

Apro la lista dei contatti e trovo il nome di Samuel; ottima copertura, sì. Non so perché ho salvato il numero di questa donna; forse immaginavo che mi sarei ritrovato nei guai e avrei dovuto chiamarla. Ho usato un nome falso perché immaginavo che Tessa avrebbe ficcato il naso nella mia roba. Pensavo che avesse capito la verità quando ha chiesto dei messaggi cancellati e mi ha sentito gridare al telefono con Molly.

Forse preferirebbe vedere il nome di Molly sul registro delle mie chiamate, piuttosto che questa persona.

26
Tessa

NON riesco a credere che Hardin abbia avuto il coraggio di accusarmi di una cosa del genere, o anche solo di ipotizzare che mi farei mettere incinta, che farei una cosa del genere a lui... o a me stessa. È assurdo.

Andava tutto così bene, finché ha parlato del preservativo. Avrebbe dovuto uscire dalla vasca e prenderne uno: so che ne ha messi molti in valigia. Ho visto che li posava sopra il resto della roba quando ho finito di fare i bagagli.

Probabilmente è solo frustrato per la storia di Seattle, e ha avuto una reazione eccessiva, e forse l'ho avuta anch'io. E ora che il... momento è rovinato, ho bisogno di una doccia calda. L'acqua mi rilassa i muscoli e mi schiarisce i pensieri. Abbiamo esagerato entrambi, lui più di me; non c'era alcun bisogno di litigare. Faccio per prendere lo shampoo... e mi accorgo che per la fretta di chiudermi in bagno ho dimenticato il beauty.

«Hardin?» chiamo. Dubito che possa sentirmi sopra il getto della doccia e quello della vasca; dato che non arriva mi avvolgo in un asciugamano, esco in camera facendo gocciolare l'acqua sul pavimento e raggiungo le valigie posate sul letto, quando sento la sua voce.

Non capisco cosa dice, ma il tono è di falsa cortesia, come se si sforzasse di mostrarsi educato. Dev'essere una conversazione importante, per meritare tanta fatica.

Cammino sul parquet senza far rumore e mi rendo conto che il telefono ha il vivavoce attivo. Qualcuno sta dicendo: «Sono un'agente immobiliare, e il mio lavoro è riempire appartamenti sfitti».

Hardin sospira. «Be', ne ha altri da riempire?»

Sta cercando un appartamento per me? Il pensiero mi sconcerta ma mi fa anche piacere. Finalmente si sta decidendo a venire a Seattle, e mi sta aiutando invece di remare contro. Per una volta.

La donna all'altro capo, la cui voce mi suona familiare, ribatte: «Mi hai fatto capire che non valeva la pena di perdere tempo a trovare una casa per la tua amica Tessa».

Eh? Aspetta, ma è...

No, non lo farebbe mai.

«Il fatto è che... È meno peggio di come te l'ho descritta. Non è vero che spacca i mobili e se ne va senza pagare.»

Mi si contorce lo stomaco. *Invece l'ha fatto.*

Esco sul balcone. «Brutto bastardo egoista!» grido. Le prime parole che mi vengono in mente.

Hardin si gira di scatto e impallidisce. Il telefono gli cade a terra, mi fissa come se fossi un mostro venuto a sbranarlo.

«Pronto?» dice Sandra al telefono, ma lui lo raccoglie e lo spegne.

La rabbia mi corre nelle vene. «Come hai potuto? Come hai potuto fare una cosa del genere?»

«Io...»

«No! Non sprecare il mio tempo con una scusa! Come ti è venuto in mente?» urlo con tutta la rabbia che ho addosso.

Giro su me stessa e torno in camera, e lui mi segue. «Tessa, ascoltami.»

Mi sento ferita, e forte, e tormentata, e infuriata. «No! Ascolta me, Hardin», dico a denti stretti, cercando invano di tenere la voce bassa. «Sono veramente stufa. Stufa di vederti sabotare ogni mio progetto che non giri intorno a te!» sbraito con i pugni chiusi lungo i fianchi.

«Non è...»

«Sta' zitto! Sta' zitto, per la miseria! Sei la persona più egoista, più arrogante... sei... sei... Aaah!» Gesticolo freneticamente e continuo a gridare.

«Non so cosa mi è passato per la testa. Stavo appunto cercando di rimediare.»

Non dovrei stupirmi così tanto, a dire il vero. Dovevo immaginare che l'improvvisa sparizione di Sandra fosse colpa sua. Non capisce quando è ora di smettere di intromettersi nella mia vita, nel mio lavoro. Ne ho abbastanza.

«Esatto: è proprio di questo che sto parlando. Hai sempre qualcosa da fare, qualcosa da nascondere, sempre nuovi modi per controllare ogni mio movimento. Non ti sopporto più! Adesso basta.» Mi metto a camminare avanti e indietro nella stanza e lui mi osserva con aria guardinga. «Capisco che tu sia un po' iperprotettivo, e posso tollerare che ogni tanto tu faccia a botte con qualcuno. Dannazione, sopporto persino che tu sia stronzo per metà del tempo, perché in fondo ho sempre saputo che lo facevi per il mio bene. Ma stavolta no. Ora stai cercando di rovinare il mio futuro, e io non te lo permetterò, cazzo.»

«Mi dispiace», mormora. E so che lo pensa davvero, ma...

«Dici sempre che ti dispiace! È sempre la solita storia: fai qualcosa, nascondi qualcosa, dici qualcosa. Io piango, tu sostieni che ti dispiace, e *bam*! Tutto è perdonato», sibilo. «Ma stavolta no», ripeto.

Vorrei prenderlo a schiaffi, ma cerco qualcos'altro su cui sfogare la rabbia. Afferro un cuscino dal letto e lo butto a terra. Poi un altro. Non serve a molto, ma mi sentirei peggio se distruggessi qualcosa che appartiene a Karen.

Sono esausta. Non so quanto potrò ancora resistere prima di crollare.

Ma no, cavolo, non crollerò. Sono stufa di crollare, ormai non faccio altro che questo. Devo tirarmi in piedi, rimettere insieme i pezzi della mia vita, nasconderli dove Hardin non possa trovarli per distruggerli di nuovo.

«Sono stanca di questo circolo vizioso. Te l'ho già detto, ma tu non mi ascolti. Però adesso basta. Basta, cazzo! Ho chiuso!»

Non so se ero mai stata così arrabbiata con lui. Sì, mi ha fatto cose peggiori di questa, ma sono sempre riuscita a voltare pagina. Questa volta è diverso: credevo che avesse smesso con i segreti, che avesse capito di non poter boicottare la mia carriera. Questa possibilità significa tutto per me. So fin troppo bene cosa succede a una donna che non possiede nulla: mia madre non ha mai avuto niente che si fosse guadagnata da sola, niente di suo, ma io ne ho bisogno. Devo farcela. Devo sfruttare questa occasione per dimostrare che posso rendermi indipendente, fin da giovane, come mia madre non è mai riuscita a fare. Non permetterò a nessuno di sottrarmi questa possibilità, come se l'è lasciata sottrarre lei.

«Hai chiuso… con me?» domanda con voce tremante. «Hai detto che hai chiuso…»

Non lo so, con cosa ho chiuso. Con lui, in teoria, ma mi conosco troppo bene per crederci davvero. Di solito a questo punto della discussione mi metto a piangere e lo perdono con un bacio… ma non stasera.

«Sono talmente esausta, non ce la faccio ad andare avanti così. Volevi lasciarmi partire per Seattle senza un posto dove vivere, solo per costringermi a restare qui!»

Lui rimane in silenzio. Faccio un respiro profondo, aspettandomi che la rabbia si plachi, invece non succede. La rabbia cresce, e cresce, finché mi sommerge del tutto. Afferro gli altri cuscini, immaginando che siano vasi di cristallo da scagliare a terra e frantumare in mille pezzi.

«Vattene!» grido.

«No, scusa… io…»

«Fuori dalle palle. Adesso», sbotto, e lui mi guarda come se non sapesse più chi sono.

Forse non lo sa.

Esce dalla stanza a testa china, e io gli sbatto la porta alle spalle e torno sul balcone. Mi siedo sulla poltroncina di vimini e guardo il mare, cercando di calmarmi.

Non ho lacrime, solo ricordi. Ricordi e rimpianti.

27
Hardin

Lo so che è stufa: glielo leggo in viso ogni volta che faccio una cazzata. La rissa con Zed, la bugia sull'espulsione… ogni mio sbaglio la fa soffrire; pensa che non me ne accorga, invece me ne accorgo eccome.

Perché ho messo Sandra in vivavoce? Se non l'avessi fatto, avrei potuto confessare il mio errore dopo averlo risolto. E lei si sarebbe arrabbiata di meno.

Non mi ero chiesto cosa avrebbe fatto una volta scoperta la verità, e di sicuro non mi ero chiesto dove sarebbe andata ad abitare. Evidentemente pensavo che, essendo una maniaca del controllo, se non avesse trovato una casa avrebbe rimandato la partenza.

Complimenti, Hardin, ci hai preso in pieno.

Avevo buone intenzioni… be', non all'epoca, ma ora sì. Sono consapevole di aver sbagliato, ma l'ho fatto per disperazione. So cosa succederà se lei va a Seattle: niente di buono.

Come d'abitudine, sferro un pugno al muro. «Merda!»

Stavolta non è cartongesso: è legno massiccio e fa molto più male. Per fortuna non mi sono rotto niente. Certo, mi verranno dei lividi… ma sai che novità.

Sono stanca di questo circolo vizioso. Te l'ho già detto, ma tu non mi ascolti. Scendo le scale di corsa e mi butto sul divano come un bambino che fa i capricci. Ed è questo che sono: un moccioso del cazzo. Lei lo sa, io lo so… lo sanno tutti. Tanto varrebbe farmelo stampare sulla maglietta.

Dovrei tornare di sopra a spiegarle ogni cosa, ma a dire il vero ho un po' paura di lei. Non l'avevo mai vista così arrabbiata.

Devo andarmene di qui. Se Tessa non mi avesse costretto a fare il viaggio con la macchina dei miei, potrei andarmene subito. Non ci volevo neppure venire.

La barca non era male… ma il resto di questa vacanza è uno schifo, e ora che lei è arrabbiata con me non ha senso che io rimanga. Osservo il soffitto, indeciso sul da farsi. Non posso restare qui, perché so che tornerei al piano di sopra e la farei infuriare ancora di più.

Farò una passeggiata. È così che sfogano la rabbia le persone normali, invece di tirare pugni al muro e spaccare tutto.

Prima però devo mettermi dei vestiti addosso… ma se torno di sopra mi ammazza.

Sospiro e mi alzo. Sto per fare una cosa che mi darebbe ancora più fastidio se non fossi così confuso.

Vado verso la stanza di Landon e apro la porta. I vestiti sono impilati in bell'ordine sul letto: evidentemente stava per sistemarli nell'armadio prima che sua madre e mio padre lo trascinassero via.

Cerco disperatamente una maglietta che non sia una polo. Finalmente trovo una t-shirt, blu tinta unita, e un paio di pantaloni neri della tuta.

Fantastico, guarda come mi sono ridotto: a mettermi i vestiti di Landon. Spero che la rabbia di Tessa non duri a lungo, ma non so proprio come andrà a finire. Non mi aspettavo che reagisse così male; non tanto per quello che ha detto, ma per il modo in cui mi guardava. Quello sguardo diceva più di qualsiasi parola, e mi ha spaventato più di qualunque insulto.

Fisso la porta di quella che fino a venti minuti fa era la nostra stanza, poi scendo le scale ed esco di casa.

In fondo al vialetto mi ritrovo davanti il mio fratellastro preferito. Per fortuna è da solo.

«Dov'è mio padre?» gli chiedo.

«Sono i miei vestiti, quelli?» domanda sconcertato.

«Be', sì, non avevo scelta. Non fare tante storie», borbotto, perché dal sorriso che ha in faccia capisco che stava per farne parecchie, di storie.

«Okay… Cos'hai combinato stavolta?»

Ma che?… «Cosa ti fa pensare che abbia combinato qualcosa?»

Lui fa l'espressione di uno che la sa lunga, allora sbuffando ammetto: «Okay… ho fatto una stupidaggine. Ma non voglio sentire i tuoi rimproveri, quindi lascia stare».

«Va bene», mi concede, e si incammina verso casa.

Speravo che mi dicesse qualcosa: a volte i suoi consigli non sono male. «Aspetta!» dico, e lui si gira. «Non vuoi più sapere cos'ho fatto?»

«Hai appena detto che non ne vuoi parlare.»

«Sì, ma… ecco…»

«Vuoi che te lo chieda?» Sembra compiaciuto, ma per fortuna non rigira troppo il coltello nella piaga.

«È colpa mia che…» inizio, ma poi vedo arrivare Karen e mio padre.

«È colpa tua… cosa?»

144

«Niente, lascia perdere», sospiro.

«Ciao, Hardin! Dov'è Tessa?» mi chiede Karen.

Perché mi chiedono sempre tutti dov'è Tessa, come se non riuscissi mai a stare a più di due metri da lei?

Una fitta al petto mi ricorda che in effetti non ci riesco.

«È in casa, dorme», mento.

Poi, rivolto a Landon dico: «Vado a fare una passeggiata, puoi controllare che stia bene?»

«Dove vai?» mi domanda mio padre.

«Fuori», ribatto secco, affrettando il passo.

Quando raggiungo un cartello di stop, qualche traversa più in là, mi rendo conto che non so dove sto andando e che mi sono perso. Qui le strade sono molto tortuose.

Odio questo posto.

Non sembrava così male mentre guardavo i capelli di Tessa mossi dal vento, i suoi occhi fissi sull'acqua lucente, il suo sorriso. Era così rilassata... come l'acqua al largo, placida e indisturbata finché la nostra barca ha spezzato la sua pace. Ora dietro di noi si è formata una scia, ma il mare tornerà presto calmo fino a quando arriverà un'altra barca a disturbarlo.

Nell'immagine mentale della pelle di Tessa baciata dal sole si insinua all'improvviso una voce femminile. «Ti sei perso, per caso?»

Mi giro e vedo una ragazza più o meno della mia età. Ha i capelli castani, lunghi come quelli di Tessa. È sola. Mi guardo intorno: non c'è nessuno, solo il bosco e una strada deserta.

«E tu sei sola?» ribatto.

Mi sorride e si avvicina, indossa una gonna lunga. Dev'essere pazza, a girare da sola in mezzo al nulla e a chiedere a un perfetto estraneo – uno con la mia faccia, per giunta – se si è perso.

«No, sto scappando», dice, sistemandosi i capelli dietro l'orecchio.

«Scappi di casa? A vent'anni?» Allora farà meglio a sbrigarsi: non voglio veder comparire un padre arrabbiato.

«No», risponde ridendo. «Vado all'università, sono tornata a trovare i miei genitori. E mi stavo annoiando a morte.»

«Oh, buon per te. Spero che il sentiero della libertà ti conduca a Shangri-La», ribatto, e inizio ad allontanarmi.

«Stai andando dalla parte sbagliata», mi grida dietro.

«Non mi importa.»

Sento i suoi passi sulla ghiaia alle mie spalle.

28
Tessa

Sono stanca, stanca di litigare. Non so cosa fare, quale sarà la mia prossima mossa. Lo seguo da mesi sul sentiero che ha tracciato, ma non so se stiamo andando da qualche parte. Siamo smarriti come lo eravamo all'inizio.

«Tessa?» mi chiama qualcuno da dentro la stanza.

Per fortuna mi sono vestita. «Sono sul balcone», rispondo.

«Ciao.» Landon viene a sedersi sulla poltroncina accanto alla mia.

«Ciao.» Gli lancio un'occhiata e poi torno a guardare il mare.

«Tutto bene?»

Ci penso su un momento. Sto bene? No. Starò bene? Sì.

«Sì, stavolta penso di sì.» Tiro le ginocchia al petto e le circondo con le braccia.

«Vuoi parlarne?»

«No. Non voglio rovinarvi la vacanza con i miei drammi. Sto bene, davvero.»

«Okay, ma se vuoi parlare ti ascolto.»

«Lo so», dico, e lui mi rivolge un sorriso rassicurante. Non so come farò senza Landon.

Di colpo, indica qualcosa con aria attonita. «Ma quelle sono…»

Seguo il suo sguardo.

«Oddio!» Scatto in piedi, corro a prendere le mutandine rosse che galleggiano nella vasca e le infilo nella tasca della felpa.

Landon si morde il labbro per soffocare una risata, ma io non riesco a trattenermi. Scoppiamo a ridere entrambi: lui perché è divertito, io per l'imbarazzo. Ma preferisco ridere con Landon che piangere per Hardin.

29
Hardin

NON ne posso più di vedere solo ghiaia e alberi. La ragazza mi segue ancora, e sento ancora sulle spalle il peso del litigio con Tess.

«Hai intenzione di seguirmi per tutto il paese?» le chiedo.

«No, torno a casa dei miei.»

«Be', tornaci da sola.»

«Non sei molto educato», risponde con voce cantilenante.

«Ah no? Eppure mi dicono che la cortesia è una delle mie migliori qualità.»

«Qualcuno ti ha mentito», sghignazza lei.

Scalcio un sasso. Per fortuna Tessa mi ha costretto a togliermi le scarpe all'ingresso di casa, altrimenti avrei dovuto mettermi quelle di Landon. Che sono brutte, e quasi sicuramente troppo piccole.

«Allora, da dove vieni?» mi chiede.

La ignoro e continuo a camminare. Penso di dover girare a sinistra al prossimo stop. O almeno lo spero.

«Inghilterra?»

«Sì», rispondo. Poi mi arrendo e chiedo: «Da che parte?»

Mi giro e vedo che indica verso destra. Ovviamente mi sbagliavo.

I suoi occhi sono di un azzurro chiarissimo, la gonna struscia sulla ghiaia sotto i suoi piedi. Mi ricorda Tessa… Be', la Tessa che ho conosciuto all'inizio. La mia Tessa non si veste più così male. E ha imparato un nuovo vocabolario: è merito mio se dice tutte quelle parolacce.

«Anche tu sei qui con i genitori?»

«No… Be', più o meno.»

«Sono più o meno i tuoi genitori?» Sorride. Anche il suo modo di esprimersi mi ricorda Tess.

La guardo di nuovo per accertarmi che esista davvero, che non sia il Fantasma dei Natali Passati venuto a impartirmi una lezione.

«Sono con dei parenti e con la mia ragazza. Sono fidanzato, per la cronaca.» Non penso proprio che una ragazza del genere possa essere interessata a uno come me, ma d'altronde un tempo pensavo lo stesso di Tessa.

«Okay…»

«Okay.» Affretto il passo per seminarla. Svolto a destra e lei fa lo stesso. Ci spostiamo sul prato quando ci passa accanto un camion.

«Dov'è la tua ragazza?»

Riciclo la bugia che ho già detto a mio padre e Karen. «Dorme.»

«Mmm…»

«Mmm, cosa?» domando fissandola.

«Niente», dice guardando dritto avanti a sé.

«Mi hai già seguito per metà della strada. Se hai qualcosa da dire, dillo.»

Si rigira qualcosa in mano, tiene gli occhi bassi. «Stavo solo pensando che anche tu sembri in fuga, o che ti nascondi… Non lo so, lascia perdere.»

«Non mi nascondo; lei mi ha detto di andare affanculo e ci sto andando.» Cosa ne vuol sapere, questa brutta copia di Tessa?

«Perché ti ha cacciato?» domanda puntandomi i suoi occhi addosso.

«Sei sempre così ficcanaso?»

«Sì», risponde con un sorriso.

«Odio i ficcanaso.»

A parte Tessa, ovviamente. La amo da morire, ma a volte vorrei chiuderle la bocca con il nastro adesivo. È in assoluto l'essere umano più impiccione che abbia mai conosciuto.

No, non è vero. La adoro quando mi tartassa; prima lo detestavo, ma ora capisco. Anch'io voglio sapere tutto di lei… cosa pensa, cosa fa, cosa vuole. Mi rendo conto con orrore che ormai faccio più domande di lei.

«Allora, me lo dici o no?» insiste la ragazza.

«Come ti chiami?» svicolo.

«Lillian», risponde, e lascia cadere l'oggetto che aveva in mano.

«Io sono Hardin.»

Si sistema i capelli dietro l'orecchio. «Parlami della tua ragazza.»

«Perché?»

«Sembri arrabbiato... cosa c'è di meglio che sfogarsi con un'estranea?»

Non voglio parlare con lei; somiglia troppo a Tessa, mi mette a disagio. «Non mi pare una buona idea.»

Si sta facendo buio.

«Tenerti tutto dentro è una buona idea, invece?» È troppo saggia per i miei gusti.

«Senti, hai l'aria simpatica e tutto, ma non ti conosco e tu non conosci me, perciò questa conversazione finisce qui.»

«E va bene», sospira rabbuiandosi.

Finalmente vedo in lontananza il tetto spiovente della casa di mio padre. «Be', sono arrivato», dico.

«Davvero? Ma... quindi tuo padre è Ken?» esclama battendosi la mano sulla fronte.

«Sì, perché?»

Ci fermiamo in fondo al vialetto. «Sono un'idiota, ecco perché! L'accento inglese... come ho fatto a non pensarci?!» Scoppia a ridere.

«Non capisco.»

«Tuo padre e mio padre sono amici, erano compagni di università o qualcosa del genere. Ho appena passato un'ora a sentirli rivangare i giorni di gloria.»

«Oh, che coincidenza», commento accennando un sorriso. Mi sento già un po' meno a disagio con questa tipa.

Sfodera un gran sorriso. «Allora non siamo estranei, dopotutto.»

30
Tessa

«Biscotti», rispondiamo in coro io e Landon.

«E biscotti siano.» Karen sorride e apre l'armadietto della cucina.

Non si ferma mai: inforna, arrostisce, rosola. È proprio un'ottima cuoca.

«È già buio, spero che non si perda là fuori», riflette Ken a voce alta. Landon fa spallucce, come a dire: È fatto così.

Hardin è uscito da quasi tre ore e mi sto sforzando di restare calma. Non ho dubbi che stia bene; se gli fosse successo qualcosa lo saprei. Non so come spiegarlo, ma sono sicura che lo sentirei.

Quindi non è di questo che mi preoccupo. Il mio timore è che usi l'arrabbiatura come scusa per andare a ubriacarsi. L'ho cacciato io di casa, e non vorrei proprio vederlo rientrare barcollando. Gli ho detto di andarsene perché avevo bisogno di spazio, di tempo per riflettere e calmarmi. Ma non ho ancora riflettuto; anzi, ho fatto di tutto per evitare di ponderare la decisione giusta.

«Stavo pensando che potremmo fare un idromassaggio tutti insieme, stasera o magari domattina», propone Karen.

Landon rischia di strozzarsi con la bibita e io distolgo lo sguardo. Al ricordo di Landon che vede le mie mutandine galleggianti, mi sento arrossire.

«Karen, tesoro, non penso che i ragazzi vorrebbero entrare nella vasca con noi», ribatte divertito Ken.

Lei sorride, rendendosi conto che sarebbe un po' imbarazzante. «Forse hai ragione.» Inizia a suddividere la pasta per i biscotti e con una smorfia commenta: «Odio questa pasta precotta».

Io invece trovo molto rilassante guardarla cucinare, soprattutto ora che rischio di esplodere da un momento all'altro.

Io e Landon stavamo parlando di Dakota e del loro futuro appartamento quando sua madre e Ken sono rientrati in casa dicendo che avevano incrociato Hardin. Aveva raccontato loro che dormivo, e io ho deciso di reggergli il gioco: ho dichiarato di essermi svegliata quando era arrivato Landon.

Mi chiedo dove sia e quando tornerà. Una parte di me non vuole vederlo affatto, ma un'altra parte, molto più grande, ha bisogno di sapere che la nostra già fragile storia non verrà messa ulteriormente in pericolo dalle sue azioni. Sono ancora molto arrabbiata con lui perché ha interferito con il mio trasferimento a Seattle e non ho idea di cosa fare.

31
Hardin

«LE hai sabotato il contratto d'affitto?» chiede Lillian, incredula.

«Te l'avevo detto che l'ho fatta grossa.»

Un'altra macchina ci sfreccia accanto mentre andiamo a casa dei suoi. Avevo intenzione di tornare da mio padre, ma finora Lillian si è dimostrata una buona ascoltatrice; perciò, quando mi ha chiesto di riaccompagnarla a casa per finire di parlare, ho accettato. La mia assenza darà a Tessa un po' di tempo per calmarsi: spero che al mio ritorno sarà più ragionevole.

«Non mi avevi spiegato fino a che punto. Be', non la biasimo se ce l'ha con te», risponde la ragazza, ovviamente pronta a schierarsi dalla parte di Tessa.

Non so proprio cosa penserebbe di me se le raccontassi tutte le cose che ho fatto a Tessa in questi sei mesi.

«Be', cosa pensi di fare?» mi chiede aprendo la porta di casa. Mi fa cenno di entrare, come se fosse una cosa scontata.

È una casa molto lussuosa, ancora più grande di quella di mio padre. Dio, come odio i ricchi.

«Dovrebbero essere di sopra», dice lei.

«Chi?» domanda una voce femminile. Lillian fa una smorfia e si gira verso la donna che immagino sia sua madre. Le somiglia moltissimo. «E lui chi è?»

In quel momento entra in salotto un uomo di mezz'età con una polo e pantaloni color cachi.

Fantastico, cazzo. Facevo meglio a non entrare. Chissà cosa penserebbe Tessa se sapesse che sono qui. Le dispiacerebbe? Tanto è già infuriata con me, e in passato è stata gelosa di Molly. Questa ragazza però non è Molly; non ha niente a che vedere con lei.

«Mamma, papà, lui è Hardin, il figlio di Ken.»

Sul viso dell'uomo sboccia un largo sorriso. «Mi chiedevo se ti avrei mai conosciuto!» esclama con un aristocratico accento inglese. Evidentemente ha davvero frequentato mio padre all'università.

Si avvicina per darmi una pacca sulla spalla. Faccio un passo indietro e lui si rabbuia un po', ma d'altra parte sembrava aspettarsi quella reazione. Mio padre deve averlo avvertito sul mio conto. Mi viene da ridere alla sola idea.

«Tesoro, questo è il figlio di Trish», spiega alla moglie.

«Conoscete mia madre?»

«Sì, la conoscevo prima che diventasse tua madre», risponde la donna con un sorriso. «Eravamo amici, noi cinque.»

«Cinque?»

Il padre di Lillian guarda la moglie. «Be', tesoro…»

«Comunque le somigli moltissimo! Però hai gli occhi di tuo padre. Non la vedo da quando sono tornata a vivere in America. Come sta?»

«Bene, tra poco si sposa.»

«Davvero?» cinguetta la donna. «Falle le mie congratulazioni. Che bella notizia!»

«Okay.» Questa gente sorride davvero troppo: è come essere in una stanza con tre cloni di Karen, ma molto più irritanti. «Ora vado», dico a Lillian.

«No, no, resta pure. Ce ne andiamo di sopra noi», dice il padre di Lillian. Cinge in vita la moglie e la porta via.

Lillian li segue con lo sguardo, poi alza gli occhi su di me. «Scusa, sono…»

«Falsi?» rispondo al posto suo.

«Sì, molto.» Ride e va a sedersi sul divano.

Resto sulla porta, imbarazzato.

«Alla tua ragazza dispiacerà che tu sia qui?»

«Non lo so. Probabile.»

«Come ti sentiresti se lei passasse la serata con un ragazzo che ha appena conosciuto?»

Mi assale una rabbia improvvisa. «Andrei in bestia», ringhio.

«Lo immaginavo.» Fa un sorrisetto e mi fa cenno di sedermi sul divano accanto a lei.

Faccio un respiro profondo e vado a sedermi dalla parte opposta del divano. Non so cosa pensare di lei: è maleducata e un po' irritante.

«Sei geloso, quindi?» chiede esterrefatta.

«Direi di sì», rispondo stringendomi nelle spalle.

«Immagino che alla tua ragazza non piacerebbe molto se tu mi baciassi.» Si avvicina e io scatto su dal divano. Sono già quasi arrivato alla porta quando lei inizia a ridere.

«Ma che ti prende?» sbotto, sforzandomi di non urlare.

«Ti sto prendendo in giro. Credimi, non mi interessi.» Sorride. «Ed è un sollievo sapere che io non interesso a te. Ora siediti.»

Somiglia a Tessa, ma non è altrettanto dolce... né altrettanto innocente. Mi siedo sulla poltrona di fronte al divano. Non conosco abbastanza questa ragazza per fidarmi di lei. Sono qui solo perché non voglio tornare a casa di mio padre e affrontare la situazione. E Lillian, pur essendo un'estranea, è una terza parte neutrale, a differenza di Landon, che guarda caso è il migliore amico di Tessa. È bello parlarne con qualcuno che non ha motivo di giudicarmi. E poi sembra un po' matta, quindi è più probabile che mi capisca.

«Ora dimmi cosa c'è di tanto brutto a Seattle che non sei disposto ad affrontare per lei.»

«Niente di preciso. Ho brutti ricordi laggiù, ma non è questo il punto. Il punto è che lei avrà successo là.» So che sembro pazzo a dire così, ma non me ne frega niente: questa ragazza mi ha pedinato per un'ora, quindi se c'è uno squilibrato qui dentro è lei.

«E sarebbe un male?»

«No, certo che no; voglio che abbia successo. Ma voglio partecipare al suo successo.» Sospiro. Mi manca da morire, anche se non la vedo da poche ore. E mi manca ancora di più perché so che è arrabbiata con me.

«Quindi non vuoi andare a Seattle con lei perché vuoi essere coinvolto nella sua vita? Non ha senso...»

«So che non capisci, non lo capisce neanche lei, ma Tessa è l'unica cosa che ho. È l'unica persona di cui mi importi qualcosa, e non posso perderla. Non avrei più niente senza di lei.»

Perché le sto dicendo queste stronzate? «Sono patetico, lo so.»

«No, non sei patetico.» Mi sorride comprensiva, ma io evito il suo sguardo. L'ultima cosa che voglio è la compassione.

La luce sulle scale si spegne, e io torno a guardare Lillian. «Devo andarmene?»

«No, scommetto che mio padre è felicissimo che io ti abbia portato a casa», dice senza traccia di sarcasmo.

«E perché?»

«Be', da quando gli ho presentato Riley spera che ci lasciamo.»

«Non gli sta simpatico?»

«Simpatica.»

«Eh?»

«Lei non sta simpatica a mio padre.»

Quasi le sorrido. Mi dispiace che suo padre non accetti la sua relazione, ma devo ammettere che mi sento molto sollevato.

32
Tessa

LANDON mi ha spiegato che il loro appartamento è così vicino all'università che potranno andarci a piedi ogni giorno. Non avranno bisogno di una macchina e neanche della metropolitana.

«Be', sono contenta di sapere che non dovrai guidare in una città così grande. Meno male», dice Karen, posando una mano sulla spalla del figlio.

«Guido molto bene, meglio di Tessa», replica Landon.

«Non sono così male, sono più brava di Hardin», ribatto.

«Capirai quanto ci vuole», scherza lui.

«Non è della tua guida che mi preoccupo, ma di quei tassisti pazzi!» precisa Karen in tono iperprotettivo.

Prendo un biscotto dal vassoio e torno a fissare la porta di casa. La guardo ogni cinque secondi, aspettando il ritorno di Hardin. Con il passare dei minuti, la rabbia si sta lentamente trasformando in preoccupazione.

«Okay, grazie di averci avvertiti. Ci vediamo domani», fa Ken al telefono entrando in cucina.

«Chi era?»

«Max. Hardin è a casa loro con Lillian.»

Mi si stringe lo stomaco. Non riesco a trattenermi dal chiedere: «Lillian?»

«La figlia di Max: ha più o meno la vostra età.»

Cosa ci fa Hardin a casa dei vicini con la loro figlia? La conosce? È una sua ex?

«Tornerà presto, ne sono certo.» Ken si rabbuia, e quando si gira verso di me ho l'impressione che si sia pentito di non aver pensato alla mia possibile reazione prima di dircelo. Vederlo a disagio mi fa stare ancora peggio.

«Sì», rispondo con la gola serrata, alzandomi. «Penso... che andrò a dormire.» Cerco di stare calma, ma devo allontanarmi da loro prima che la rabbia prenda il sopravvento.

«Vengo su con te», si offre Landon.

«No, sto bene, davvero. Ci siamo alzati tutti presto stamattina, e si sta facendo tardi.»

Annuisce, ma capisco che non mi crede.

Mentre raggiungo le scale lo sento dire: «È un idiota».

Sì, Landon. Sì, lo è.

Chiudo la portafinestra del balcone e vado a cercare qualcosa da mettermi come pigiama, al posto dei vecchi vestiti di Hardin: mi rifiuto di indossare la maglietta posata sul bracciolo della sedia. Alla fine decido di dormire con i pantaloncini e la felpa che indosso già, e vado a sdraiarmi.

Chi è questa ragazza misteriosa che è con Hardin? L'idea mi fa arrabbiare, ma stranamente meno della faccenda dell'appartamento a Seattle. Se Hardin vuole rovinare il nostro rapporto tradendomi, è una sua scelta. Sì, ci starei malissimo, penso che non mi riprenderei mai... ma ora non ci voglio pensare.

Non riesco assolutamente a immaginare che Hardin mi tradisca. Malgrado tutte le cose che mi ha fatto finora, non ci riesco. Non dopo quella lettera, non dopo che mi ha scongiurata di perdonarlo. Sì, è prepotente, e non sa quando smettere di interferire nella mia vita; ma lo fa per tenermi stretta, non per scappare, come sarebbe invece se mi tradisse.

Dopo un'ora trascorsa a fissare il soffitto, il risentimento non accenna a placarsi.

Non so se sono pronta a parlare con lui, ma so che non riuscirò a dormire finché non lo sentirò rientrare in casa. Più tempo resta via, più la gelosia mi logora. Due pesi e due misure: se fossi io quella in giro con un altro ragazzo, Hardin andrebbe su tutte le furie; sarebbe capace di dare fuoco al bosco qui intorno. Vorrei poter ridere di quell'immagine assurda, ma non ci riesco. Richiudo gli occhi implorando che il sonno arrivi.

33
Hardin

«Vuoi bere qualcosa?» mi chiede Lillian.

«Certo», rispondo guardando l'orologio.

Lei si alza e raggiunge un carrello da bar. Esamina le bottiglie, ne sceglie una e me la mostra rapidamente, come se volesse vendermela. Stappa il brandy, che presumo sia più costoso dell'enorme televisore appeso alla parete, e mi lancia uno sguardo di finta compassione. «Non puoi restare codardo per sempre, sai.»

«Sta' zitta.»

«Le somigli tantissimo», dice ridacchiando.

«A Tessa? No. E poi come faresti a saperlo?»

«Non a Tessa. A Riley.»

«In che senso?»

Versa il liquore scuro in un bicchiere e me lo mette in mano, poi si siede sul divano.

«Dov'è il tuo bicchiere?» le faccio.

Scuote il capo con le movenze di una regina. «Io non bevo.»

Ci avrei scommesso. Non dovrei neanch'io, ma non so resistere all'aroma intenso e dolciastro del brandy. «Mi spieghi o no in che senso le somiglio?»

«Le somigli e basta; anche lei ha quest'aria arrabbiata con il mondo.» Fa una smorfia indispettita e ripiega le gambe sotto il corpo.

«Be', magari ne ha motivo», ribatto, difendendo una persona che neppure conosco, e bevo mezzo bicchiere in un sorso solo. È forte, invecchiato alla perfezione, e mi sento bruciare fino alle suole delle scarpe.

Lillian non risponde. Stringe le labbra e guarda il muro dietro di me, immersa nei pensieri.

«Non mi piace questa psicanalisi buonista da quattro soldi», le faccio.

«Non mi aspetto del buonismo da te, ma penso che dovresti almeno chiedere scusa a Tamara.»

«Si chiama Tessa», sbotto, irritato da quel piccolo errore.

Sorride e sposta su una spalla i capelli castani. «Tessa, scusa. Ho una cugina che si chiama Tamara, forse è per questo.»

«Cosa ti fa pensare che le chiederò scusa?»

«Scherzi, vero? Le devi delle scuse! Devi almeno dirle che andrai a Seattle con lei.»

Sbuffo. «Non ho la minima intenzione di andarci.» *Ma perché Tessa numero Uno e Tessa numero Due mi rompono così tanto le palle con Seattle?*

«Be', allora spero che ci vada senza di te.»

E io che pensavo che questa ragazza potesse capirmi. «Cos'hai detto?» Sbatto il bicchiere sul tavolino facendo schizzare fuori il brandy.

«Spero che ci vada da sola», ripete Lillian con aria di sfida, «perché hai cercato di metterle i bastoni tra le ruote e non vuoi ancora andare con lei.»

«Meno male che non me ne frega un cazzo di cosa speri.» Mi alzo per andarmene. So che ha ragione, ma non ne posso più.

«Te ne frega eccome, solo che non vuoi ammetterlo. Le persone che ci tengono tanto a dirti che non gliene frega niente sono quelle a cui frega di più. L'ho imparato con il tempo.»

Riprendo il bicchiere e lo scolo in un sorso, poi mi avvio alla porta. «Tu non sai un cazzo di me.»

Si alza e mi segue a passo disinvolto. «Sì, invece. Te l'ho detto, sei uguale a Riley.»

«Be', mi dispiace per lei, perché deve sopportare…» Mi

160

interrompo. Questa ragazza non mi ha fatto niente, anzi cerca di aiutarmi: non merita la mia rabbia.

Sospiro. «Scusa, okay?» Torno in salotto e mi lascio cadere sul divano.

«Vedi, non è poi così difficile chiedere scusa.» Sorride e va a prendere la bottiglia del brandy. «Mi sembra chiaro che hai bisogno di bere un altro po'.»

Dopo il terzo bicchiere borbotto: «Tessa detesta quando bevo».

«Da ubriaco diventi cattivo?»

«No», rispondo d'istinto. Ma vedendola sinceramente interessata, ci penso un altro po'. «A volte.»

«Mmm...»

«E tu perché non bevi?» le chiedo.

«Non lo so, non bevo e basta.»

«Il tuo... la tua ragazza beve?»

«Sì, qualche volta. Ma meno di prima.»

«Oh.» Forse io e questa Riley abbiamo più cose in comune di quanto pensassi.

«Lillian?» la chiama suo padre, scendendo dalle scale.

Mi allontano da lei per istinto, e lei si gira verso il padre. «Sì, papà?»

«È quasi l'una del mattino. Penso che il tuo ospite debba rientrare a casa.»

L'una? *Porca miseria.*

«Okay», risponde. Poi mi guarda e bisbiglia seccata: «A volte dimentica che sono un'adulta».

«Comunque devo andare, Tessa mi ammazzerà.» Alzandomi mi accorgo di avere le gambe meno salde del dovuto.

«Puoi tornare domani, Hardin», interviene l'amico di mio padre mentre vado alla porta.

«Chiedi scusa e basta. E pensaci, per Seattle», mi ricorda Lillian.

Ma io la ignoro ed esco in silenzio. Vorrei proprio sapere che mestiere fa suo padre: dev'essere ricco sfondato.

Fuori è buio pesto. Ma quando arrivo alla fine del vialetto vedo le luci della casa di mio padre e riesco a raggiungerla.

La porta cigola e io impreco tra me: non voglio che mio padre si svegli e senta che puzzo di brandy. D'altronde, forse ne vorrebbe un po' anche lui.

La mia Tessa interiore mi rimprovera subito per quel pensiero cinico, e io mi affretto a scacciarla.

Per togliermi gli anfibi rischio di far cadere una lampada. Mi sudano le mani, e salgo le scale più lentamente possibile. Non sono ubriaco ma sono piuttosto brillo, e so che la troverò più arrabbiata di come l'ho lasciata. Sono rimasto fuori parecchio tempo, e ho anche bevuto: sarà infuriata. A dire il vero ho un po'… paura di lei.

La porta della nostra camera si apre con un leggero cigolio. Cerco di farmi strada al buio senza svegliarla.

Ma fallisco: l'abat-jour sul comodino si accende e lo sguardo inespressivo di Tessa punta dritto su di me.

«Scusa, non volevo svegliarti.»

«Non dormivo», ribatte acida.

Inizio ad agitarmi. «So che è tardi, scusa», biascico.

«Hai bevuto?»

Nonostante l'espressione corrucciata, il modo in cui la luce tenue della lampada illumina il suo viso mi fa venire voglia di toccarla.

«Sì», rispondo, e aspetto che la furia si scateni.

Sospira e si scosta i capelli dalla fronte. Non sembra allarmata né sorpresa.

Trenta secondi dopo, sto ancora aspettando la furia.

Invece niente.

Se ne sta lì sul letto, appoggiata sui gomiti, e mi guarda con un'aria mogia.

«Hai intenzione di dire qualcosa?» chiedo infine, per spezzare quel silenzio orribile.

«No.»

«Eh?»

«Sono stanchissima, e tu sei ubriaco. Non ho niente da dire», dichiara impassibile.

Da quando la conosco aspetto il momento in cui scoppierà, il momento in cui alla fine si stuferà di sopportarmi. E ho il terrore che quel momento sia arrivato.

«Non sono ubriaco, ho bevuto solo tre bicchieri. Lo sai che non è niente per me.» Mi siedo sul letto. Mi corre un brivido giù per la schiena quando si addossa alla testiera per allontanarsi da me.

«Dove sei stato?» mormora.

«Nella casa accanto.»

Continua a fissarmi, in attesa di altre informazioni.

«Ero con una ragazza, Lillian, suo padre ha fatto l'università con mio padre, e ci siamo messi a parlare, e una cosa tira l'altra...»

«Oddio.» Chiude gli occhi di scatto, si copre le orecchie e avvicina le ginocchia al petto.

Le prendo i polsi e con delicatezza le tolgo le mani dalle orecchie. «No, niente del genere. Parlavamo di te.» Mi aspetto di vederla incredula, come ogni volta che le dico qualcosa.

Invece apre gli occhi e mi domanda: «Cosa dicevate di me?»

«La storia di Seattle...»

«Hai parlato a lei di Seattle, ma non vuoi parlarne con me?» Non è arrabbiata, solo stupita.

Non volevo parlarne con quella ragazza, mi ha praticamente costretto; ma in un certo senso sono contento di averlo fatto.

«Non è questo, è che… mi hai cacciato», ricordo alla ragazza davanti a me, che ha il volto di Tessa ma non si comporta come lei.

«E sei rimasto con lei per tutto questo tempo?» dice mordendosi il labbro, che le trema.

«No, sono uscito per fare una passeggiata e l'ho incontrata.» Faccio per scostarle i capelli dal viso e lei non si ritrae. Ha la pelle calda, le guance arrossate. Si appoggia alla mia mano e chiude gli occhi mentre le accarezzo la guancia. «Ti somiglia molto.»

Non mi aspettavo che andasse così. Mi aspettavo l'Uragano Tessa.

«Ti piace, quindi?» mi chiede, socchiudendo gli occhi per guardarmi.

«Sì, è simpatica.»

Richiude gli occhi; la sua calma mi spiazza, e con tutto il brandy che ho in corpo non ci capisco più niente.

«Sono stanca», dice allontanando la mia mano dalla sua guancia.

«Non sei arrabbiata?» Nella mia testa si sta formando un pensiero, ma non riesco a formularlo appieno. Maledetto alcol.

«Sono solo stanca.» Si appoggia ai cuscini.

Okay…

Quella voce così inespressiva mi fa accendere un campanello d'allarme in testa. C'è qualcosa che non mi dice. E voglio che lo faccia.

Ma quando si riaddormenta – o finge di riaddormentarsi – capisco che per stanotte non avrò risposte. È troppo tardi. Se insisto mi caccerà di nuovo, e non lo sopporterei. Non riesco a dormire senza di lei, ed è già una fortuna che mi lasci qui dopo tutto il casino che ho combinato con Sandra. Ed è una fortuna che l'alcol mi abbia fatto venire sonno: così non passerò la notte in bianco a preoccuparmi di cosa frulli nella testa di Tessa.

34
Tessa

LA luce dell'alba si diffonde nella stanza. Sposto lo sguardo dalla portafinestra al braccio di Hardin, posato sulla mia pancia. Dorme con le labbra socchiuse. Non so se scaraventarlo giù dal letto o scostargli i capelli per baciarlo sulla fronte.

Sono infuriata con lui per ieri sera. Ha avuto il coraggio di tornare a casa all'una e mezzo, e come temevo puzzava di alcol. Un altro filo si è aggiunto a questa matassa già così intricata. E poi quella ragazza, una ragazza che mi somiglia e con cui ha passato molte ore. Ha detto che hanno solo parlato, e non è che non gli creda; il problema è che con me si rifiuta di discutere di Seattle, ma a quanto pare con quella lì no.

Non so cosa pensare... e, cavolo, sono stufa di pensare tutto il tempo. C'è sempre qualche problema da risolvere, qualche litigio da affrontare. E io sono stanca, stanca di tutto. Amo Hardin più di quanto possa concepire, ma non so quanto ancora resisterò. Non posso temere che torni a casa ubriaco ogni volta che abbiamo un problema. Volevo gridargli in faccia, lanciargli un cuscino, dirgli che è un bastardo… ma sto finalmente iniziando a capire che si può litigare sullo stesso argomento un numero limitato di volte prima di esaurire le energie.

Non so cosa farò se lui non viene a Seattle, ma so che restare sdraiata su questo letto non mi aiuterà. Sollevo il braccio di Hardin e mi divincolo da sotto di lui. Si lamenta, ma per fortuna non si sveglia.

Prendo il telefono dal comodino ed esco sul balcone. Senza fare rumore, richiudo la portafinestra alle spalle. L'aria è molto più fresca di ieri; d'altronde sono solo le sette del mattino.

Con il cellulare in mano, rifletto sulla mia situazione abitativa a Seattle, che al momento è inesistente. Il trasferimento si sta rivelando più complicato del previsto, e a volte penso quasi che non ne valga la pena. Ma mi rimprovero subito, perché farei solo il gioco di Hardin: cerca di complicarmi il più possibile la vita, sperando che mi arrenda e resti con lui.

Be', non succederà.

Apro il browser sul telefono e aspetto con impazienza che si carichi Google. È troppo vecchio e troppo lento. Torno in camera in punta di piedi, prendo il cellulare di Hardin ed esco di nuovo sul balcone.

Se si sveglia adesso si arrabbierà. Ma non voglio leggere i suoi messaggi, voglio solo usare Internet.

Sì, è simpatica, ha detto di Lillian.

Scuoto la testa per scacciare quel pensiero e ammiro le foto di un appartamento di lusso che vorrei potermi permettere. Passo all'inserzione successiva, un piccolo bilocale in una casa bifamigliare. Non mi convince: preferirei un condominio con la portineria, soprattutto dato che ci abiterò da sola, a quanto pare. Continuo a scorrere il sito finché trovo un bilocale in un palazzo: è un po' fuori budget, ma non di molto. Se necessario, per i primi tempi posso risparmiare sulla spesa al supermercato.

Salvo il numero sul mio telefono e continuo a consultare gli annunci sull'altro. Penso a cosa succederebbe se provassi a cercare un appartamento in presenza di Hardin: se ne starebbe seduto sul letto, con le lunghe gambe distese e la nuca appoggiata alla testiera; gli mostrerei le foto di ciascuno e lui non farebbe altro che criticarli... ma poi lo sorprenderei a sorridere mentre mi guarda le labbra. Mi direbbe che sono carina quando sono nervosa, e dopo mi toglierebbe il computer di mano e prometterebbe di trovare la casa giusta per noi.

Ma sarebbe troppo semplice. Tutto nella mia vita era semplice, fino a sei mesi fa. Mia madre mi ha aiutata a trovare un posto nel dormitorio, e sono arrivata all'università perfettamente preparata.

Mia madre... Non posso farci niente se mi manca. Non sa che ho incontrato mio padre; si arrabbierebbe molto se lo scoprisse.

Le telefono, senza lasciarmi il tempo di cambiare idea.

«Pronto?» risponde in tono calmo.

«Mamma?»

«E chi altri vuoi che sia?»

Mi sto già pentendo di averla chiamata. «Come stai?»

Sospira. «Bene. Molto indaffarata, con tutto quello che succede.» Sento in sottofondo rumore di pentole e piatti.

«Cosa succede?» *Sa di mio padre?* Se non lo sa, non è il momento giusto per confessarglielo.

«Niente di preciso, ma faccio molti straordinari al lavoro, e abbiamo un nuovo pastore... Oh, e Ruth è morta.»

«Ruth Porter?»

«Sì, ti avrei chiamata per dirtelo», spiega, e la sua voce perde un po' di freddezza.

La nonna di Noah era una delle donne più dolci che io abbia mai avuto il piacere di conoscere. Era sempre gentilissima, e i suoi biscotti al cioccolato erano i migliori del mondo, dopo quelli di Karen.

«Come sta Noah?» mi azzardo a chiedere. Era molto legato alla nonna, deve aver sofferto molto. Quanto a me, non sono mai stata in buoni rapporti con i miei nonni: i genitori di mio padre sono morti quando ero molto piccola, e quelli di mia madre non erano tanto cordiali.

«La sta prendendo male. Dovresti chiamarlo, Tessa.»

«Io...» Sto per dirle che non posso, ma mi interrompo. Perché non posso? Posso, e lo farò. «Lo chiamerò... anzi lo chiamo subito.»

«Davvero?» esclama sorpresa. «Be', aspetta almeno fino alle nove», mi consiglia. Mi viene da sorridere e capisco che sta sorridendo anche lei. «Come va l'università?»

«Parto lunedì per Seattle», confesso.

Sento qualcosa cadere a terra. «Cosa?!»

«Te l'avevo detto, ricordi?» *Gliel'avevo detto, vero?*

«No. Mi hai detto che la tua azienda si trasferiva lì, ma non che ci andavi anche tu.»

«Scusa, è che ho avuto molto da fare, tra Seattle e Hardin.»

Con voce incredibilmente controllata, chiede: «Lui viene con te?»

«Non... non lo so.» Sospiro.

«Va tutto bene? Sembri agitata.»

«Sto bene», mento.

«Ultimamente non andiamo molto d'accordo, ma sono pur sempre tua madre, Tessa. Se hai qualche problema puoi parlarmene.»

«Sto bene, davvero; sono solo stressata per il trasloco e il trasferimento in un'altra università.»

«Te la caverai benissimo in qualsiasi università. Eccelleresti ovunque», dice con convinzione.

«Lo so, ma mi ero già abituata a questo campus, e ho conosciuto alcuni professori e... mi sono fatta qualche amico.»

168

.Amici che non mi mancheranno granché, a parte Landon. E forse Steph... ma soprattutto Landon.

«Tessa, è l'obiettivo che ci prefiggevamo da anni, e guarda con quanta rapidità l'hai raggiunto. Dovresti essere fiera di te stessa.»

Le sue parole mi stupiscono, tanto che faccio fatica a comprenderle. «Grazie», mormoro.

«Fammi sapere appena ti sarai trasferita, così posso venire a trovarti, dato che ovviamente non sarai tu a venire da me tanto presto.»

«Te lo dirò.» Ignoro il tono acido di quell'ultima osservazione.

«Ora devo andare a prepararmi per il lavoro. Ti richiamo. Ricordati di telefonare a Noah.»

«Sì, lo chiamo tra un paio d'ore.»

Mentre chiudo la conversazione, vedo qualcosa con la coda dell'occhio e alzando lo sguardo mi trovo davanti Hardin, vestito come al solito in maglietta nera e jeans neri. È a piedi nudi.

Mi guarda fisso. «Chi era?»

«Mia madre», rispondo, e mi stringo le ginocchia al petto.

«Perché ti ha chiamato?» domanda venendo a sedersi accanto a me.

«L'ho chiamata io», dico senza incrociare i suoi occhi.

«Cosa ci fa qui fuori il mio telefono?» Me lo prende e inizia a premere tasti.

«Stavo usando Internet.»

«Oh», fa in tono poco convinto.

Se non ha niente da nascondere, che gliene importa?

«Di chi parlavi quando hai detto che l'avresti chiamato?» chiede sedendosi sul bordo della vasca.

«Di Noah», rispondo secca.

Stringe gli occhi. «Neanche per sogno.»

«Be', lo chiamerò.»

169

«Perché gli devi parlare? Non ce n'è motivo.» Si posa le mani sulle ginocchia e si sporge in avanti per incrociare i miei occhi.

«Quindi tu puoi passare ore con un'altra e tornare ubriaco, ma…»

«È il tuo ex ragazzo», scandisce interrompendomi.

«E come faccio a sapere che lei non è una tua ex?»

«Perché non ho nessuna ex, ricordi?»

Sbuffo; mi sto arrabbiando di nuovo. «Okay, una delle ragazze che ti sei scopato, allora. In ogni caso», continuo, con voce bassa ma nitida, «non decidi tu chi posso chiamare. Ex o non ex.»

«Pensavo che non fossi arrabbiata con me.»

Sospiro, distogliendo lo sguardo dai suoi penetranti occhi verdi. «Non lo sono, del resto hai fatto esattamente quello che mi aspettavo.»

«Cioè?»

«Sei sparito per ore, poi sei tornato che puzzavi di alcol.»

«Mi hai cacciato via tu.»

«Non per questo avevi il diritto di ubriacarti.»

«Eccoci qua!» esclama in tono lamentoso. «Lo sapevo che non saresti rimasta zitta anche stamattina.»

«Zitta? Vedi, è questo il tuo problema: ti aspetti che io stia zitta! Ne ho abbastanza.»

«Di cosa?» Si sporge verso di me, il viso troppo vicino al mio.

«Di questo…» Agito le mani e mi alzo. «Sono stufa di tutto. Tu fa' quello che vuoi, ma trovatene un'altra che se ne stia seduta qui con te in silenzio, perché io non ci sto più.» Gli volto le spalle.

Scatta in piedi e mi prende per il braccio. «Fermati», ordina. Con l'altro braccio mi cinge in vita. Sto per divincolarmi, ma lui mi attira a sé. «Smettila di agitarti, tanto non vai da nessuna parte.»

Serra le labbra quando tiro via il braccio.

«Lasciami andare, torno a sedermi», sbuffo. Non voglio

arrendermi, ma non voglio neanche rovinare la vacanza agli altri. Se scendo al piano di sotto Hardin mi seguirà, e finiremo per fare una scenata davanti alla sua famiglia.

Mi ascolta, e io torno sulla poltroncina. Si siede davanti a me e mi guarda con aria interrogativa, i gomiti sulle cosce.

«Che c'è?» sbotto.

«Perciò mi lasci?» bisbiglia.

La mia rabbia si placa un po'. «Se intendi che vado a Seattle, sì.»

«Lunedì?»

«Sì, lunedì. Ne abbiamo parlato tante volte. Se pensavi che quel trucchetto bastasse a dissuadermi», sibilo, «ti sbagliavi di grosso: non c'è niente che tu possa fare per farmi cambiare idea.»

«Niente?» Mi guarda da sotto le folte ciglia.

Ti sposerò, mi ha detto mentre era ubriaco. Lo pensa ancora? Vorrei chiederglielo, ma non credo di essere pronta per la risposta che mi darebbe da sobrio.

«Hardin, cosa c'è a Seattle che vuoi evitare a tutti i costi?» chiedo invece.

Distoglie lo sguardo da me. «Niente di importante.»

«Hardin, ti giuro, se c'è qualcosa che non mi hai detto non ti rivolgerò più la parola. Ne ho le palle piene, sinceramente.»

«Non è niente, Tessa. Laggiù abitano vecchi amici che non mi stanno molto simpatici, perché fanno parte della mia vecchia vita.»

«Quale vecchia vita?»

«La mia vita prima di te: l'alcol, le feste, quando mi scopavo ogni ragazza che mi passava davanti», spiega. Vedendomi turbata, borbotta: «Scusa», ma continua. «Non c'è nessun grande segreto, solo brutti ricordi. Ma non è per questo che non voglio andarci.»

Aspetto che arrivi al punto, ma non aggiunge altro. «Okay, allora spiegami perché. Non capisco.»

Mi guarda negli occhi, totalmente inespressivo. «Che spiegazione ti serve? Non ci voglio andare e non voglio che tu ci vada senza di me.»

«Be', non è una spiegazione sufficiente. Io ci vado», ribatto. «E sai una cosa? Non voglio più che tu venga con me.»

«Cosa?» domanda, e i suoi occhi si incupiscono.

«Non voglio che tu venga.» Tentando di mantenere la calma, mi alzo dalla poltroncina. Sono fiera di me per essere riuscita a non gridare. «Hai cercato di rovinare il mio sogno di tutta una vita. Hai trasformato il mio più grande desiderio in una serie di scocciature. Dovrei essere impaziente di partire e realizzare i miei progetti, e invece per colpa tua non avrò un posto in cui stare. Quindi no, preferisco che tu non venga.»

Apre la bocca e la richiude, si alza e si mette a camminare avanti e indietro sul balcone. «Tu…» inizia, ma poi sembra cambiare idea.

Ma essendo Hardin, non cambia mai: sceglie sempre la strada più dolorosa e difficile. «Vuoi sapere una cosa, Tessa? A nessuno frega un cazzo di Seattle, può interessare solo a una come te. Che razza di sogno è, andare a vivere a Seattle? Davvero ambizioso!» ringhia. Poi fa un respiro profondo. «E nel caso te ne fossi dimenticata, questa opportunità l'hai avuta grazie a me. Pensi che sia tanto facile ottenere uno stage retribuito al primo anno di università? Col cazzo! È difficile trovarli anche dopo la laurea.»

«Non c'entra niente, non è questo il punto.» Ha un bel coraggio!

«E allora qual è il punto, ingrata che non sei altro…»

Faccio un passo verso di lui e la mia mano scatta da sola.

Ma Hardin ha i riflessi pronti e mi afferra il polso bloccando la mia mano a pochi centimetri dalla sua guancia.

«Non ci provare.» Ha la voce roca, venata di rabbia. Vorrei che non mi avesse fermata. Il suo alito sa di menta.

Sfogati pure, Hardin. Non mi lascio intimidire da lui e dai suoi insulti: sono capace di rispondergli a tono.

«Non puoi parlare così e pensare di non subirne le conseguenze», dico in tono basso e minaccioso.

«Conseguenze?» Mi guarda con il fuoco negli occhi. «In vita mia non ho conosciuto altro che conseguenze.»

Detesto che si prenda il merito del mio stage. Detesto che faccia sempre il bastian contrario. Detesto che accenda in me una rabbia tale da farmi venire voglia di prenderlo a schiaffi, e detesto sentire che sto perdendo il controllo su qualcosa che non sono sicura di avere mai dominato realmente. Mi tiene ancora per il polso, stringendo il minimo indispensabile per impedirmi di schiaffeggiarlo, e ha negli occhi un'espressione di sfida che mi torce lo stomaco.

Si porta al petto la mia mano, senza smettere di fissarmi, e dice: «Tu non sai niente delle conseguenze».

Poi se ne va, ancora con quello sguardo negli occhi; e la mano mi ricade inerte lungo il fianco.

35
Hardin

Chi cazzo si crede di essere? Solo perché non voglio andare a Seattle con lei, pensa di potermi dire una cosa del genere? Che non mi vuole?

E cerca pure di prendermi a schiaffi? Assurdo! Mi ha stupito molto che abbia tentato di colpirmi. Me ne sono andato subito, lasciandola lì a tremare di rabbia.

Mi ritrovo in una piccola caffetteria dove il caffè sa di catrame e i muffin sono ancora peggio. Detesto questo paesino.

Apro tre bustine di zucchero e le verso nella tazza. È troppo presto per bere uno schifo del genere.

«Buongiorno», fa una voce che conosco… ma che avrei preferito non sentire.

«Cosa ci fai qui?»

«Be', vedo che di mattina non sei di buonumore», commenta Lillian in tono mieloso. Viene a sedersi davanti a me.

«Vattene», sbuffo. Mi guardo intorno: c'è la fila alla cassa e i tavoli sono quasi tutti pieni. Farei un favore a quelle persone se le avvertissi che questo posto fa schifo e che è meglio andare da Starbucks.

«Non le hai ancora chiesto scusa, vero?»

«Dio, che ficcanaso.»

Sorride. «Lo finisci, quello?» chiede indicando il muffin duro come un sasso.

Faccio scorrere il piatto verso di lei. «Non lo mangerei, se fossi in te», le confesso, ma lei lo mangia lo stesso.

«Non è poi così male», mente. Si capisce benissimo che vorrebbe sputarlo. «Allora, mi spieghi perché non hai chiesto scusa a Tamara?»

«Si chiama Tessa, porca puttana, se la chiami un'altra volta…»

«Ehi, calmati. Scherzavo!» sghignazza.

«Che spiritosa.» Finisco il caffè.

«Allora, perché non le hai chiesto scusa?»

«Non lo so.»

«Sì che lo sai.»

«Ma che te ne importa?» Mi sporgo verso di lei, e lei si tira indietro sulla sedia.

174

«Non lo so… perché mi sembri innamorato di lei, e sei mio amico.»

«Amico?» ripeto sbigottito. «Non ti conosco neppure, e di sicuro tu non conosci me.»

La sua impassibilità vacilla per un momento. Batte le palpebre. Se scoppia a piangere, giuro che prendo a pugni qualcuno. Non sopporto i melodrammi di prima mattina.

«Senti, sei simpatica e tutto. Ma questa», dico indicando lei e poi me stesso, «non è un'amicizia. Io non ho amici.»

Piega la testa di lato. «Neanche uno?»

«No, ho gente con cui vado alle feste, e ho Tessa.»

«Dovresti avere almeno un amico.»

«E perché proprio tu? Saremo qui solo fino a domani pomeriggio.»

Si stringe nelle spalle. «Possiamo essere amici fino a domani.»

«Mi sembra chiaro che neanche tu hai tanti amici.»

«Non molti. A Riley non piacciono.»

«E allora?»

«Non mi va di litigare con lei, quindi non li vedo spesso.»

«Scusa, ma a occhio questa Riley mi sembra una stronza.»

«Non dire così.» Arrossisce, e per la prima volta da quando la conosco esprime un'emozione che non sia la serenità o l'onniscienza.

Sono contento di averla messa a disagio. «Dicevo così per dire. Io non permetterei a nessuno di dirmi con chi posso e non posso essere amico.»

«Quindi Tessa ha altri amici con cui esce quando non è con te?» domanda con aria perplessa.

Ci penso su. Ha degli amici… Ha Landon. «Sì.»

«Tu non conti.»

«No, non io. Landon.»

«Landon è il tuo fratellastro, non conta neanche lui.»

Steph, ma non sono proprio amiche per la pelle; e Zed... Lui non è più un problema. «Ha me», ribatto.

«Proprio come sospettavo», dice ghignando.

«Che differenza fa? Quando ce ne andremo da qui e ricominceremo da capo, potrà conoscere nuovi amici. Li conosceremo insieme.»

«Certo. Il problema è che non andrete a vivere nello stesso posto.»

«Verrà con me. So che ora non sembra così, ma tu non la conosci. Io sì, e so che non può vivere senza di me.»

Lillian mi fissa pensierosa. «Sai, c'è una bella differenza tra non poter vivere senza una persona e amarla.»

Questa ragazza non sa di cosa parla: dice solo assurdità. «Basta parlare di lei. Se dobbiamo essere amici, devo sapere di te e Regan.»

«Riley», ribatte secca.

Sghignazzo. «Irritante, vero?»

Mi guarda storto, ma poi mi racconta come ha conosciuto la sua ragazza. Si sono ritrovate in coppia al corso di orientamento per le matricole. All'inizio Riley era scortese, ma poi ci ha provato con lei. A quanto pare questa Riley è gelosa e irascibile. Somiglia a qualcuno che conosco.

«Litighiamo quasi sempre per colpa della sua gelosia. Ha sempre paura che io la tradisca. Non so perché, dato che è lei quella che attira l'attenzione di tutti, uomini e donne, e ha avuto storie con entrambi i sessi.» Sospira. «Insomma, basta che respirino.»

«Tu invece no?»

«No, non sono mai uscita con un ragazzo», dice con una smorfia. «Be', una volta in terza media, perché mi sentivo tenuta a farlo. Le mie amiche mi prendevano in giro perché non avevo il ragazzo.»

«Per quale motivo non hai detto la verità?»

«Non è così semplice.»

«Dovrebbe esserlo.»

«Sì, dovrebbe esserlo», concorda con un sorriso. «Ma non lo è. Comunque, non sono mai uscita con nessuno a parte Riley e un'altra ragazza.» Poi il sorriso le si spegne in volto. «Riley invece è uscita con un sacco di gente.»

Passo il resto della mattinata e l'intero pomeriggio ad ascoltare i problemi di questa ragazza. Ma non mi annoio quanto temevo. È bello sapere di non essere l'unico ad avere queste difficoltà. Lillian mi ricorda molto Tessa, ma anche Landon: se quei due si fondessero in un'unica persona, sarebbe certamente lei. Detesto ammetterlo, ma la sua compagnia non mi dispiace. È una persona fuori dagli schemi, come me, ma non mi giudica perché mi conosce appena. La gente va e viene dalla caffetteria, e ogni volta che entra una bionda alzo lo sguardo sperando che sia... la mia bionda.

Sentiamo trillare una musichetta. «Mio padre mi cerca...» Lillian guarda il suo telefono ed esclama: «Cazzo, sono quasi le cinque. Dobbiamo andare. Be', io devo andare. Non ho ancora niente da mettermi per stasera».

«Per cosa?» le chiedo mentre si alza.

«Per cena. Sapevi che andiamo a cena con i tuoi genitori, vero?»

«Karen non è mia...» inizio, ma decido di lasciar perdere, tanto lei lo sa già.

La seguo in un negozietto pieno di abiti colorati e bigiotteria vistosa, che odora di naftalina e di mare.

«Non c'è niente di interessante qui», dice mostrandomi un abito fucsia a balze.

«È orribile», commento, e lei lo riappende subito.

Cosa starà facendo Tessa in questo momento? Si chiederà dove sono finito? Immaginerà che io sia con Lillian, ed è la verità, ma non ha nulla di cui preoccuparsi: lo sa.

Aspetta… no, non lo sa. Non le ho detto della ragazza di Lillian.

«Tessa non sa che sei gay», sbotto mentre mi mostra un abito nero rivestito di paillettes.

Mi guarda noncurante e passa una mano sul vestito, lo stesso gesto che faceva ieri sera con la bottiglia di brandy.

«Non sono qui per darti consigli di moda, quindi lascia perdere.»

Mi lancia un'occhiataccia. «Perché non gliel'hai detto?»

Giocherello con una collana di piume. «Non lo so, non ci ho pensato.»

«Be', mi lusinga che il mio orientamento sessuale sia un dettaglio così trascurabile per te», dice con falsa gratitudine, posandosi una mano sulla gola. «Però dovresti dirglielo.» Sorride. «Ci credo che ti ha quasi preso a schiaffi!»

Non avrei dovuto raccontarle dello schiaffo.

«Sta' zitta. Glielo dirò…» Ma ora che ci penso, forse è meglio che non lo sappia. «Forse», aggiungo.

Lillian mi guarda con sufficienza, di nuovo. Fa quella faccia spesso, almeno quanto Tessa.

«È una persona difficile, ma so quello che faccio, okay?» O almeno mi sembra di saperlo. So esattamente come prenderla per ottenere da lei ciò che voglio.

«Devi vestirti bene stasera: andiamo in un ristorante disgusto-samente chic», mi avverte mentre continua a esaminare il vestito.

«Col cavolo. Cosa ti fa pensare che ci verrò, comunque?»

«Perché no? Vuoi far sbollire la rabbia alla tua signora, giusto?»

«La mia signora?» ripeto esterrefatto. «Non chiamarla così.»

Mi consegna una camicia bianca. «Mettiti almeno una bella camicia, altrimenti mio padre ti romperà le scatole per tutta la sera», dice entrando in camerino.

Poco dopo esce con indosso l'abito nero. Le sta bene, è una bella ragazza e tutto, ma immediatamente inizio a fantasticare su come starebbe quel vestito a Tessa. Sarebbe più aderente, perché ha molto più seno di Lillian, e i fianchi un po' più larghi.

«Non è brutto quanto il resto della roba di questo negozio», faccio a mo' di complimento, e lei mi fa un gestaccio prima di tornare in camerino.

36
Tessa

Mi guardo allo specchio e chiedo a Landon: «Sei sicuro che vada bene?»

«Benissimo», sorride. «Ma possiamo provare a ricordarci che sono un uomo?»

Sospiro, poi mi viene da ridere. «Lo so, scusa. Non è colpa mia se sei il mio unico amico.»

L'abito è scomodo: la stoffa è rigida e rivestita di paillettes, che pizzicano la pelle quando mi muovo. La piccola boutique nel paese non aveva molta scelta, e di sicuro non potevo prendere il vestito di tulle fucsia. Avevo bisogno di qualcosa da mettermi per questa maledetta cena, e i jeans consigliati da Hardin non avrebbero funzionato.

«Pensi che tornerà in tempo per la cena?» chiedo a Landon.

Come al solito, Hardin se n'è andato dopo il nostro litigio e non è ancora tornato. Non ha chiamato né scritto. Sarà con la ragazza misteriosa con cui gli piace discutere dei nostri problemi. La ragazza con cui riesce a parlare meglio che con me. Non mi stupirei se la seducesse per farmi dispetto, arrabbiato com'è.

No... Non lo farebbe mai.

«Non lo so, sinceramente», risponde Landon. «Spero di sì. Altrimenti mia madre ci resterà male.»

«Già.» Infilo un'altra forcina nello chignon e vado a prendere il mascara.

«Gli passerà, è solo testardo.»

«Non so se passerà a me, però», dico truccandomi. «Sto arrivando al punto di rottura. Sai come mi sono sentita ieri sera quando mi ha detto che era stato con un'altra ragazza?»

«Come?»

«Penso che questa è semplicemente la fine della nostra turbolenta storia d'amore.» Volevo dirlo in tono ironico, ma non ci sono riuscita.

«È strano ascoltare queste parole da te. Come ti senti?»

«Un po' arrabbiata, ma nient'altro. Sono come intorpidita. Non ho più la forza di andare avanti così. Inizio a pensare che Hardin sia una causa persa, e questo mi spezza il cuore», gli spiego sforzandomi di non piangere.

«Nessuno è una causa persa. Ma qualcuno pensa di esserlo e quindi non fa neppure uno sforzo.»

«Siete pronti?» ci chiama Karen dal salotto, e Landon la avverte che scendiamo subito. Mi metto le scarpe nuove, nere con il tacco e il cinturino alla caviglia. Purtroppo sono scomode. Sento la mancanza delle scarpe basse che portavo sempre.

Hardin non è ancora tornato quando saliamo in macchina. «Non possiamo più aspettare», dice Ken in tono deluso.

«Non fa niente, gli porteremo qualcosa da mangiare», interviene Karen, facendo del suo meglio per placare l'irritazione del marito.

Landon mi guarda e io gli sorrido per fargli capire che sto bene. Per l'intero tragitto cerca di distrarmi parlando di vari studenti che conosciamo e prendendoli in giro per come si comportano, soprattutto durante le lezioni di religione.

Il ristorante è bellissimo: è un'enorme capanna di tronchi, ma all'interno è arredato in stile moderno e minimalista, tutto in bianco e nero con tocchi di grigio sulle pareti e sul pavimento. Le luci sono soffuse, forse anche troppo, ma contribuiscono a creare l'atmosfera. Inaspettatamente, il mio vestito è l'oggetto più luminoso della stanza: le paillettes brillano come diamanti nella penombra, e mi sento addosso gli occhi di tutti.

«Scott», dice Ken alla bella donna che ci accoglie all'ingresso.

«Gli altri commensali sono già arrivati.» La donna sorride: ha denti bianchissimi, quasi accecanti.

«Gli altri?» Mi giro verso Landon, che si stringe nelle spalle.

Seguiamo la donna fino a un tavolo d'angolo. Detesto sentirmi al centro dell'attenzione per via del vestito: avrei dovuto scegliere quell'obbrobrio fucsia, avrebbe attratto meno sguardi. Un uomo di mezz'età rovescia il bicchiere, distratto dal nostro passaggio, e Landon mi tira a sé con fare protettivo. L'abito è castigato, arriva poco sopra il ginocchio; il problema è che è tagliato per una persona con meno seno di me, e il reggiseno incorporato funge da push-up.

«Era ora che arrivaste», esordisce una voce maschile che non riconosco, e mi sporgo dietro Karen per vedere a chi appartenga.

Un uomo, che suppongo sia l'amico di Ken, si alza per stringergli la mano. Sposto lo sguardo alla sua destra, dove sua moglie sorride a Karen. Accanto a lei c'è una ragazza – la ragazza, percepisco per istinto – e sento una fitta allo stomaco. È bellissima.

E indossiamo lo stesso vestito.

Già da quella distanza vedo che ha gli occhi azzurri, e quando mi sorride è ancora più bella. Sono così distratta dalla gelosia che quasi non mi accorgo di Hardin, seduto accanto a lei con una camicia bianca.

37
Hardin

«ODDIO…» bisbiglia Lillian. Distratto dai miei pensieri sul litigio con Tessa, alzo gli occhi per vedere cosa l'abbia stupita tanto.

Tessa.

Con un vestito… quel maledetto vestito in cui la immaginavo. E in quel vestito, il suo seno già prosperoso è… *Oh, merda.* Batto le palpebre, cerco di riacquistare il controllo di me prima che lei raggiunga il tavolo. Per un attimo penso di avere le allucinazioni: quel vestito su di lei è ancora più sexy di quanto immaginassi. Tutti gli uomini si girano a guardarla; uno rovescia persino il bicchiere. Stringo il bordo del tavolo, aspettando che quello stronzo le rivolga la parola. Se lo fa, giuro che…

«Quella è Tessa? Oh, mamma.» Lillian sta praticamente boccheggiando.

«Smettila di fissarla», le ordino, e lei ride.

L'uomo che ha rovesciato il bicchiere ignora le proteste della moglie e segue con gli occhi la mia ragazza.

«Rilassati», mi fa Lillian, posando delicatamente la mano

sulla mia. Stringo il tavolo con tanta forza che le nocche diventano bianche.

Landon tira a sé Tessa per allontanarla da quell'imbecille sposato; lei gli sorride. *Ma che cazzo è successo?*

Tessa si ferma alle spalle di Landon mentre i genitori di Lillian scambiano con Karen e Ken le solite, stupide strette di mano, anche se si sono visti ieri sera. Un istante dopo Tessa vede Lillian, sobbalza e abbassa subito lo sguardo. È gelosa.

Bene. Ci speravo proprio.

38
Tessa

Mi assale il panico alla vista di Hardin seduto accanto a quella ragazza: non dà cenno di avermi vista mentre mi siedo accanto a Landon dalla parte opposta del tavolo.

«Ciao, e tu chi saresti?» chiede l'amico di Ken con un sorriso. Dal suo tono capisco che è uno di quegli uomini che si credono migliori di tutti gli altri.

«Buonasera, sono Tessa», mi presento, con un accenno di sorriso e un cenno secco del capo. «Un'amica di Landon.»

Lancio un'occhiata a Hardin, che stringe le labbra. Be', sta chiaramente intrattenendo la figlia di quell'uomo, quindi perché dovrei rovinargli il divertimento?

«Piacere di conoscerti, Tessa. Io sono Max, e questa è Denise.» Indica la donna accanto a lui.

«Piacere», risponde Denise. «Siete una bellissima coppia.»

Hardin è colto da un attacco di tosse. Oppure si sta strozzando. Non voglio guardarlo per controllare quale delle due... ma non riesco a non farlo. Mi fissa con occhi assassini.

Landon scoppia a ridere. «Oh, non stiamo insieme.» Si gira verso Hardin, come aspettando che intervenga.

Ovviamente non dice nulla. La ragazza sembra un po' smarrita, a disagio. Bene. Hardin le dice qualcosa all'orecchio e lei gli sorride e scuote la testa. *Ma che cavolo sta succedendo?*

«Mi chiamo Lillian, piacere», si presenta con un sorriso cordiale.

Stronza.

«Piacere mio», mi sforzo di replicare. Ho il cuore a mille e la vista annebbiata. Se non fossimo a tavola con la famiglia di Hardin e gli amici di Ken, tirerei il contenuto di un bicchiere in faccia a Hardin: così gli brucerebbero gli occhi e non potrebbe schivare il mio schiaffo, stavolta. Il cameriere ci porta i menu e mi riempie il bicchiere d'acqua. Ken e Max commentano la strana abitudine dei ristoranti americani di servire acqua del rubinetto anziché in bottiglia.

«Sai già cosa vuoi?» mi chiede Landon a bassa voce. Capisco che cerca di distrarmi da Hardin e dalla sua nuova amica.

«Non lo so», bisbiglio, osservando l'elegante menu scritto a mano. Non ho proprio fame, mi si è chiuso lo stomaco e faccio fatica a respirare.

«Vuoi che ce ne andiamo?» sussurra lui. Guardo Hardin, che incrocia i miei occhi e poi torna a voltarsi verso Lillian.

Sì, voglio andarmene da qui e dire a Hardin di non rivolgermi mai più la parola.

«No, non vado da nessuna parte», faccio, e mi tiro a sedere diritta appoggiandomi allo schienale.

«Bene», commenta Landon.

«Prendiamo una bottiglia del vostro miglior vino bianco»,

dice l'amico di Ken al cameriere. Mentre se ne sta andando, lo richiama.

«Non avevamo finito», lo rimprovera, e ordina una serie di antipasti. Non ho mai sentito nominare nessuno di quei piatti, ma sospetto che in ogni caso mangerò ben poco.

Cerco disperatamente di non girarmi verso Hardin, ma è difficilissimo. Perché è venuto con lei? Si è anche vestito bene; se scopro che non indossa i jeans, temo che il mio cuore si spezzerà definitivamente. Devo sempre pregarlo in ginocchio per fargli mettere qualcosa che non sia una maglietta e i jeans neri, ed eccolo in camicia bianca accanto a questa ragazza.

«Vi lascio qualche minuto per consultare il menu, e se avete domande mi chiamo Robert», dice il cameriere. Incrocia il mio sguardo e resta per un secondo a bocca aperta, distoglie gli occhi e un momento dopo li punta di nuovo su di me. È colpa di questo vestito e della maledetta scollatura. Gli faccio un sorrisetto imbarazzato e lui ricambia, arrossendo.

Mi aspetto che guardi Hardin, ma poi ricordo che per come siamo seduti sembra che io sia in coppia con Landon, e Hardin con Lillian. E ho un'altra fitta allo stomaco.

«Ehi, bello, prendi l'ordinazione o vattene», si intromette Hardin, interrompendo i miei pensieri.

«Scusate», balbetta Robert allontanandosi subito.

Tutti gli sguardi si girano su Hardin, e tutti con aria di disapprovazione. Karen sembra imbarazzata, e anche Ken.

«Non preoccupatevi, tornerà; è il suo lavoro», dice Max con noncuranza. Logico che a lui il comportamento di Hardin sembri accettabile.

Lancio un'occhiataccia a Hardin, ma lui non mi vede neppure, concentrato com'è su quei maledetti occhi azzurri. Mi pare un estraneo, quasi mi stessi intromettendo nella privacy di una coppia di innamorati. Quel pensiero mi fa montare la rabbia.

Per fortuna Robert viene a portarci il vino e i secchielli del ghiaccio, accompagnato da un altro cameriere, probabilmente per sostegno morale. O come guardia del corpo.

Hardin lo fissa per tutto il tempo. Ha un bel coraggio: incenerisce con gli occhi quel poveretto e intanto finge di non conoscermi.

Robert mi riempie il bicchiere con gesti nervosi e io lo ringrazio sottovoce. Mi sorride, meno timidamente di prima, e va a riempire il bicchiere di Landon. Non ho mai visto Landon bere qualcosa di alcolico tranne al matrimonio di Ken e Karen, e anche lì aveva preso solo una coppa di champagne. Se non fossi così turbata dal comportamento di Hardin, rifiuterei il vino per non bere davanti a Ken e Karen; ma ho avuto una giornata lunga, e senza il vino non arriverei viva alla fine della cena.

Quando Robert gli si avvicina, Ken copre il bicchiere con una mano e rifiuta con garbo.

Guardo Hardin per assicurarmi che non stia per dire qualche cattiveria a suo padre, ma sta ancora parlottando con Lillian.

Sono davvero confusa: perché fa così? Sì, abbiamo litigato, ma questo è troppo.

Bevo un lungo sorso: il vino è fresco e delizioso. Vorrei scolarmelo tutto, ma devo andarci piano, non voglio certo ubriacarmi e scoppiare a piangere davanti a tutti. Hardin non rifiuta il vino, ma Lillian sì, e lui la prende in giro. Smetto di guardarli, altrimenti scoppierò in lacrime.

«Max ha cercato di scavalcare il muro: era così ubriaco che la polizia del campus l'ha dovuto tirare giù!» racconta Ken, e tutta la tavolata scoppia a ridere.

Tutti tranne Hardin, naturalmente.

Metto in bocca un'altra forchettata di spaghetti. Mi concentro sul cibo, altrimenti dovrei concentrarmi su Hardin.

«Penso che tu abbia un ammiratore», mi dice Denise. Seguo il suo sguardo verso Robert che sta sparecchiando il tavolo accanto e mi fissa.

«Non badargli, è solo un cameriere che vuole più di quanto gli spetta», commenta Max con un sorrisetto impertinente.

«Papà», esclama Lillian.

Ma lui le sorride e inizia a mangiare la bistecca. «Scusa tesoro, dico solo la verità... Una ragazza bella come Tessa non dovrebbe mai guardare negli occhi i camerieri.»

Se solo si fermasse qui... invece prosegue imperterrito, senza curarsi o senza accorgersi del nostro imbarazzo. Alla fine non resisto più e lascio cadere rumorosamente la forchetta sul piatto.

«Non lo fare», mi suggerisce Hardin: sono le prime parole che mi rivolge da quando sono arrivata.

Lo guardo scioccata, poi guardo Max, e valuto le mie opzioni. Si sta comportando in modo orribile, e io ho bevuto quasi un intero bicchiere di vino. Probabilmente ha ragione Hardin, dovrei tenere la bocca chiusa.

«Non puoi parlare in questo modo delle persone», dice Lillian al padre.

Lui fa spallucce. «Va bene, va bene», borbotta, masticando la bistecca e agitando il coltello in aria. «Figuriamoci se voglio scandalizzare qualcuno.»

Sua moglie sembra imbarazzata e si pulisce la bocca con il tovagliolo.

«Avrò bisogno di altro vino», dico a Landon, che sorride e mi porge il suo bicchiere mezzo pieno. «Grazie, ma aspetto che torni Robert», gli faccio con un sorriso.

Sento gli occhi di Hardin su di me. Mi guardo intorno ma non vedo i capelli biondi del cameriere, così prendo la bottiglia e mi riempio il bicchiere. Stranamente Max non commenta le mie pessime maniere. Hardin ha lo sguardo perso nel vuoto, e Lillian sta parlando con la madre. Quanto a me, sono smarrita in un'allucinazione in cui Hardin mi è seduto accanto, posa la mano sulla mia coscia e si sporge a dirmi qualcosa di impertinente che mi fa arrossire e ridere.

Alla fine del secondo bicchiere mi gira un po' la testa. Landon sta parlando di sport con Max e Ken. Fisso la tovaglia cercando di individuare volti o immagini nella fantasia astratta in bianco e nero. Trovo un ricciolo che somiglia a una H e ne seguo ripetutamente i contorni con il dito. All'improvviso mi fermo e alzo lo sguardo, temendo che lui mi abbia vista.

Ma Hardin non mi presta attenzione: ha occhi solo per lei.

«Ho bisogno di una boccata d'aria», dico a Landon. Mi alzo facendo stridere la sedia sul parquet e Hardin solleva gli occhi per un momento, ma poi finge di volere solo versarsi dell'acqua e ricomincia a parlare con la sua nuova ragazza.

39
Tessa

DEVO concentrarmi molto per camminare diritta. Se fossimo più vicini a casa me ne andrei subito, farei i bagagli per Seattle e starei in albergo mentre cerco un appartamento.

Sono stufa di tutte le sue stronzate. È doloroso, e imbarazzante. Hardin mi sta facendo a pezzi e lo sa benissimo. Ed è proprio per questo che lo fa. Me l'ha detto chiaro e tondo: fa queste cose perché sa che mi danno fastidio.

Quando apro la porta sul retro del ristorante – sperando che non scatti qualche allarme – vengo investita dall'aria fredda della sera. Mi sento subito più calma, come depurata dalle tensioni e dall'imbarazzo della cena.

Mi appoggio con i gomiti a un muretto e guardo gli alberi. È quasi buio. Il ristorante si trova praticamente al centro di un bosco: è un bel posto, ma al momento non è l'ideale per me, perché mi sento già in trappola.

«Va tutto bene?» chiede una voce alle mie spalle.

Mi giro e vedo Robert sulla soglia con una pila di piatti in mano.

«Ehm, sì, avevo bisogno di una boccata d'aria», mi giustifico.

«Be', fa un po' freddo qui fuori.» Sorride. Un sorriso educato e molto simpatico, a essere sinceri.

Ricambio. «Sì, un po'.»

Restiamo in silenzio. C'è un lieve imbarazzo, ma nulla può essere più imbarazzante che sedere a quel tavolo.

Dopo qualche secondo, Robert dice: «Non ti avevo mai vista qui». Posa i piatti su un tavolo e si appoggia al muretto poco lontano da me.

«Sono in vacanza, non ero mai stata qui.»

«Dovresti venire d'estate. Febbraio è il momento peggiore. Be', a parte novembre e dicembre... forse anche gennaio.» Arrossisce e inizia a balbettare: «Insomma... hai capito cosa voglio dire...» Ridacchia nervoso.

Mi sforzo di non ridere di lui e dico: «Scommetto che d'estate è bellissimo».

«Sì, lo sei», fa lui, e subito sobbalza. «Voglio dire, lo è. È bellissimo», si corregge passandosi una mano sul viso.

Stringo le labbra per trattenere un'altra risata, ma mi sfugge un risolino, e lui sembra più a disagio di prima.

«Vivi qui?» gli chiedo per aggirare l'imbarazzo. La sua compagnia è una piacevole novità: per una volta posso parlare con qualcuno che non mi intimorisce. Il carisma di Hardin, la sua presenza lo mettono sempre al centro dell'attenzione.

Robert si calma un po'. «Sì, nato e cresciuto qui. E tu?»

«Vado alla Washington Central. La prossima settimana mi trasferisco al campus di Seattle.» Mi sembra di avere aspettato di poter dire queste parole da un'eternità.

«Wow, Seattle! Nientemeno!» Sorride.

Sghignazzo di nuovo. «Scusa, il vino mi fa venire da ridere», mi giustifico.

«Be', sono contento che tu non rida di me.» Mi osserva attentamente e io distolgo lo sguardo. Poi si gira verso il ristorante. «Dovresti rientrare, prima che il tuo ragazzo venga a cercarti.»

Mi volto a guardare dalle finestre: Hardin è ancora girato verso Lillian.

«Credimi, nessuno verrà a cercarmi», sospiro, e mi accorgo che mi trema il labbro.

«Sembra sperduto senza di te», cerca di rassicurarmi Robert.

Vedo Landon che si guarda intorno senza nessuno con cui parlare. «Ah! Lui non è il mio ragazzo. È quello seduto dall'altra parte... quello con i tatuaggi.»

Robert è palesemente confuso; osservo Hardin e vedo i disegni in inchiostro nero che spuntano dal colletto della sua camicia. Il bianco gli dona molto, e mi piace che i tatuaggi si intravedano sotto il tessuto leggero.

«Ehm, ma lui lo sa di essere il tuo ragazzo?» chiede Robert, perplesso.

Distolgo gli occhi da Hardin mentre sta facendo uno dei suoi sorrisetti compiaciuti, quelli che di solito rivolge a me.

«Comincio a domandarmelo anch'io.» Mi copro il viso con le mani e scuoto la testa. «È complicato.»

Mantieni la calma, non cadere nella sua trappola. Non stavolta.

Robert si stringe nelle spalle. «Be', chi meglio di un estraneo per ascoltare i tuoi problemi?»

Guardiamo il tavolo da cui mi sono alzata. A parte Landon, nessuno sembra aver notato la mia assenza.

«Non devi tornare al lavoro?» chiedo, sperando che risponda di no. Robert è giovane: è più grande di me ma penso che non abbia più di ventitré anni.

Sorride: «Sì, ma il capo me lo rigiro come voglio», risponde, come se fosse una battuta che io non posso capire.

«Ah.»

«Ma se quello è il tuo ragazzo, chi è la tipa con cui sta parlando?»

«Si chiama Lillian.» Sento il veleno nella mia voce. «Non la conosco, e neppure lui... be', non la conosceva, ma a quanto pare ora sì.»

Robert mi guarda negli occhi. «Quindi l'ha portata qui per ingelosirti?»

«Non lo so, ma non sta funzionando. Be', sì, sono gelosa, insomma, guardala: ha il mio stesso vestito e le sta molto meglio.»

«No, non è vero», mormora lui. Sorrido e lo ringrazio.

«Andava tutto bene fino a ieri. Insomma... bene rispetto al solito. E poi stamattina abbiamo litigato... ma litighiamo sempre. Non so cos'abbia di strano questo litigio, ma è diverso dagli altri, e adesso lui mi ignora come faceva ai primi tempi.» Mi rendo conto di parlare più a me stessa che a questo estraneo dagli occhi curiosi. «Sembro pazza, lo so. È il vino.»

«No, non sembri affatto pazza», mi rassicura sorridendo. «Ti sta guardando», dice accennando al mio tavolo.

Alzo la testa. In effetti Hardin punta gli occhi su di me e sul mio nuovo psicanalista, occhi che mi folgorano con la loro intensità.

«Forse è meglio se rientri», lo avverto. Mi aspetto che da un momento all'altro Hardin si alzi da tavola, corra qui fuori e scaraventi Robert giù dal muretto.

Invece no. Resta seduto con un bicchiere in mano e mi guarda un'ultima volta prima di posare la mano libera sullo schienale della sedia di Lillian. *Oddio*.

«Mi dispiace», dice Robert.

Mi ero quasi dimenticata di averlo accanto.

«Non importa, ormai dovrei esserci abituata. Faccio questi giochetti con lui da sei mesi.» Rabbrividisco, ma è la verità; mi rimprovero di non aver imparato la lezione dopo un mese, due, tre… e invece eccomi qui fuori con un estraneo, a fissare Hardin che flirta spudoratamente con un'altra. «Non so perché ti sto raccontando tutto questo. Mi dispiace.»

«Ehi, te l'ho chiesto io», mi ricorda in tono gentile. «E c'è ancora molto vino, se ne vuoi.»

«Ne avrò sicuramente bisogno.» Volto le spalle alla finestra. «Ti capita spesso che ragazze mezze ubriache sfoghino con te i problemi di cuore?»

Ridacchia. «No, a dire il vero di solito sono uomini vecchi e ricchi che si lamentano perché la bistecca non è abbastanza al sangue.»

«Come il tizio al mio tavolo, quello con la cravatta rossa», faccio indicando Max. «Dio, è insopportabile.»

«Vero», conferma Robert. «Senza offesa, ma chiunque rispedisca in cucina un'insalata perché 'contiene troppe olive' è un rompiscatole per definizione.»

Ridiamo entrambi, e mi copro la bocca con il dorso della

mano, poi mi preoccupo che la risata mi faccia uscire altre lacrime.

«Esatto! Ed è talmente pieno di sé... Ha tenuto un comizio sulla proporzione tra olive e insalata.» Imito la voce, irritante come quella di sua figlia: «Troppe olive coprono il sapore amarognolo ma delicato della rucola».

Robert si piega in due dal ridere. Con le mani sulle ginocchia alza la testa e chiede, in una voce che imita molto meglio della mia quella di Max: «Potrei averne quattro? Tre non bastano, e cinque sono davvero troppe: sbilanciano il ventaglio di sapori!»

Rido così tanto che mi fa male la pancia. Non so per quanto tempo andiamo avanti così, ma a un tratto sento aprirsi una porta, e io e Robert smettiamo di ridere, alziamo lo sguardo... e vediamo Hardin sulla soglia.

Mi tiro in piedi e mi liscio il vestito. Mi sembra di aver fatto qualcosa di male, anche se so che non è vero.

«Vi interrompo?» chiede Hardin in tono brusco.

«Sì», rispondo, e la voce mi esce nitida come volevo. Sono ancora senza fiato dopo tutte quelle risate, mi gira la testa per il vino e il cuore mi fa male per colpa di Hardin.

Hardin guarda Robert, che dice: «A quanto pare sì».

Robert sorride ancora e ha uno sguardo divertito: Hardin fa del suo meglio per intimidirlo ma lui non batte ciglio. Persino lui ne ha abbastanza delle stronzate di Hardin: ed è un cameriere, addestrato a essere sempre gentile.

«Cosa vuoi?» chiedo a Hardin.

Mi fissa a labbra strette. «Vieni dentro», ordina, ma io scuoto la testa. «Tessa, non fare questi giochi con me. Andiamo», insiste.

Cerca di prendermi per il braccio, ma io mi ritraggo e resto ferma dove sono. «Ho detto di no. Va' dentro tu: la tua amica sentirà la tua mancanza», sibilo.

«Tu...» Hardin torna a guardare Robert. «Dovresti essere tu a rientrare. I nostri bicchieri vanno riempiti», puntualizza schioccando le dita nel modo più offensivo possibile.

«Non sono in servizio, a dire il vero. Ma sono sicuro che con il tuo fascino riuscirai a convincere qualcun altro a servirti da bere», replica Robert con calma.

Hardin resta spiazzato per un istante: non è abituato a sentirsi rispondere a tono, soprattutto dagli estranei.

«Okay, riformulo...» Fa un passo verso Robert. «Sta' lontano da lei. Rientra in quel cazzo di ristorante e trovati qualcos'altro da fare, prima che ti prenda per quel ridicolo colletto e ti sbatta la testa contro il muro.»

«Hardin!» esclamo in tono di rimprovero, intromettendomi tra loro.

Ma Robert non fa una piega. «Accomodati», continua lentamente, in tono sicuro. «Ma sappi che questa è una città molto piccola. Mio padre è lo sceriffo, mio nonno è il giudice e mio zio è quello che hanno sbattuto in galera per aggressione e lesioni. Se ti sembra ancora il caso di spaccarmi la testa, fa' pure.»

Rimango esterrefatta. Hardin pare valutare le sue opzioni: saetta lo sguardo tra me, Robert e il ristorante.

«Andiamo», mi dice infine.

«Non vengo», ribatto indietreggiando. Ma mi rivolgo a Robert: «Puoi lasciarci un minuto, per favore?»

Lui fa cenno di sì, lancia un'ultima occhiataccia a Hardin e torna nel ristorante.

«Allora, adesso vuoi scoparti il cameriere?» La smorfia di rabbia di Hardin mi induce a indietreggiare ancora, ma mi riprometto di non cedere.

«La pianti, per favore? Sappiamo entrambi come andrà a finire. Tu continuerai a insultarmi, io me ne andrò. Tu mi correrai dietro promettendo di non trattarmi più male. Torneremo a casa e andremo a letto insieme.»

Resta disorientato per un istante ma poi scoppia a ridere. «Sbagliato», si limita a dire, e si avvia verso la porta. «Non lo farò. Sembri aver dimenticato come va di solito: tu fai una scenata per qualcosa che ho detto, te ne vai, e io ti corro dietro solo perché voglio scoparti. E tu...» aggiunge con uno sguardo sinistro, «tu ti lasci sempre scopare.»

Rimango a bocca aperta per l'orrore e d'istinto porto le mani sullo stomaco: è come se quelle parole me lo avessero squarciato.

«Perché?» ansimo, improvvisamente a corto d'ossigeno.

«Non lo so. Perché non riesci a starmi lontana. Probabilmente perché nessuno saprebbe scoparti bene quanto me.» Parla in tono asciutto, crudele.

«Perché... adesso?» mi correggo. «Voglio dire, perché mi fai questo proprio ora? È perché non voglio venire in Inghilterra con te?»

«Sì e no.»

«Siccome non voglio rinunciare a Seattle per te, tu mi volti le spalle?» Mi bruciano gli occhi, ma mi rifiuto di piangere. «Arrivi qui con... lei», continuo accennando in direzione del tavolo a cui è seduta Lillian, «e mi dici tutte queste cattiverie? Pensavo che avessimo superato questa fase. Non è più vero che non riesci a vivere senza di me? Non è più vero che ti sforzi di trattarmi bene?»

Distoglie lo sguardo, e per un brevissimo istante vedo un'emozione più profonda dietro i suoi occhi pieni di odio.

«C'è una bella differenza tra non poter vivere senza una persona e amarla», afferma.

E se ne va, portandosi via quel poco che restava del mio rispetto per lui.

40
Hardin

VOLEVO farla soffrire, farla sentire una merda, come mi sono sentito io quando ho alzato gli occhi dal tavolo e l'ho vista ridere. Rideva, cazzo, invece di stare seduta davanti a me a cercare di attirare la mia attenzione. Sembrava che vedermi con Lillian la lasciasse indifferente. Era troppo concentrata sul cameriere e sulle stronzate che le stava raccontando.

Quindi mi sono messo a cercare qualcosa da dirle per farla a pezzi. Mi è tornata in mente la frase di Lillian di stamattina, e mi ha riacceso la rabbia, quindi l'ho ripetuta a voce alta senza riflettere. *C'è una bella differenza tra non poter vivere senza una persona e amarla.*

Vorrei quasi rimangiarmi quelle parole… quasi. Se le meritava. Non doveva dire che non mi voleva a Seattle con sé. Ha detto che le ho voltato le spalle, ma non è vero. Sono qui per lei, al suo fianco. È lei che approfitta di ogni occasione per tentare di lasciarmi.

«Me ne vado», annuncio quando torno al tavolo. Sei paia di occhi si alzano, e Landon mi guarda storto, poi guarda la porta. «Lei è fuori», gli dico in tono sarcastico. Che vada lui a consolarla, io non ci vado di sicuro.

«Cos'hai fatto stavolta?» ha il coraggio di chiedermi davanti a tutti.

Lo incenerisco con lo sguardo. «Fatti i cazzi tuoi.»

«Hardin», interviene mio padre. Anche lui? Sono tutti contro di me, a quanto pare. Lo sfido a dirmi qualcosa!

«Vado anch'io», dice Lillian alzandosi.

«No», sbotto, ma lei mi ignora e mi segue fuori dal ristorante.

«Che cavolo è successo?»

Senza rallentare il passo e senza girarmi, grido: «Era là fuori con quell'idiota, ecco cos'è successo».

«E allora? Cos'ha risposto quando le hai detto che io non sono una minaccia?» Barcolla un po' sui tacchi alti, ma non rallento mentre tento di decidere dove andare. Dovevo venire con la mia macchina, ma tanto per cambiare Tessa ha voluto averla vinta.

«Non gliel'ho detto.»

«Perché no? Sai cosa starà pensando adesso?»

«Non me ne frega un cazzo di cosa pensa. Spero che pensi che voglio scoparti.»

Si ferma. «Perché? Se la ami, perché vuoi che pensi così?»

Oh, fantastico, ora mi volta le spalle anche Lillian. Mi giro verso di lei. «Perché deve imparare che…»

«Altolà», dice alzando una mano. «Non deve 'imparare' un bel niente. Mi sembra che sia tu quello che deve imparare qualcosa: cos'hai detto a quella poveretta?»

«Quello che hai detto tu a me stamattina, che c'è una bella differenza tra non poter vivere senza qualcuno e amarlo.»

Scuote la testa, confusa. «Gliel'hai detto nel senso che tu non puoi vivere senza di lei ma non la ami?»

«Sì, non è quello che ho appena detto?» Tessa Numero Due deve togliersi dalle palle, perché mi sta irritando quasi quanto la Tessa originale.

«Wow», fa scoppiando a ridere.

Ora ride di me? «Cosa? Che c'è da ridere?»

«Non ci arrivi proprio!» mi sbeffeggia. «Quando te l'ho detto, stamattina, non mi riferivo a te. Parlavo di lei. Intendevo che, solo perché tu pensi che lei non possa vivere senza di te, non vuol dire che ti ami.»

«Cosa?»

«Dai per scontato che non ti lascerà perché non sa stare senza di te, quando in realtà mi sembra che tu l'abbia messa in trappola, ed è proprio per questo che non ti lascia: non perché ti ama, ma perché l'hai convinta che non può stare senza di te.»

«No… lei mi ama.» Lo so per certo, ed è per questo che da un momento all'altro mi seguirà qui fuori.

Lillian allarga le braccia. «Ne sei sicuro? Perché dovrebbe, se la fai soffrire di proposito?»

Ne ho abbastanza di queste stronzate. «Non sei nella posizione di fare la predica a nessuno. In questo momento la tua ragazza si starà scopando qualcun altro, mentre tu sei qui a fare la psicologa di coppia.»

Attonita, fa un passo indietro… Proprio come Tessa un momento fa. Nel buio, i suoi occhi azzurri diventano lucidi. Scuote la testa e si incammina verso il parcheggio del ristorante.

«Dove vai?» grido al di sopra del vento.

«Torno dentro. Tessa sarà così stupida da sopportarti, ma io no.»

Per un momento penso di seguire questa ragazza, che credevo fosse… un'amica. Non lo so, ma mi sembrava di potermi fidare di lei, anche se la conosco solo da due giorni.

Al diavolo: non seguo nessuno. Né Tessa Uno né Tessa Due. Vadano all'inferno: non ho bisogno di loro.

41
Tessa

MI fa male il petto, ho la gola riarsa e mi gira la testa. In pratica Hardin mi ha appena detto che non mi ama e che mi rincorre solo per portarmi a letto. La cosa peggiore è che so che non lo pensa davvero. So che mi ama. A modo suo, mi ama più di ogni altra cosa. Me l'ha dimostrato ripetutamente in questi sei mesi. Ma mi ha dato prova anche del fatto che non si fermerebbe davanti a niente pur di farmi male, di umiliarmi quando ferisco il suo ego. Se mi amasse davvero, non mi farebbe soffrire.

Non poteva essere serio quando ha detto di volere solo sesso da me. Non mi vede soltanto come un giocattolo, vero? Con lui, verità e bugie dipendono dall'umore del momento. Non poteva parlare sul serio. Eppure l'ha detto con tanta convinzione... Francamente non so più cosa pensare. Nonostante tutti i litigi, le lacrime, i pugni sul muro, mi sono sempre aggrappata alla certezza che lui mi amasse.

Senza quello, non abbiamo niente. E senza di lui io non ho niente. Il nostro lato irrazionale e il nostro carattere irascibile, uniti alla nostra giovane età, stanno diventando ingestibili.

Ripenso a quelle parole: C'è una bella differenza tra non poter vivere senza una persona e amarla.

Mi siedo a guardare il buio, a godermi il silenzio della notte, e pian piano i pensieri rallentano.

Non mi accorgo della porta che si apre finché Robert non è accanto a me. «Ti ho portato qualcosa», dice mostrandomi una bottiglia di vino. I suoi bei lineamenti si schiudono in un sorriso.

Stranamente rispondo al sorriso, anche se dentro di me sono raggomitolata in un angolo a piangere.

«Vino di compassione?» chiedo, tendendo le mani verso la bottiglia. È lo stesso che ha ordinato Max: deve costare una fortuna.

Mi mette in mano la bottiglia. «Che altro tipo di vino esiste?» Il vetro è freddo, ma il gelo di febbraio mi ha già reso quasi insensibili le dita.

Sorride e affonda le mani nelle tasche profonde del grembiule. «Ho portato questi.» Mi porge un bicchiere di plastica e stappa la bottiglia.

«Grazie.» Appena finisce di riempirmelo me lo porto alle labbra.

«Possiamo rientrare, sai? Una parte del ristorante è già chiusa, possiamo sederci lì.»

«Non lo so.» Sospiro e torno a guardare il nostro tavolo.

«Se n'è andato», dice in tono comprensivo. «E anche lei. Ti va di parlarne?»

«No, direi di no. Parlami invece di questo vino», propongo, cercando un argomento meno deprimente.

«Questo? Be', è di una buona annata…» Ridiamo. «Sono bravo a bere, ma non sono un intenditore.»

«Okay, allora non parliamo del vino.» Scolo in un solo sorso quello che resta del bicchiere.

«Ehm…» fa Robert, guardando alle mie spalle. Vedendolo nervoso mi preoccupo: spero che Hardin non sia tornato a sputarmi altro veleno addosso. Mi volto e vedo Lillian sulla soglia: pare incerta se uscire o no.

«Cosa vuoi?» le chiedo. Mi sto sforzando di tenere sotto controllo la gelosia, ma il vino non mi aiuta con le buone maniere. Robert mi toglie di mano il bicchiere e lo riempie. Ho l'impressione che voglia tenersi occupato per sottrarsi all'imbarazzo.

«Posso parlarti?» domanda Lillian.

«Cosa abbiamo da dirci? Mi sembra tutto chiarissimo.» Bevo un lungo sorso di vino freddo.

Si avvicina e dice semplicemente: «Sono gay».

Cosa? Per poco il vino mi va di traverso. Sposto lo sguardo da Robert a lei, e deglutisco lentamente.

«È la verità. Ho la ragazza. Io e Hardin siamo solo amici.» Si rabbuia. «Se possiamo dire così.»

Conosco quello sguardo. Hardin deve averla appena insultata.

«Allora perché...» inizio. *È sincera?* «Ma stavate appiccicati.»

«No, lui era un po'... espansivo, diciamo, come quando ha posato il braccio sulla mia sedia. Ma lo faceva solo per ingelosirti.»

«E perché avrebbe dovuto?» Ma conosco già la risposta: per ferirmi, ovviamente.

«Gli ho chiesto di dirtelo. Mi dispiace se hai pensato che ci fosse qualcosa tra noi. Non è così. Sono fidanzata. Con una ragazza.»

Alzo gli occhi al cielo e porgo il bicchiere a Robert perché me lo riempia. «Mi sembrava che non ti facessi problemi a stare al gioco», ribatto secca.

Mi guarda supplicante: «Non era mia intenzione. Non gli davo retta. Mi dispiace molto se ci sei rimasta male».

Cerco qualche critica da muoverle, ma non me ne viene in mente nessuna. Il fatto che Lillian sia gay è un sollievo enorme, e avrei voluto saperlo prima; ma non cambia molto la situazione con Hardin. Anzi, semmai peggiora le cose, perché ha cercato di farmi ingelosire e poi mi ha rovesciato addosso le cose più orribili che è riuscito a pensare. Guardarlo flirtare con lei non mi ha fatto male neppure la metà rispetto a quando mi ha detto che non mi ama.

Robert mi riempie il bicchiere; bevo un piccolo sorso continuando a fissare Lillian. «Allora, perché hai cambiato idea e hai deciso di confessarmelo? Lui ha cominciato a urlarti in faccia, vero?»

Fa un mezzo sorriso e poi si siede al tavolo con noi. «Sì.»

«È la sua specialità», spiego, e lei annuisce. La vedo nervosa, e mi ripeto che il problema qui non è lei, ma Hardin.

«Hai altri bicchieri?» chiedo a Robert, che, orgoglioso, fa cenno di sì. Sento le farfalle nello stomaco… sarà sicuramente il vino.

«Non con me ma posso andare a prenderne un altro. Comunque dovremmo rientrare: hai le labbra blu.»

Il mio sguardo si posa sulle sue labbra: sono carnose e rosa, sembrano molto morbide. Perché gli sto fissando le labbra? Ecco come mi riduce il vino. Vorrei farlo con le labbra di Hardin, ma ultimamente le usa solo per insultarmi.

«Lui è dentro?» chiedo a Lillian, che fa cenno di no. «Okay, allora entriamo. Devo salvare Landon da quel tavolo, in ogni caso, e soprattutto da quel tizio, Max», dico sovrappensiero. Lancio un'occhiata a Lillian. «Merda, scusa.»

Ma lei scoppia a ridere. «Non preoccuparti, lo so che mio padre è uno stronzo.»

Non replico. Forse non rappresenta una minaccia per la mia storia con Hardin, ma non significa che mi stia simpatica, anche se sembra una ragazza dolce.

«Entriamo?…» domanda Robert dondolando sui talloni.

«Sì.» Finisco il vino e mi avvio alla porta. «Vado a prendere Landon. Sicuro che puoi bere qui? In divisa?» chiedo al mio nuovo amico. Non voglio che si cacci nei guai per me. Mi gira la testa, e il pensiero che suo padre potrebbe arrestarlo mi fa venire da ridere.

«Che c'è?» chiede guardandomi in faccia.

«Niente», mento.

Io e Lillian torniamo al nostro tavolo. Poso le mani sullo schienale della sedia di Landon, che si gira nella mia direzione.

«Tutto bene?» si accerta mentre Lillian parla con i suoi genitori.

Mi stringo nelle spalle. «Più o meno.» Non starei così bene se non fossi quasi ubriaca. «Vuoi venire a bere un po' di vino… un altro po' di vino con noi?» propongo sorridendo.

«Con chi? Anche con lei?» domanda Landon lanciando uno sguardo a Lillian.

«Sì, è… be', è un tipo a posto.» Non voglio raccontare i fatti suoi davanti a tutti.

«Ho detto a Ken che sarei andato con loro a casa di Max a guardare la partita, ma se preferisci resto qui.»

«No…» Desidero che resti, ma non voglio che cambi programma per me. «Non fa niente. Pensavo solo che tu volessi allontanarti da loro», bisbiglio.

«È così», conferma sorridendo, «ma Ken è contento che vada anch'io perché Max tifa per l'altra squadra. Pensa che sarà divertente se ci insultiamo a vicenda.» Poi si sporge e abbassa la voce per farsi sentire solo da me. «Sei sicura di fare bene a restare con quel ragazzo? Sembra simpatico, ma Hardin cercherà di ammazzarlo.»

«Credo che sappia difendersi. Divertiti a vedere la partita», gli dico, e gli do un bacio sulla guancia.

Mi tiro indietro di scatto e mi copro la bocca. «Scusa, non so proprio perché…»

«Non c'è problema», replica lui ridendo.

Mi guardo intorno e vedo con sollievo che tutti conversano normalmente. Per fortuna nessuno si è accorto della mia imbarazzante dimostrazione d'affetto.

«Sta' attenta, Tessa, va bene? E chiamami se hai bisogno di me.»

«Va bene. E tu torna qui se ti annoi.»

«D'accordo.»

So che non si annoierà a guardare la partita con Ken: gli

piace passare del tempo con l'unica figura paterna che ha. Hardin non condivide il suo entusiasmo.

«Papà, sono adulta», sento sbuffare Lillian dall'altra parte del tavolo.

Max scuote la testa con un gesto autoritario. «Non c'è nessun bisogno che tu te ne vada a zonzo; tornerai a casa con noi. Non si discute.» È uno di quegli uomini a cui piace dominare il prossimo. Il ghigno feroce che ha in faccia me lo conferma.

«E va bene», sbuffa la figlia. Poi si volta verso la madre, che però resta in silenzio. Se avessi bevuto un bicchiere di vino in più insulterei quell'idiota, ma non voglio mettere a disagio Ken e Karen.

«Tessa, tu torni con noi?» mi chiede Karen.

«No, resto qui un altro po', se non vi spiace.» Spero che non le dispiaccia. Si gira a guardare Lillian e poi guarda dietro di me, in fondo alla sala, dove c'è Robert. Ho idea che non sospetti nulla sull'orientamento sessuale di Lillian, e che trovi irritante il modo in cui Hardin si è comportato con lei. Adoro Karen.

«Per noi va bene; divertiti.» Mi rivolge un sorriso di approvazione.

«Okay.» Le sorrido a mia volta e mi allontano dal tavolo senza salutare Max e la moglie.

«Siamo pronti per andare; la ragazza non ha il permesso di fermarsi», dico a Robert quando lo raggiungo.

«Non ha il permesso?»

«Suo padre è un cretino. Sono contenta, però, perché non so bene come la penso su di lei. Mi ricorda qualcuno, non riesco a capire chi...» Lascio il pensiero in sospeso e seguo Robert in una zona del ristorante con alcuni tavoli vuoti.

Mentre andiamo a sederci, mi torna in mente il volto ferito

di Zed. Chiedo a Robert: «Sei sicuro di voler stare qui con me? Hardin potrebbe tornare, e ha il vizio di aggredire la gente...»

Lui scosta una sedia per me e scoppia a ridere. «Sicuro.»

Si siede davanti a me e versa altro vino bianco. Brindiamo, anche se i bicchieri di plastica non tintinnano come quelli di vetro. Ma danno un tocco di simpatia a questo ristorante così raffinato e algido.

42
Hardin

Ho telefonato a tutte le agenzie di taxi tra qui e il college, per farmi riportare a casa. Nessuno ha accettato, naturalmente, data la distanza. Potrei prendere un autobus, ma detesto i trasporti pubblici. Ricordo che rabbrividivo quando Steph mi diceva che Tessa andava in autobus al centro commerciale. Anche quando Tessa non mi piaceva... be', quando credevo che non mi piacesse... mi spaventava immaginarla seduta da sola sull'autobus con un mucchio di gentaglia.

È cambiato tutto da allora, da quando la prendevo in giro per farla arrabbiare. Ma l'espressione sul suo viso quando l'ho lasciata lì fuori dal ristorante... Forse non è cambiato niente. Io non sono cambiato.

Sto torturando la ragazza che amo. È esattamente questo che sto facendo, e non riesco a smettere. Ma non è tutta colpa mia: è lei che continua a insistere perché io vada a Seattle, e le ho detto chiaramente che non cederò. Dovrebbe arrendersi, fare i bagagli e venire in Inghilterra con me. Non rimarrò qui: l'America mi annoia e mi ha portato solo guai. Sono stufo di vedere mio padre ogni giorno, sono stufo di tutto.

«Guarda dove vai, stronzo», dice una voce femminile nel buio facendomi trasalire.

Mi faccio da parte per non finirle addosso. «Guarda dove vai tu», ribatto senza fermarmi. *Che diavolo ci fa una ragazza davanti a casa di Max?*

«Scusa?» esclama lei. Mi giro verso di lei proprio mentre si accendono le luci sulla veranda, attivate dal sensore di movimento. La osservo bene: pelle scura, capelli ricci, jeans strappati, stivali da motociclista.

«Fammi indovinare: Riley, vero?»

Si mette una mano sul fianco. «E tu chi saresti?»

«Sì, sei proprio Riley. Se cerchi Lillian, non è qui.»

«Dov'è? E come fai a sapere che la cerco?»

«Perché me la sono appena scopata.»

Si irrigidisce, china il capo lasciando il viso in ombra. «Cos'hai detto?» domanda facendo un passo avanti.

Piego la testa di lato e la guardo. «Dai, ti prendo in giro. È al ristorante in fondo alla strada con i suoi genitori.»

«Okay», fa alzando la testa. «E come la conosci?»

«L'ho conosciuta ieri. Suo padre andava all'università con il mio, penso. Sa che sei qui?»

«No, la stavo cercando», spiega indicando il bosco che ci circonda. «Ma dato che è in mezzo al nulla, non mi risponde. Glielo proibisce quel pezzo di merda di suo padre, scommetto.»

Sospiro. «Sì, è un pezzo di merda. Non ti permette di vederla?»

«Quanto sei ficcanaso?!» dice rivolgendomi uno sguardo truce. Ma poi fa un sorrisetto orgoglioso. «Sì che me lo permette. È stronzo ma è anche vigliacco, e ha paura di me.»

Dei fari lampeggiano nel buio. Avanzo di qualche passo. «Sono loro», annuncio.

Poco dopo la macchina imbocca il vialetto e si ferma. Lillian salta giù e corre tra le braccia di Riley.

«Come sei arrivata fin qui?» cinguetta.

«In macchina», risponde secca la sua ragazza.

«Come mi hai trovata? Sono qui da una settimana e il cellulare non prende.» Affonda il viso nel collo di Riley, che le accarezza la schiena: la sua corazza di autocontrollo inizia a incrinarsi.

«Non è stato difficile, piccola. Questo posto è un buco.» Si tira indietro per guardarla in faccia. «Tuo padre si incazzerà perché sono venuta?»

«No. Be', forse. Ma sai che non ti caccerà.»

Tossisco. Mi mette a disagio assistere a questo ricongiungimento. «Okay, be', io vado», dico incamminandomi.

«Ciao», mi saluta Riley. Lillian resta in silenzio.

Dopo qualche minuto raggiungo il cancello della casa di mio padre e imbocco il vialetto. Tessa arriverà da un momento all'altro, e voglio essere in casa prima che arrivi il Suv. Piangerà, ci scommetto, e io dovrò scusarmi con lei per far sì che mi ascolti.

Sono appena salito sulla veranda quando Karen e la madre di Lillian scendono dalla macchina. «Dove sono gli altri?» le chiedo, cercando con gli occhi Tess.

«Oh be', tuo padre e Landon sono andati a casa di Max per vedere una partita in televisione.»

«E Tessa?» Mi assale il panico.

«È rimasta al ristorante.»

«Cosa?» *Ma che cazzo.* Non doveva andare così. «È con lui, vero?» chiedo alle due donne, anche se conosco già la risposta. È con quel bastardo biondo, il figlio dello sceriffo.

«Sì», risponde Karen. Se non fossi bloccato in mezzo al nulla con lei, la insulterei per il sorrisetto che tenta di nascondere.

43
Tessa

«E QUESTA, in pratica, è la storia della mia vita», finisce Robert con un gran sorriso. Ha un sorriso adorabile, aperto e sincero come quello di un bambino.

«È… interessante.» Prendo la bottiglia per riempirmi il bicchiere, ma non esce niente.

«Bugiarda», mi canzona, e io scoppio a ridere. La storia della sua vita è stata molto breve. Non proprio noiosa, ma neanche emozionante: normale. È cresciuto con entrambi i genitori: la madre è insegnante, il padre è lo sceriffo. Si è diplomato in un piccolo college qui nei dintorni e ha deciso di studiare medicina. Lavora nel ristorante solo perché è in lista d'attesa all'Università di Washington. Be', e anche perché si guadagna bene lavorando nel ristorante più caro della zona.

«Dovevi andare alla WCU, invece», gli dico, e lui scuote la testa. Si alza facendo un cenno per interrompere momentaneamente la conversazione. Mi appoggio allo schienale e aspetto che ritorni. Guardo il soffitto: in quest'ala il bianco cede il posto a una scena di nuvole, castelli e cherubini. La figura proprio sopra di me è un angioletto addormentato, con le guance rubizze e i riccioli biondi. Lì accanto c'è un ragazzo – o almeno mi pare

208

che sia un ragazzo – con le ali nere spiegate dietro la schiena, che lo guarda dormire.

Hardin.

«Impossibile», dice Robert interrompendo le mie riflessioni. «Anche se volessi, non offrono il corso di studi che voglio. E poi a Seattle la facoltà di medicina si trova nel campus centrale. Alla WCU avete un campus molto più piccolo.» Alzando la testa vedo che ha in mano una nuova bottiglia di vino.

«Ci sei mai stato, al campus?» gli chiedo, impaziente di scoprire qualcosa sul posto in cui mi trasferirò. E anche perché devo smettere di fissare quegli inquietanti angioletti sul soffitto.

«Sì, una volta sola. Non è enorme ma è bello.»

«Devo andarci lunedì, ma non ho ancora una casa.» Scoppio a ridere: non c'è niente di buffo nella mia disorganizzazione, ma in questo momento la trovo divertente.

«Questo lunedì? Oggi è giovedì… Tra quattro giorni?!»

«Esatto.»

«E i dormitori?» chiede stappando la bottiglia.

Non mi è mai passato per la testa di andare a vivere in dormitorio. Davo per scontato… be', speravo… che Hardin sarebbe venuto con me.

«Non voglio vivere nel campus, soprattutto ora che so com'è vivere da sola.»

«Vero», concede versando il vino. «Una volta assaggiata la libertà, non puoi tornare indietro.»

«Già. Se Hardin venisse a Seattle…» Mi interrompo. «Lasciamo stare.»

«Quindi pensavate di provare una relazione a distanza?»

«No, non funzionerebbe mai», spiego, e sento risalire un dolore nel petto. «La nostra storia funziona a malapena quando siamo a stretto contatto.» Devo cambiare argomento prima

209

di sciogliermi in lacrime. Sciogliersi in lacrime... che strana espressione.

«Mi sto sciogliendo», dico, pizzicandomi il labbro tra pollice e indice.

«Ti diverti?» chiede Robert con un sorriso, posandomi davanti un bicchiere pieno. Annuisco, ancora ridendo. «Devo ammettere che non mi divertivo così al lavoro da un bel po'», continua lui.

«Neanch'io. Be', se lavorassi qui.» Sto vaneggiando. «Non bevo spesso... in verità, ultimamente bevo più di prima, ma non abbastanza da sviluppare una tolleranza, perciò mi ubriaco ab-ba-stan-za in fretta», affermo con voce cantilenante, alzando il bicchiere davanti al viso.

«È lo stesso per me. Non sono un bevitore, ma quando una bella ragazza passa una brutta serata faccio un'eccezione», annuncia baldanzoso, ma poi diventa rosso come un peperone. «Volevo solo dire che... ehm...» Si copre il viso con le mani. «Quando sono con te, il mio filtro tra cervello e bocca va in tilt.»

Prendo le sue mani e gliele tolgo dal viso; lui mi guarda con occhi azzurri e limpidi.

«Mi sembra di riuscire a leggerti nel pensiero», dico a voce alta, senza riflettere.

«Forse ci riesci davvero», bisbiglia lui, leccandosi le labbra.

So che vuole baciarmi; lo vedo nei suoi occhi. Gli occhi di Hardin sono sempre così guardinghi che non riesco a interpretarli: non capisco mai cosa pensa, e ne avrei tanto bisogno. Mi avvicino a Robert e lui si sporge verso di me, ma tra noi c'è il tavolo.

«Se non lo amassi così tanto, ti bacerei», sussurro, senza tirarmi indietro ma senza neanche avvicinarmi di più. Pur essendo molto ubriaca, e molto arrabbiata con Hardin, non ci

210

riesco. Non posso baciare questo ragazzo. Vorrei, ma non ce la faccio.

Fa un sorrisetto sbilenco. «E se io non sapessi quanto lo ami, mi lascerei baciare.»

«Okay…» Non so cos'altro aggiungere, sono ubriaca e impacciata e non so come comportarmi con qualcuno che non sia Hardin o Zed, ma in un certo senso quei due si somigliano. Robert invece non somiglia a nessuno che conosco. A parte Landon. Landon è dolce e gentile. Non mi capacito di aver quasi baciato qualcuno che non è Hardin.

«Scusa.» Mi tiro indietro sulla sedia e lui fa lo stesso.

«Non scusarti. Preferisco che tu non mi baci, se l'alternativa è baciarmi e pentirtene.»

«Sei strano», osservo. Forse ho scelto la parola sbagliata, ma ormai è troppo tardi. «In senso buono», preciso.

«Anche tu.» Ridacchia. «Quando ti ho vista con quel vestito ti ho presa per una ragazzina ricca e snob senza un briciolo di personalità.»

«Be', mi spiace. Di sicuro non sono ricca.» Rido.

«Né snob.»

«La mia personalità non è tanto male», dichiaro stringendomi nelle spalle.

«Mi accontenterò», sorride.

«Sei gentilissimo.»

«Perché non dovrei esserlo?»

«Non lo so…» dico giocherellando con il bicchiere. «Scusa, lo so che sembro idiota.»

Lui pare perplesso per un momento, poi aggiunge: «Non sembri idiota, e non devi continuare a scusarti».

«Cosa intendi?» Sto facendo a pezzi il bicchiere; pezzetti di plastica si spargono sul tavolo.

«Continui a scusarti per ogni cosa che dici. Nell'ultima

ora mi avrai chiesto scusa almeno dieci volte. Non hai fatto niente di male.»

Le sue parole mi imbarazzano, ma i suoi occhi sono così gentili e la sua voce non ha traccia di irritazione o giudizio. «Scusa...» mi lascio sfuggire sovrappensiero. «Ecco, vedi! Non so perché lo faccio.» Mi giustifico sistemandomi i capelli dietro l'orecchio.

«Potrei provare a indovinare, ma non lo farò. Sappi però che non devi scusarti», ripete semplicemente.

Inspiro a lungo ed espiro di colpo. È rilassante parlare con qualcuno senza temere continuamente che si arrabbi.

«Parlami ancora del tuo nuovo lavoro a Seattle», mi propone, e io gli sono grata per avere cambiato argomento.

44
Hardin

«Secondo te dove sto andando?» grido a Karen dal vialetto, alzando le braccia in un gesto di frustrazione.

Scende i primi gradini della veranda su cui è appena salita e dice: «Non voglio intromettermi, Hardin, ma non ti sembra che dovresti lasciarla in pace... per una volta? Non prenderla male, ma secondo me non ne verrà nulla di buono se torni lì e fai una scenata. So che vuoi vederla, però...»

«Tu non sai niente», sbotto.

La moglie di mio padre mi parla come se fosse mia madre:

«Scusa, Hardin, ma penso che per stasera dovresti lasciarla in pace».

«Ah sì, e perché? Così può mettermi le corna?» Mi strattono i capelli. Tessa ha già bevuto un bicchiere a cena – anzi, uno e mezzo – e lei l'alcol non lo regge.

«Se è questo che pensi di lei...» inizia Karen, ma poi si interrompe. «Lascia perdere, va' pure... come sempre.» Lancia un'occhiata alla moglie di Max e poi si sistema il vestito. «Ma sta' attento, caro», aggiunge con un sorriso forzato, prima di salire le scale con l'amica.

Eliminata questa scocciatura, proseguo con il piano originario e mi avvio al ristorante. Trascinerò Tessa fuori di lì: verrà con me, posso giurarci. Questa faccenda è assurda, e tutto perché mi sono dimenticato il profilattico. È stato quello a innescare questa spirale di caos. Avrei potuto telefonare prima a Sandra per sistemare la questione dell'appartamento, o avrei potuto trovare un'altra casa per Tessa... ma non avrebbe funzionato nemmeno così. Tessa non può andare a Seattle. Ci sto mettendo più del previsto a convincerla, e adesso è tutto ancora più complicato.

Non mi capacito di non averla vista scendere dalla macchina con Karen e Come-si-chiama, la madre di Lillian. Ero sicuro che sarebbe tornata, pronta a parlare con me. È colpa di quel cameriere: che razza di influenza può avere su di lei per convincerla a restare al ristorante invece di venire con me? Cosa ci trova Tessa in quello?

Mi fermo per raccogliere i pensieri e mi siedo su uno dei massi che costeggiano il giardino. Forse piombare lì senza preavviso non è la cosa migliore da fare. Forse dovrei mandare Landon a prenderla. Presta molto più ascolto a lui che a me. Ma poi capisco che è un'idea stupida, perché Landon non vorrà andarci: si schiererà con sua madre e mi dirà di lasciare in pace Tessa.

Ma non ce la faccio. Dopo venti minuti seduto su questo sasso gelido, sto peggio di prima. Riesco solo a pensare a come Tessa si è ritratta da me, e a quanto sembrava felice mentre rideva con lui.

Cosa le dirò? Quel cameriere cercherà di fermarmi… sembra il tipo. Non ci sarà bisogno di picchiarlo: se grido abbastanza, lei verrà con me per scongiurare una rissa… almeno spero. Finora non si è comportata secondo le mie previsioni.

È tutto così infantile: il mio comportamento, il modo in cui manipolo i suoi sentimenti. Ne sono consapevole, è solo che non so cosa farci. La amo… Cazzo, quanto la amo. Ma non so più come tenermela stretta.

In realtà mi sembra che tu l'abbia messa in trappola, ed è proprio per questo che non ti lascia: non perché ti ama, ma perché l'hai convinta che non può stare senza di te.

Le parole di Lillian risuonano nella mia testa come un disco rotto mentre mi alzo e arrivo in fondo al vialetto. Fa freddissimo e indosso solo questa stupida camicia. Tessa non aveva con sé una giacca, e quel vestito – quel vestito! – è scollato, morirà di freddo. Dovrei portarle una giacca…

E se lui le offre la sua giacca? Al solo pensiero mi assale la gelosia e stringo i pugni.

L'hai messa in trappola, ed è proprio per questo che non ti lascia: non perché ti ama…

Vaffanculo a Tessa Numero Due e alla sua psicanalisi del cazzo. Non sa di cosa parla. Tessa mi ama. Glielo leggo negli occhi ogni volta che mi guarda. Glielo sento sulle dita quando mi accarezza i tatuaggi. Lo percepisco quando le sue labbra toccano le mie. Conosco la differenza tra l'amore e le trappole, tra l'amore e la dipendenza.

Mi sforzo di non cedere al panico che di nuovo minaccia di sopraffarmi. Lei mi ama. Sì, mi ama. Tessa mi ama. Se non mi amasse non saprei cosa fare. Non resisterei. Ho bisogno che mi ami e che mi stia vicina. Non ho mai permesso a nessuno di avvicinarsi così; è l'unica persona che mi amerà sempre e incondizionatamente. Persino mia madre si stufa di me, ogni tanto, ma Tessa mi perdona sempre, e qualsiasi cosa io faccia resta al mio fianco quando ho bisogno di lei. Quella ragazza testarda, antipatica, intransigente è tutto il mio mondo.

«Che fai, mi segui?» dice qualcuno nel buio.

«Non ci credo, cazzo», sbuffo, e voltandomi vedo Riley nel vialetto della casa di Max. Devo stare più attento: non l'ho neppure sentita arrivare.

«Sei tu quello che sta appostato nel vialetto», ribatte.

«Dov'è Lillian?»

«Non ti riguarda. Dov'è Tessa?» chiede con un ghigno. Lillian deve averle raccontato del nostro litigio.

«Non ti riguarda. Che ci fai qui fuori?»

«Ma chi sei?» scandisce. Evidentemente ha seri problemi comportamentali.

«Devi proprio essere così stronza?»

«Sì, a dire il vero sì», risponde convinta. Temevo che mi mangiasse vivo perché le ho dato della stronza, ma non sembra dispiacerle; scommetto che sa di esserlo. «E sono qui perché Lillian si è appena addormentata. E fra tuo padre, il suo e quello sfigato di tuo fratello, mi veniva da vomitare.»

«E quindi hai pensato di fare una passeggiata al buio, a febbraio?»

«Ho messo il cappotto, come vedi. Voglio ritrovare quel bar che ho visto venendo qui.»

«Perché non ci vai in macchina?»

«Perché voglio bere. E ti do l'impressione di essere una che vuole passare il weekend in galera?» esclama oltrepassandomi. Senza fermarsi, si gira e domanda: «E tu dove vai?»

«A prendere Tessa, che è con... Lascia stare.» Sono stufo di raccontare i cazzi miei a tutti.

Riley si ferma. «Che bastardata, non dirle che Lil è gay.»

«Ci avrei scommesso che te l'avrebbe raccontato.»

«Mi dice tutto. Sei stato proprio stronzo.»

«È una storia lunga.»

«Non vuoi andare a vivere a Seattle con Tessa, e lei...» Si sistema i capelli sopra la spalla. «A quest'ora starà facendo un pompino a quello lì nel bagno del...»

La rabbia inizia subito a scorrermi nelle vene. «Chiudi il becco. Immediatamente. Non ti azzardare a dire una cosa del genere.» Devo ricordare che è una ragazza, anche se ha una boccaccia pari alla mia; non potrei mai toccarla.

Imperterrita, replica in tono pacato: «Non è molto piacevole sentirselo dire, vero? Magari ricordatelo, la prossima volta, prima di raccontare che ti sei scopato la mia ragazza».

Resto senza fiato. Non riesco a smettere di pensare alle labbra carnose di Tessa che lo toccano. Mi strattono i capelli e mi metto a camminare in circolo.

«Ti fa uscire di testa, eh? L'idea di loro due insieme...»

«Devi smetterla di provocarmi, sul serio», la avverto.

«Lo so, che ti fa uscire di testa», prosegue con noncuranza. «Senti, forse ho fatto male a dirtelo, ma hai cominciato tu, ricordi?» Dato che non rispondo, continua. «Propongo una tregua. Io ti offro da bere e tu puoi piangere per Tessa mentre io mi vanto di quant'è brava Lillian con la lingua.» Mi tira per la manica, tentando di farmi attraversare la strada. Da qui si vedono già le luci colorate dell'insegna del bar.

Tirando via il braccio, dico in tono brusco: «Devo andare a prendere Tessa».

«Un solo bicchiere, e poi vengo a darti man forte.»

«Perché? Perché vuoi stare con me?» La guardo negli occhi e lei fa spallucce.

«Non è che voglio stare con te, è che mi annoio e qua fuori ci sei tu. E poi Lil sembra affezionata a te, per motivi che non capisco.» Mi squadra dalla testa ai piedi. «Non saprei proprio perché, ma le piaci... come amico», precisa calcando la voce sull'ultima parola. «Quindi sì, vorrei far colpo su di lei fingendo che me ne freghi qualcosa della vostra sventurata storia, destinata a finire.»

«Destinata a finire?» ripeto seguendola lungo la strada.

«Di tutte le cose che ti ho appena detto, scegli di commentare questa?» fa scuotendo il capo. «Sei peggio di me.»

Scoppia a ridere, mi afferra di nuovo per la camicia e mi trascina in strada. Sono troppo indaffarato a pensare per respingerla.

Come può credere che la nostra storia sia destinata a finire? Non mi conosce, non conosce noi.

Non siamo destinati a lasciarci.

So che non lo siamo. Io sono dannato, ma lei no. Lei mi salverà. Mi salva sempre.

45
Tessa

«ACCIDENTI, la temperatura è calata di dieci gradi», osserva Robert quando usciamo. Mi guarda preoccupato. «Vorrei avere una giacca da prestarti... E vorrei potermi offrire di riaccompagnarti in macchina, ma ho bevuto. Stasera non sono proprio un gentiluomo», dice mortificato.

«Non fa niente», lo rassicuro con un sorriso. «Sono ubriaca, quindi ho caldo… No, non ha senso.» Sghignazzo e lo seguo sul marciapiede davanti al ristorante. «Ma avrei dovuto mettermi altre scarpe.»

«Ce le scambiamo?» scherza.

Lo spintono piano sulla spalla e lui sorride, per la centesima volta. «Le tue scarpe sembrano più comode di quelle di Hardin; i suoi anfibi sono così pesanti, e li lascia sempre accanto alla porta, quindi… Lascia stare», mi interrompo imbarazzata.

«Preferisco le scarpe da ginnastica», sdrammatizza lui.

«Anch'io. Sai da che parte sono le case?»

Tende un braccio per sorreggermi quando rischio di inciampare. «Quali case? C'è un paese intero.»

«Be', c'è una strada con un piccolo cartello, e poi altre tre o quattro case, e poi un'altra strada…» Cerco di ricordare il tragitto da casa di Ken e Karen al ristorante, ma non ci capisco più niente.

«Non mi stai dando indicazioni molto utili», ridacchia, «ma possiamo continuare a camminare finché la troviamo.»

«Okay, ma se non la troviamo entro venti minuti vado in un albergo.» Sbuffo al pensiero della camminata e della discussione che sicuramente avrò con Hardin al mio arrivo. E dicendo discussione intendo lite in piena regola. Soprattutto quando scoprirà che ho bevuto con Robert.

All'improvviso, mentre camminiamo al buio, mi giro a guardarlo. «Ti stufi mai della gente che vuole sempre comandarti a bacchetta?»

«Non mi capita, ma se mi capitasse mi stuferei presto.»

«Sei fortunato. Mi sembra che ci sia sempre qualcuno a dirmi cosa fare, dove andare, con chi parlare, dove vivere.»

Sospiro e il mio fiato forma una nuvoletta nell'aria fredda. «Mi dà sui nervi.»

«Non faccio fatica a crederti.»

Alzo gli occhi al cielo stellato. «Vorrei farci qualcosa, ma non so cosa.»

«Forse a Seattle andrà meglio.»

«Forse... Ma voglio fare qualcosa adesso, per esempio scappare via o insultare qualcuno.»

«Insultare qualcuno?» Ride e si ferma ad allacciarsi una scarpa.

Mi fermo anch'io e mi guardo intorno. «Sì, insultare qualcuno in particolare.»

«Ehi, vacci piano. Insultare qualcuno è roba forte, magari puoi iniziare con qualcosa di più soft.» Ci metto un momento a capire che mi sta prendendo in giro, ma poi colgo l'ironia.

«Dico sul serio. In questo momento mi va di fare qualcosa di... pazzo.» Mi mordo il labbro e ci rifletto.

«È colpa del vino: era molto forte e ne hai bevuto parecchio in poco tempo.»

Ridiamo di nuovo; non riesco a fermarmi. Poi vedo delle lanterne che penzolano dal tetto di un edificio lì vicino.

«Quello è il nostro bar», mi informa Robert indicandolo.

«È così piccolo!» esclamo.

«Be', non c'è bisogno che sia grande, dato che è l'unico in città. È divertente, le bariste ballano sul bancone e cose così.»

«Come al *Coyote Ugly*?»

Il suo sorriso si allarga. «Sì, ma queste hanno superato la quarantina e sono un po' più vestite.»

Ha un sorriso contagioso. So cosa stiamo per fare.

46
Hardin

«No, ti ho detto un bicchiere solo. Uno vuol dire uno.»

«Certo, certo», fa Riley ordinando altri due drink.

«Ti ho detto che non...»

«Nessuno ha detto che è per te», mi interrompe guardandomi con aria condiscendente. «A volte una ragazza ha bisogno di un bicchiere di riserva.»

«Be', divertiti. Ora vado a prendere Tessa.» Mi alzo dallo sgabello ma lei mi afferra per la camicia. Di nuovo. «Smettila di toccarmi.»

«E tu smettila di fare lo stronzo. Ho detto che sarei venuta con te, ma prima lasciami finire di bere. Sai almeno cosa le dirai, o pensi di comportarti come un cavernicolo?»

«No.» Mi risiedo. Non ho pensato a cosa dirle. Non c'è niente da dire, a parte andiamocene di qui, cazzo. «Tu cosa diresti?» mi azzardo a chiedere.

«Be', prima di tutto...» Si interrompe per pagare da bere, poi riprende: «Lillian non se ne starebbe in un ristorante con un'altra ragazza... o ragazzo, senza di me». Beve un lungo sorso da uno dei bicchieri e si gira verso di me. «A quest'ora avrei già dato fuoco al ristorante.»

Non mi piace molto il suo tono. «E dici a me di venire a bere qualcosa prima di andare lì?»

Fa spallucce. «Non ho detto che il mio metodo è giusto. Parlo solo di quello che farei io.»

«Che stronzata. Sai dire solo stronzate. Me ne vado.»

Mentre mi avvio alla porta, l'orribile musica country in sottofondo si alza gradualmente, e capisco cosa sta per succedere.

Non sarei dovuto venire in questa bettola: sarei dovuto andare dritto da Tessa. I clienti iniziano ad applaudire e due bariste di mezz'età salgono sul bancone.

È davvero imbarazzante. Spassoso, sì, ma fa un po' senso.

«Ti perderai lo spettacolo!» ridacchia Riley.

Sto per ribattere, ma poi sento un rumore dietro di me, e anche stavolta capisco cosa sta per accadere. Mi giro, e sento il sangue ribollirmi nelle vene. Perché Tessa sta entrando barcollando nel locale. *Con lui.*

Invece di avventarmi su quel tipo, come sono tentato di fare, torno al bancone e dico, rivolto alla nuca di Riley: «Lei è qui, con lui. Eccola».

Riley stacca gli occhi dalla vecchia sul bancone, si gira e rimane a bocca aperta. «Cazzo, se è bella.»

La guardo storto. «Piantala. Non guardarla in quel modo.»

«Lillian mi aveva detto che era carina, ma cavolo, guarda che tet…»

«Non finire quella frase.» Squadro Tessa. Effettivamente è bellissima, lo so già, ma soprattutto è ubriaca, e sta ridendo mentre si fa strada tra i tavoli e va a sedersi.

«Vado da lei», avverto Riley. Non so perché glielo sto dicendo, ma una parte di me vuole sapere cosa farebbe lei al posto mio. So che Tessa ce l'ha con me per tutta una serie di ragioni, e non voglio aggiungerne un'altra. In realtà non ha alcun diritto di arrabbiarsi con me, dato che è lei quella che va in giro con un altro, per giunta ubriaca.

«Aspetta un attimo… osservala per un po'», mi consiglia lei.

«Che idea stupida… perché dovrei guardarla con quel cretino? Lei è mia, e…»

Mi rivolge un'occhiata incuriosita. «Si incazza quando dici che è tua?»

«No, le piace, penso.» O almeno credo che una volta mi abbia detto che le piace, mentre affondavo in lei.

«Lil si incazza da morire quando glielo dico. Rifiuta di considerarsi un oggetto di mia proprietà, o qualcosa del genere», continua Riley, ma non le presto ascolto perché sono concentrato su Tessa. Sul gesto con cui raccoglie i lunghi capelli e li posa su una spalla. Sento salire la rabbia, crescere l'irritazione, svanire la lucidità. Come fa a non accorgersi che sono qui? Io mi accorgo sempre quando lei entra in una stanza: è come se l'aria cambiasse, come se il mio corpo percepisse la presenza del suo. Ma è troppo impegnata ad ascoltare quel tipo, che le starà spiegando come si versa l'acqua in un bicchiere.

Senza staccare gli occhi da lei dichiaro: «Be', Tess è mia, quindi non me ne importa niente di cosa pensa».

«Disse il figlio di puttana», commenta Riley, gli occhi puntati su Tessa. «Devi scendere a compromessi, però. Se lei è come Lillian, si stuferà e ti metterà di fronte a un ultimatum.»

«Cosa?» Distolgo lo sguardo da Tessa per un momento, ed è una tortura.

«Lillian una volta si è stufata e mi ha lasciato. E lei...» dice alzando il bicchiere in direzione di Tessa, «farà lo stesso, se ogni tanto non tieni conto di ciò che vuole.»

Mi sta decisamente meno simpatica della sua ragazza. «Tu non sai niente della nostra storia, quindi non sai di cosa parli.» Torno a guardare Tessa, che ora siede da sola al tavolo giocherellando con una ciocca di capelli e scuotendo le spalle al ritmo della musica. Dopo un momento individuo il suo amico cameriere in fondo al bancone. Vedendoli lontani l'uno dall'altra il mio nervosismo si placa un po'.

«Non ho bisogno di conoscere i dettagli», ribatte Riley. «Sono qui con te da quasi un'ora: ho capito che tu sei scemo e lei è insicura...»

222

Faccio per insultarla, ma lei prosegue imperterrita: «Lo è anche Lillian, perciò non offenderti. Ha bisogno di affetto, lo sai bene. Ma sai qual è il lato positivo di una ragazza che ha bisogno di affetto?» Mi rivolge un ghigno d'intesa. «A parte la frequenza del sesso, ovviamente…»

«Arriva al punto.» Tessa ha le guance arrossate e guarda divertita le donne che ballano sul bancone. Da un momento all'altro mi vedrà.

«Il lato positivo è che hanno bisogno di noi, ma non solo nel senso che pensi tu. Hanno bisogno del nostro sostegno, ogni tanto. Lillian era così impegnata a tentare di… salvarmi, o non so cosa volesse fare… che sacrificava le sue esigenze per soddisfare le mie. Insomma, mi sono anche dimenticata il suo compleanno. Non facevo niente per lei. Pensavo di sì, perché stavo con lei e ogni tanto le dicevo che la amavo, ma non era abbastanza.»

Un brivido mi corre giù per la schiena. Guardo Riley scolare il primo dei due bicchieri. «Ma adesso state di nuovo insieme, no?»

«Sì, ma solo perché le ho dimostrato che può fare affidamento su di me, e che non sono più la stronza che ero quando mi ha conosciuta.» Lancia un'occhiata a Tessa, poi torna a guardare me. «Hai presente quella frase che le ragazze stupide postano sempre online? Dice, più o meno: 'Mentre tu stai…' 'Se tu non…' Merda, non me la ricordo. Ma in pratica dice che devi trattare bene la tua ragazza, altrimenti la tratterà bene qualcun altro.»

«Non la tratto male.» *Non sempre, almeno.*

Fa una risatina incredula. «E dai, ammettilo. Neanch'io sono una santa. Non tratto Lillian come dovrei, ma almeno me ne rendo conto. Neghi la verità a te stesso se dici che non la tratti di merda. Se fosse vero, ora lei non starebbe seduta laggiù con quel cretino, che è l'esatto opposto di te ed è anche un bel ragazzo.»

Non posso darle torto: ha ragione su quasi tutto. Non tratto sempre male Tessa, solo quando mi fa arrabbiare. Come adesso.

E prima.

«Ti sta guardando», mi dice Riley, e mi si gela il sangue nelle vene. Giro lentamente la testa.

Tessa mi punta addosso uno sguardo di fuoco. Non si muove, non batte neppure le palpebre: la sua espressione passa in un istante dallo stupefatto al furioso.

«È incazzata nera», ridacchia la mia vicina. Mi trattengo a stento dal rovesciarle in testa il contenuto del secondo bicchiere.

«Sta' zitta», borbotto. Prendo il bicchiere e vado da Tessa.

Il suo stupido cameriere è ancora al bancone quando la raggiungo.

«Ehi, non mi aspettavo di trovarti qui, in un bar, a bere con un'altra ragazza. Che sorpresa!» esclama in tono sarcastico.

«Cosa ci fai qui?» le chiedo avvicinandomi.

Si tira indietro. «E tu?»

«Tessa», la avverto, ma lei fa un'espressione esasperata.

«Non stasera, Hardin. Non ci sperare.» Si alza e si tira giù il vestito sulle cosce.

«Non piantarmi in asso.» Lo dico nel tono di un ordine, ma in realtà è una preghiera. Tento di prenderla per un braccio, ma lei si scosta.

«Perché no? È quello che fai sempre tu con me.» Lancia un'altra occhiataccia a Riley. «Siamo entrambi qui con un'altra persona.»

Scuoto la testa. «No, cazzo. Quella è la ragazza di Lillian.»

Le sue spalle si rilassano all'istante. «Ah.» Mi guarda negli occhi e si morde il labbro.

«Ora dobbiamo andarcene.»

«Allora vattene.»

«Io e te», preciso.

«Non vado da nessuna parte, a meno che non sia un posto più divertente di questo, dato che qui ci sei tu, e quando sono con te non mi diverto mai. Sei un guastafeste, ecco cosa sei. Dovrei farti stampare un distintivo da attaccare alla giacca: squadra guastafeste.» Scoppia a ridere.

Merda, è ubriaca fradicia.

«Quanto hai bevuto?» grido sopra la musica. Pensavo che il volume si sarebbe abbassato, ma a quanto pare le ballerine stagionate stanno concedendo il bis.

Fa spallucce. «Non lo so. Qualche bicchiere, più questo.» Mi toglie il bicchiere dalle mani e lo posa sul tavolo.

«Non berlo. Hai già bevuto troppo.»

«Cos'è quel rumore?» Si porta una mano all'orecchio. «È la sirena del Pronto intervento guastafeste? *Uii, uii, uii!*» Fa il broncio come una bambina, poi ride di nuovo. «Se sei qui per rovinarmi la serata, vattene pure a casa.» Si porta il bicchiere alle labbra e beve tre lunghi sorsi. Ha bevuto mezzo bicchiere in pochi secondi.

«Starai male», le dico.

«Bla, bla, blaaa», mi fa il verso, accompagnandosi con ampi movimenti della testa. Guarda alle mie spalle e fa un sorrisetto. «Conosci già Robert, vero?»

Lo stronzo spunta accanto a me con un bicchiere in ciascuna mano.

«Piacere di rivederti», dice con un mezzo sorriso. Ha gli occhi rossi. È ubriaco anche lui.

Si è approfittato di lei? L'ha baciata?

Faccio un respiro profondo. *Suo padre è lo sceriffo. Suo padre è lo sceriffo. Suo padre è lo sceriffo.*

Suo padre è lo stupido sceriffo di questo buco di città.

«Vattene», gli dico, guardando Tessa.

Lei sbuffa. Mi ero dimenticato di quanto coraggio le infonde l'alcol. «Non andartene», interviene, e lui torna a sedersi al tavolo. «Non devi tornare dalla tua accompagnatrice?»

«No. Andiamo a casa.» Trattengo a stento la rabbia. In qualsiasi altra circostanza, a quest'ora la faccia di Robert sarebbe stampata sul tavolo.

«Quella non è casa nostra, siamo a ore di viaggio da casa.» Finisce di bere il bicchiere che mi ha sottratto, e poi mi punta addosso uno sguardo in cui, non so come, si mescolano odio, coraggio indotto dall'alcol e indifferenza. «A dire il vero, da lunedì prossimo non avrò più una casa, grazie a te.»

47
Tessa

HARDIN dilata le narici e cerca di trattenere la rabbia. Guardo Robert, che sembra un po' a disagio benché non sia affatto intimidito.

«Se cerchi di farmi arrabbiare, ci stai riuscendo», afferma Hardin.

«No, è solo che non voglio andarmene.» E proprio mentre la musica si interrompe di colpo, grido: «Voglio bere, essere giovane e divertirmi!»

Tutti si girano nella mia direzione. Non so cosa farmene di quelle attenzioni, quindi agito nervosamente una mano in aria. Qualcuno fa un fischio di approvazione, e metà del bar alza i bicchieri in un brindisi. Poi la gente riprende a chiacchierare, la musica ricomincia e Robert ride.

Hardin mi incenerisce con lo sguardo. «Mi sembra chiaro che hai bevuto abbastanza.»

«Ti do una notizia, Hardin: sono adulta», ribatto in tono infantile.

«Porca miseria, Tessa!»

«Forse è meglio che io vada…» fa Robert alzandosi.

«Ovviamente», risponde Hardin, e nello stesso istante io dico: «No».

Ma poi mi guardo intorno e sospiro. Stavo passando una bella serata con Robert, ma so che Hardin resterà qui a cercare di cacciarlo a suon di insulti, minacce e chissà cos'altro. In effetti, è meglio che se ne vada.

«Scusa. Vado io, tu resta pure.»

«No, no, non preoccuparti», mi dice lui scuotendo la testa. «Ho avuto una giornata lunga, comunque.» È sempre così calmo e rilassato, è davvero una ventata d'aria fresca nella mia vita.

«Ti accompagno fuori», propongo. Non so se lo rivedrò mai più, e stasera è stato molto gentile con me.

«No, non lo accompagni», interviene Hardin, ma non gli do ascolto e seguo Robert fuori. Quando mi giro, vedo che Hardin si appoggia al tavolo e chiude gli occhi. Spero che stia facendo lunghi respiri, perché stasera non sono in vena di sopportarlo.

Una volta fuori, mi scuso con Robert: «Mi dispiace davvero. Non sapevo che Hardin fosse qui. Volevo solo passare una bella serata».

Lui sorride e si china per guardarmi meglio negli occhi. «Ti ricordi quando ti ho detto che dovevi smetterla di chiedere scusa?» Tira fuori dalla tasca un bloc notes e una penna. «Non mi aspetto niente, ma se un giorno ti annoi e sei da sola a Seattle, chiamami. Oppure no. Come preferisci.» Scrive qualcosa e mi porge il foglio.

«Okay.» Non voglio fare promesse che non potrei mantenere, quindi mi limito a sorridere e infilo il foglietto nella scollatura. «Scusa!» esclamo quando mi rendo conto del mio gesto imbarazzante.

«Basta con le scuse!» esclama ridendo. «E soprattutto non scusarti per questo!» Guarda verso l'ingresso del bar e poi dall'altra parte, nel buio. «Be', ora vado. Mi ha fatto piacere conoscerti, magari ci rivediamo?»

Faccio cenno di sì e sorrido mentre lo guardo andare via.

«Fa freddo qui fuori», dice Hardin alle mie spalle, facendomi sobbalzare.

Sbuffando lo oltrepasso per rientrare nel bar. Il tavolo a cui ero seduta è stato occupato da un uomo calvo con un enorme boccale di birra. Prendo la borsa dallo sgabello accanto al suo e lui mi lancia un'occhiata inespressiva. O per meglio dire, la lancia sulle mie tette.

Hardin è dietro di me. Di nuovo. «Andiamocene, per favore.»

Mi avvicino al bancone. «Mi lasci un metro di spazio, gentilmente? Non ho voglia di stare con te, al momento. Mi hai detto cose molto brutte», gli ricordo.

«Sai che non parlavo sul serio», si difende, cercando di guardarmi negli occhi, ma io non ci casco.

«Non per questo hai il diritto di dirle.» La ragazza – la fidanzata di Lillian – è ancora seduta al bancone e ci sta osservando. «Non voglio parlarne adesso. Stavo passando una bella serata e ti proibisco di rovinarmela.»

Mi si pianta davanti, coprendomi la visuale sulla ragazza. «Perciò non mi vuoi qui?»

Il dolore che leggo nei suoi occhi mi spinge a fare marcia indietro. «Non dico questo, ma se hai intenzione di ripetermi che non mi ami e che mi usi solo per il sesso, è meglio se te ne vai. Oppure me ne vado io.» Mi sto sforzando di restare allegra per non abbandonarmi al dolore e alla frustrazione.

«Sei stata tu a cominciare, quando sei venuta qui con lui... ubriaca, per giunta...»

Sospiro. «Rieccoci.» Hardin è il re dei due pesi e due misure. E la dimostrazione sta giusto venendo verso di noi.

«La piantate, voi due? Siamo in un luogo pubblico», ci interrompe la bella ragazza con cui era seduto Hardin.

«Non ora», sbotta lui.

«Vieni, ossessione di Hardin. Andiamo a sederci al bancone», fa lei, senza degnarlo di uno sguardo.

Sedermi a un tavolo e farmi portare da bere è un conto, ma sedermi al bancone e ordinare è cosa ben diversa. «Non ho ancora ventun anni», la informo.

«Oh, per favore. Con quel vestito addosso ti serviranno senza fiatare.» Mi fissa il petto e io tiro un po' su la scollatura.

«Se mi cacciano è colpa tua», le dico, e lei scoppia a ridere.

«Ti pagherò la cauzione.» Mi fa l'occhiolino, e accanto a me Hardin si irrigidisce e la guarda con aria minacciosa. Mi viene da ridere: è tutta la sera che cerca di farmi ingelosire con Lillian, e ora è geloso perché la ragazza di Lillian mi strizza l'occhio.

Questo infantilismo è irritante: lui è geloso, io sono gelosa, la vecchia barista è gelosa, tutti sono gelosi. Nello stato in cui mi trovo è anche un po' divertente, ma resta comunque fastidioso.

«Mi chiamo Riley, a proposito.» Si siede in fondo al bancone. «Scommetto che quel maleducato del tuo ragazzo non ci avrebbe presentate.»

Mi volto verso Hardin, aspettandomi che la insulti: ma si limita a guardarla male, che per lui è una dimostrazione di grande autocontrollo. Tenta di sedersi tra di noi, ma io gli poso una mano sul braccio per issarmi sullo sgabello. Non dovrei toccarlo, ma voglio sedermi qui e godermi l'ultima sera di questa minivacanza che si è trasformata in un disastro. Hardin ha scacciato il mio nuovo amico, e a quest'ora Landon probabilmente dormirà.

Non avrei altro da fare che tornare a casa e starmene da sola. Trattenermi al bar mi sembra la scelta migliore.

«Cosa ti preparo?» mi chiede una barista dai capelli rossi con un giacchino di jeans.

«Prendiamo tre shot di whisky, freddi», risponde Riley al posto mio.

La donna mi osserva per qualche secondo e il cuore inizia a battermi all'impazzata. «Subito», dice infine, e ci piazza davanti tre bicchierini da shot.

«Non volevo bere. Ho bevuto un solo bicchiere prima che arrivassi tu», mi bisbiglia Hardin all'orecchio.

«Bevi quello che vuoi, come faccio io», replico senza degnarlo di uno sguardo. Ma dentro di me prego che non si ubriachi troppo. Non riesco mai a prevedere come si comporterà.

«Vedo», mi dice in tono di rimprovero.

Gli lancio un'occhiataccia, ma finisco per soffermarmi sulla sua bocca. Osservare i movimenti delle sue labbra mentre parla è uno dei miei passatempi preferiti.

Forse ha notato che mi sono un po' ammorbidita, e mi chiede: «Sei ancora arrabbiata con me?»

«Sì, molto.»

«Allora perché ti comporti come se non lo fossi?» Le sue labbra si muovono ancora più lentamente. Devo scoprire il nome di quel vino: era molto buono.

«Te l'ho già detto, voglio divertirmi», ripeto. «E tu sei arrabbiato con me?»

«Lo sono sempre.»

Ridacchio. «È proprio vero.»

«Cos'hai detto?»

«Niente.» Sfodero un sorriso innocente e lo guardo massaggiarsi la nuca.

Arriva il liquore, e Riley alza il bicchiere per brindare a me e

Hardin. «Alle relazioni disfunzionali e semipsicotiche.» Ghigna e svuota il bicchiere in un sorso.

Hardin fa lo stesso.

E anch'io faccio un bel respiro e accolgo il bruciore freddo del whisky.

«Un altro!» esclama Riley, posandomi davanti ancora un bicchierino.

«Non so se ce la faccio», biascico. «Non ero mai… mai stata così ubriaca, mai mai mai.»

Il whisky ha ufficialmente preso residenza nel mio cervello e non ha intenzione di andarsene molto presto. Hardin è al quinto shot, io ho perso il conto dopo il terzo, e Riley ormai dovrebbe essere pronta per la lavanda gastrica.

«Questo whisky è proprio buono», osservo, infilando la lingua nel bicchierino ghiacciato.

Hardin ride, e io mi appoggio alla sua spalla e poso la mano sulla sua coscia. I suoi occhi seguono quel movimento e io tolgo la mano all'istante. Non dovrei fingere che non sia successo niente, ma è più facile a dirsi che a farsi. Tanto più perché sono ubriaca e Hardin è bellissimo con quella camicia bianca. Ai nostri problemi penserò domani.

«Vedi, bastava un po' di whisky per rilassarsi.» Riley sbatte il bicchiere vuoto sul bancone e io sghignazzo.

«Che c'è?»

«Tu e Hardin siete uguali.»

«Non è vero», si intromette lui, parlando lentamente come fa sempre quando ha bevuto. Anche Riley parla così.

«Sì, invece, è come vederti allo specchio.» Rido di nuovo. «Lillian lo sa che sei qui?» le chiedo.

«No, dorme.» Si lecca le labbra. «Ma la sveglierò quando torno.»

Il volume della musica si alza di nuovo e la donna dai capelli rossi sale sul bancone per la terza o la quarta volta.

«Di nuovo?» Hardin fa una smorfia e io rido.

«A me sembra divertente.» In questo momento mi sembra tutto divertente.

«A me sembra uno schifo, e ricominciano ogni mezz'ora.»

«Dovresti salirci anche tu», fa Riley dandomi di gomito.

«Salire dove?»

«Sul bancone. Dovresti ballare sul bancone.»

Scuoto la testa e rido. E arrossisco. «Neanche morta!»

«E dai, prima hai detto che vuoi essere giovane e divertirti. Adesso ne hai l'occasione: balla sul bancone.»

«Non so ballare.» È vero: a parte i balli lenti ho ballato una sola volta in vita mia, in quella discoteca a Seattle.

«Nessuno ci farà caso, sono ancora più ubriachi di te.» Mi guarda con aria di sfida.

«No, cazzo», sbotta Hardin.

Malgrado i fumi dell'alcol, mi ricordo una cosa: ho deciso che non gli permetterò più di darmi ordini.

Senza parlare slaccio gli scomodi cinturini alla caviglia e lascio cadere a terra le scarpe con i tacchi alti.

Hardin mi osserva sconcertato mentre mi arrampico sullo sgabello e da lì sul bancone. «Cosa stai facendo?» Si alza e si gira a guardare i pochi clienti rimasti, che hanno iniziato ad applaudire. «Tess…»

Il volume della musica si alza e la cameriera che ci ha serviti mi sorride e mi porge la mano. «Conosci qualche ballo western, tesoro?» grida.

Scuoto la testa: improvvisamente mi sento insicura.

«Ti insegno io!»

Cosa mi è venuto in mente? Volevo solo dimostrare qualcosa a Hardin, e guarda dove sono finita: su un bancone a ballare chissà cosa. Non so neppure cosa siano i balli western. Se avessi saputo che sarei salita qui sopra, mi sarei preparata meglio e avrei osservato come ballavano le altre.

48
Hardin

RILEY guarda Tessa, in piedi sul bancone davanti a lei. «Caspita, non pensavo che l'avrebbe fatto davvero!» mi dice.

Neanch'io lo pensavo, ma a quanto pare stasera ha deciso di farmi arrabbiare.

«È proprio scatenata», commenta Riley.

«No, non è fatta così», mormoro. Tessa è in chiaro imbarazzo, evidentemente si è già pentita della sua decisione impulsiva. «La aiuto a scendere.» Alzo una mano, ma Riley me la abbassa subito.

«Lasciala fare.»

Torno a guardare Tessa. La donna che ci ha servito da bere le sta parlando, ma non capisco cosa dice. È assurdo che si metta a ballare su un bancone con un vestito così corto. Se mi sporgessi, potrei vedere sotto la sua gonna. Mi viene in mente che probabilmente Riley sta già sbirciando. Mi guardo intorno e per fortuna nessuno degli altri uomini al bancone si è girato verso di lei. Non ancora.

Tessa osserva la donna accanto a lei con espressione concentrata: l'esatto opposto di quel suo improvviso desiderio di scatenarsi. Cerca di imitare i movimenti dell'altra: scalcia una gamba, poi l'altra, poi ancheggia velocemente.

«Siediti e goditi lo spettacolo», mi dice Riley, prendendo uno dei suoi bicchieri di riserva.

Sono ubriaco, ma i movimenti sensuali di Tessa mi restituiscono un'improvvisa lucidità: si mette le mani sui fianchi e finalmente sorride, non le importa più che tutti la guardino. Quando incrocia il mio sguardo perde il ritmo per un momento, ma poi si riprende e si gira dall'altra parte.

«Sexy, eh?» sorride Riley portandosi il bicchiere alle labbra.

Sì, ovviamente guardare Tessa che balla sul bancone è sexy da impazzire, ma mi fa anche infuriare. Non dovrei divertirmi così tanto, dovrei essere irritato dal suo bisogno costante di sfidarmi. Ma non riesco più a pensare.

Il vestito che le sale sulle cosce, il modo in cui si tiene i capelli con una mano e ride mentre cerca di stare al passo con l'altra donna... adoro vederla così spensierata. Non capita molto spesso che rida in quel modo. Un velo di sudore le fa risplendere la pelle sotto le luci alogene del bancone. Mi scosto dal collo la ridicola camicia che indosso.

«Oh-oh», fa Riley.

«Che c'è?» Mi riscuoto dalla trance e seguo il suo sguardo lungo il bancone. Due uomini fissano Tessa con gli occhi che rischiano di schizzare fuori dalle orbite, così come il mio cazzo rischia di schizzare dai pantaloni.

L'abito di Tessa è risalito pericolosamente sulle cosce: ogni volta che ballando alza una gamba, la gonna si solleva un po' di più.

È ora di finirla.

«Vacci piano, killer», dice Riley. «La canzone sta per...» Alza una mano e la agita in aria. La musica si ferma. «...Finire.»

49
Tessa

HARDIN mi porge la mano per aiutarmi a scendere. Mi stupisco: a giudicare dal muso che ha tenuto per tutto il tempo mi aspettavo che gridasse, o peggio ancora che mi trascinasse giù dal bancone e scatenasse una rissa con tutti i clienti del bar.

«Vedi, nessuno ha notato che sei una pessima ballerina!» ride Riley.

Mi siedo sul bancone. «Mi sono divertita un sacco!» grido, mentre la musica si ferma di nuovo. Salto giù e Hardin mi cinge protettivo con un braccio finché è sicuro che mi regga in piedi da sola.

«Dovresti ballare tu, la prossima volta», gli dico all'orecchio.

Scuote la testa e sentenzia, in tono solenne: «No».

«Non fare il broncio, non ti dona.» Gli sfioro le labbra. Invece gli dona eccome. A quel contatto gli brillano gli occhi. Il battito del mio cuore accelera e sento una scarica di adrenalina: mai in vita mia avrei pensato di fare una cosa del genere. È stato divertente, ma so che non lo farò mai più. Hardin si siede sullo sgabello e io resto in piedi tra lui e Riley.

«Ti piace.» Sorride sotto le mie dita, ancora posate sulle sue labbra.

«La tua bocca?» chiedo con un sorrisetto.

Scuote la testa. È spiritoso ma serissimo allo stesso tempo: una miscela inebriante. Sono inebriata. Le cose si stanno facendo interessanti.

«No, farmi incazzare. Adori farmi incazzare», precisa in tono secco.

«No, sei tu che ti incazzi troppo facilmente.»

«Stavi ballando sul bancone davanti a tutto il bar.» Il suo viso è a pochi centimetri dal mio, il suo fiato profuma di menta e whisky. «È ovvio che non mi stia bene, Tessa. Accontentati del fatto che non ti ho tirata giù di lì, caricata in spalla e portata via.»

«In spalla, non sulle gambe?» sussurro guardandolo negli occhi.

«Cosa?...» balbetta completamente spiazzato.

Rido e mi giro verso Riley. «Non ci cascare, gli è piaciuto molto», bisbiglia lei, e io annuisco. Mi si stringe lo stomaco all'idea che Hardin mi guardasse, ma cerco di scacciare quel pensiero indecente. Dovrei insultarlo perché ha sabotato i miei progetti per Seattle, di nuovo, o per le parole piene di odio che mi ha rivolto, ma è quasi impossibile arrabbiarmi quando sono così ubriaca.

Mi concedo di fingere che nessuna di quelle cose sia successa, almeno per ora, e di immaginare che io e Hardin siamo una coppia normale uscita a bere qualcosa con un'amica. Niente bugie, niente litigi, solo una bella serata trascorsa a ballare sui tavoli.

«Non riesco a credere di averlo fatto davvero!» dico a entrambi.

«Neanch'io», borbotta Hardin.

«Non lo rifarò più, questo è sicuro.» Mi passo la mano sulla fronte. Sono sudata: nel bar fa caldo e non c'è ossigeno.

«Che succede?» chiede Hardin.

«Niente, ho caldo», rispondo sventolandomi con la mano.

«Andiamo, allora, prima che tu svenga.»

«No, voglio restare un altro po'. È uno sposso... spasso, cioè.»

«Non riesci neanche a formulare una frase di senso compiuto.»

«E allora? Magari non la voglio formulare. Rilassati o vattene.»

«Tu...» inizia, ma gli tappo la bocca con la mano.

«Shhh… zitto, per una volta. Divertiamoci.» Con l'altra mano gli do una strizzatina alla coscia.

«E va bene», bofonchia sulla mia mano.

Gliela scosto dalla bocca di pochi centimetri, pronta a zittirlo di nuovo.

«Ma non ballare più sul bancone.»

«Va bene, e tu non tenermi più il muso.»

Sorride. «Va bene.»

«Smettila di dire 'va bene'», dico soffocando un sorriso.

«Va bene.»

«Sei… annoiante.»

«Annoiante? Cosa direbbero i tuoi professori di quest'uso della grammatica?» Gli occhi di Hardin sono di un color giada profondo, accesi dal divertimento, iniettati di sangue per l'alcol.

«A volte sei buffo», commento appoggiandomi a lui.

Mi cinge in vita e mi tira fra le sue gambe. «A volte?» Mi dà un bacio sui capelli e io mi rilasso all'istante.

«Sì, solo a volte.»

Sghignazza e non mi lascia andare. Non penso di volere che mi lasci andare. Dovrei, ma non lo voglio. È ubriaco e di buonumore, e l'alcol che ho in corpo mi fa perdere il buonsenso… come sempre.

«Ma guarda un po' come andate d'accordo», ci canzona Riley.

«È così irritante», sbuffa Hardin.

«Separati alla nascita», dico ridendo, e lui scuote la testa.

«Stiamo per chiudere!» annuncia la mia nuova amica da dietro il bancone. Nell'ultima ora ho scoperto che si chiama Cami, che ha quasi cinquant'anni e che da poco è nato il suo primo nipotino. Mi ha mostrato delle foto, come ogni nonna degna di questo nome, e io le ho detto che il bambino è molto bello. Hardin ha lanciato un rapido sguardo alle foto e ha iniziato a mormorare qualcosa sugli gnomi, quindi gliele ho tolte da sotto il naso prima che Cami sentisse.

Ondeggio sullo sgabello. «Un altro e poi basta.»

«Non capisco come tu non sia ancora svenuta!» esclama Riley ammirata.

Lo capisco io: Hardin mi toglie ogni bicchiere quando è a metà, e lo finisce lui.

«Tu hai bevuto più di tutti, forse anche pù di *lllui*...» biascico indicando un uomo lì accanto, riverso sul bancone con la testa appoggiata sulle braccia. «Peccato che non sia venuta anche Lillian», dico.

Hardin fa una smorfia. «Mi pareva che la odiassi, no?» fa, e Riley si gira subito verso di me.

«Non la odio. Non mi piaceva quando cercavi di farmi ingelosire parlando con lei.»

Riley si irrigidisce e guarda Hardin. «Cosa?»

Merda.

«Eh no, non tirarti indietro proprio adesso, tesoro», insiste.

Sono in trappola, e sono ubriaca, e non so che cavolo dire. Non voglio farla arrabbiare, questo è certo.

«Niente», le risponde Hardin. «Sono un idiota e non ho detto a Tessa che lei è gay. Lo sapevi già.»

«Oh, okay», fa lei rilassando le spalle.

Accidenti, è proprio uguale a lui.

«Vedi, non è successo niente, quindi sta' calma», la tranquillizza Hardin.

«Sono calmissima, credimi», cinguetta, e avvicina lo sgabello al mio. «Non c'è niente di male a essere un po' gelosi, no?» Mi guarda con una scintilla negli occhi annebbiati dall'alcol. «Hai mai baciato una ragazza, Tessa?»

Sento un formicolio sul cuoio capelluto e resto interdetta. «Cosa?»

«Riley, ma che…» inizia Hardin, ma lei lo interrompe.

«Le sto solo facendo una domanda. Hai mai baciato una ragazza?»

«No.»

«Ci hai mai pensato?»

Ubriaca o no, mi sento arrossire. «Io…»

«Con le ragazze è molto meglio, fidati. Sono morbide.» Mi posa una mano sul braccio. «Sanno esattamente cosa vuoi… e dove.»

Hardin prende la sua mano e me la toglie di dosso. «Basta così», ringhia, e io tiro via il braccio.

Riley ride a crepapelle. «Scusa! Scusa! Non ho resistito. Ha cominciato lui.» Accenna con il capo a Hardin, poi smette di ridere e lo guarda con un gran sorriso. «Ti avevo avvertito di non scherzare con me.»

Respiro, sollevata che cercasse solo di far arrabbiare Hardin. Mi viene da ridere, e Hardin sembra umiliato, irritato e… forse un po' intrigato.

«Paghi tu da bere, dato che rompi tanto le scatole», dice porgendole il conto.

Riley sbuffa, tira fuori una carta di credito e la posa sopra il conto. Cami la striscia nella macchinetta e va a occuparsi del cliente svenuto dall'altra parte del bancone.

Mentre usciamo, la nostra nuova amica annuncia: «Be', abbiamo fatto chiusura: Lil sarà infuriata».

Hardin tiene aperta la porta per me e quasi la sbatte in faccia a Riley. Allungo un braccio per fermare la porta e lo fulmino con un'occhiata. Lui ride e si stringe nelle spalle con aria innocente. Non riesco a trattenere un sorriso. È un idiota, ma è il mio idiota.

O no?

Non c'è niente di sicuro, ma non voglio pensarci adesso, alle due di notte.

«Dormirà ancora?»

«Lo spero vivamente.»

Mi auguro che dormano tutti anche a casa nostra. Non voglio certo che Ken o Karen ci vedano entrare in questo stato.

«Che c'è? Hai paura che ti sgridi?» la canzona Hardin.

«No... be', sì. Non voglio farla arrabbiare. Sono già su un terreno delicato.»

«Perché?» chiedo, da autentica impicciona.

«Non importa», interviene Hardin, lasciando Riley smarrita nei suoi pensieri.

Percorriamo in silenzio il resto del tragitto. Conto i passi e ogni tanto scoppio a ridere ricordando quando ho ballato sul bancone.

Arrivati a casa di Max, Riley esita prima di salutarci. «È stato... un piacere conoscerti», dice. Fa una smorfia buffissima, come se pronunciare quelle parole fosse doloroso.

«Anche per me, mi sono divertita.» Per un attimo penso di abbracciarla, ma sarebbe imbarazzante e penso che Hardin non gradirebbe.

«Ciao», la saluta lui semplicemente, senza fermarsi.

Quando siamo vicini a casa, mi rendo conto di quanto sono stanca e di quanto sono contenta di essere quasi arrivata. Ho male ai piedi, e la stoffa ruvida del vestito mi graffia la pelle.

«Mi fanno male i piedi», piagnucolo.

«Vieni, ti porto in braccio», si offre Hardin.

Cosa? Ridacchio.

Fa un sorriso incerto. «Perché mi guardi così?»

«Ti sei offerto di portarmi in braccio.»

«E allora?»

«Non è da te.»

Si avvicina, mette un braccio dietro le mie ginocchia e mi tira su. «Farei qualsiasi cosa per te, Tessa. Non dovresti stupirti se ti porto in braccio nel vialetto.»

Scoppio in una risata incontrollabile, che mi scuote in tutto il corpo. Mi copro la bocca ma non riesco a fermarmi.

«Perché ridi?» domanda lui serissimo.

«Non lo so... è divertente.»

Arriviamo in veranda e lui libera una mano con cui aprire la porta. «Ti fa ridere che ti dica che farei qualsiasi cosa per te?»

«Faresti qualsiasi cosa per me... tranne venire a Seattle, sposarmi o fare figli con me?» Malgrado l'ubriachezza riesco a cogliere il paradosso.

«Non cominciamo. Abbiamo bevuto troppo per fare questa conversazione proprio adesso.»

«Ooooh», faccio. Sono infantile, perché so che ha ragione.

Mi porta su per le scale, io gli getto le braccia al collo e lui mi sorride, nonostante tutto.

«Non farmi cadere», sussurro, e lui finge di farmi cadere. Mi aggrappo a lui con le gambe e lancio un gridolino.

«Shhh! Se volessi farti cadere, ti farei cadere dalla cima delle scale.»

Faccio del mio meglio per sembrare scandalizzata. Lui fa un gran sorriso e io gli rispondo con la linguaccia, toccandogli il naso con la punta della lingua.

Tutta colpa del whisky.

In fondo al corridoio si accende una luce, e Hardin si affretta verso la nostra stanza. «Li hai svegliati», dice adagiandomi sul letto. Mi tolgo le scarpe scomodissime e le lascio cadere a terra, massaggiandomi le caviglie.

«Colpa tua», ribatto andando a prendere qualcosa da mettermi per dormire. «Questo vestito mi uccide», aggiungo poi tentando di slacciarlo. Era molto più facile da sobria.

«Aspetta.» Hardin mi scosta la mano. «Ma che cavolo?…»

«Cosa c'è?»

Le sue dita scorrono sulla mia schiena, facendomi venire la pelle d'oca. «Sei tutta rossa, il vestito ti ha lasciato dei segni.» Me lo fa scivolare giù finché cade a terra.

«È molto scomodo.»

«Si vede.» Mi osserva con occhi famelici. «Niente può lasciarti segni; solo io posso.»

Rimango senza parole. I suoi occhi intensi esprimono chiaramente cosa sta pensando.

«Vieni qui.» Si avvicina, vestito di tutto punto, mentre io indosso solo le mutandine.

Scuoto la testa. «No…» So di dovergli dire qualcosa, ma non ricordo cosa. Ricordo a malapena come mi chiamo, quando lui mi fissa così.

«Sì», ribatte.

Indietreggio. «Non voglio fare sesso con te.»

Mi prende per il braccio e con l'altra mano mi tira delicatamente per i capelli per farsi guardare. Sento il suo respiro sul viso, la sua bocca è a un centimetro dalla mia. «E perché no?»

«Perché…» Cerco una risposta, mentre il mio subconscio mi prega di lasciarmi strappare di dosso la biancheria. «Perché sono arrabbiata con te.»

«E allora? Anch'io sono arrabbiato con te.» Le sue labbra mi sfiorano il mento. Ho le gambe molli e i pensieri annebbiati.

«E perché? Non ti ho fatto niente», replico. Le sue mani scorrono sul mio sedere e iniziano a palparlo piano.

«Quel tuo spettacolino sul bancone mi ha mandato in bestia, per non parlare del tuo giretto in città con quel cameriere. Mi hai mancato di rispetto davanti a tutti, restando lì con lui.» Il suo tono è minaccioso, ma le sue labbra scorrono morbide sul mio collo. «Ti voglio così tanto, ti volevo in quel bar: quando ti ho vista ballare in quel modo, volevo portarti in bagno e scoparti contro il muro.» Si spinge contro di me e lo sento duro.

Lo voglio tanto, ma non posso permettergli di scaricare tutta la colpa su di me.

«Tu...» Chiudo gli occhi e mi godo la sensazione delle sue mani su di me, delle sue labbra sulla mia pelle. «Sei tu quello...» Non riesco a formulare un pensiero, e tantomeno una frase. «Smettila.»

Gli prendo le mani e le tiro via da me.

Lui le abbassa lungo i fianchi e domanda: «Non mi vuoi?»

«Certo che ti voglio, ti voglio sempre. Ma... sarei arrabbiata.»

«Puoi esserlo domani», dice con quel suo sorriso irresistibile.

«Ma faccio sempre così... Devo...»

«Shhh...» Mi chiude la bocca con la sua e mi bacia con forza. Le mie labbra si schiudono e lui se ne approfitta, torna a tirarmi i capelli e mi affonda la lingua in bocca, mi stringe a sé più forte possibile.

«Toccami», mi scongiura, prendendomi le mani. Non c'è bisogno che me lo chieda due volte: voglio toccarlo, e lui ha bisogno di essere rassicurato. Ecco come affrontiamo le cose, ed è sbagliato; ma quando lui mi bacia così e mi supplica di toccarlo, non mi sembra affatto sbagliato.

Fatico a sbottonare la sua camicia e lui geme per l'impazienza e se la strappa di dosso, facendo saltare i bottoni.

«Mi piaceva questa camicia», dico senza smettere di baciarlo, e lui sorride.

«Io la odiavo.»

Gliela sfilo dalle spalle e la lascio cadere a terra. Continua a baciarmi lentamente e io mi sciolgo tra le sue braccia. È un bacio intenso ma incredibilmente dolce, nel quale percepisco la rabbia e la frustrazione, anche se lui fa del suo meglio per nasconderle. Si nasconde sempre, lui.

«So che presto mi lascerai», dice, ricominciando a baciarmi sul collo.

«Cosa?» Mi tiro indietro, sorpresa e confusa.

Il mio cuore soffre per lui, l'alcol mi rende ancora più sensibile alle sue emozioni. Lo amo, lo amo tantissimo, ma mi fa sentire così debole, così vulnerabile. Appena permetto a me stessa di credere che sia preoccupato, triste o depresso, tutte le mie emozioni si concentrano solo su di lui, e finisco per trascurare me stessa.

«Ti amo tanto», bisbiglia, sfiorandomi le labbra con il pollice. Il suo petto nudo è statuario sopra i jeans neri, e io so di essere alla sua mercé.

«Hardin, cosa...»

«Parliamone dopo. Voglio sentirti.» Mi guida verso il letto, e io cerco di ignorare la mente che mi grida di bloccarlo, di non cedergli. Non ho la forza di fermarmi quando le sue mani accarezzano le mie cosce divaricandole leggermente, quando mi stuzzica facendo scorrere un dito sulle mie mutandine.

«Preservativo», ansimo.

Mi guarda negli occhi. «E se non lo usiamo? Se venissi dentro, tu non...»

Ma si ferma, e ne sono felice. Non penso di essere pronta per ciò che stava per dire. Si sposta e raggiunge la valigia posata a terra. Mi sdraio a guardare il soffitto, cercando di fare ordine tra i pensieri. *Ho davvero bisogno di Seattle? Seattle è abbastanza importante perché valga la pena di perdere Hardin?* Il dolore che mi assale a quel pensiero è quasi intollerabile.

«Mi prendi in giro?» dice all'improvviso.

Mi alzo a sedere e vedo che ha un pezzo di carta in mano.

«Che cazzo è questo?» chiede fissandomi.

«Cosa?» Guardo a terra: il mio vestito è sul parquet insieme alle scarpe. Sono confusa, ma poi guardo meglio. *Merda.* Scendo subito dal letto e cerco di strappargli il foglietto di mano.

«Non fare l'ingenua. Ti sei fatta dare il suo numero, cazzo?» Tiene il foglio sopra la testa per impedirmi di raggiungerlo.

«Non è come pensi, ero arrabbiata e lui…»

«Stronzate!» grida.

Ecco, ci risiamo. Conosco quello sguardo: ricordo ancora la prima volta che l'ho visto sul suo viso. Stava rovesciando la credenza a casa di suo padre, i lineamenti distorti dalla rabbia. «Hardin…»

«Accomodati, chiamalo pure. Fatti scopare da lui, perché io non ti scopo di sicuro.»

«Non esagerare.» Sono troppo ubriaca per strillare come lui.

«Esagerare? Ho appena trovato il numero di un altro nel tuo vestito», sibila.

«Neanche tu sei innocente», osservo mentre lui inizia a camminare avanti e indietro nella stanza. «Risparmia il fiato. Non ne posso più di litigare tutti i santi giorni», sospiro.

«Sei tu!» accusa puntandomi un dito addosso. «Sei tu quella che mi fa infuriare tutti i giorni; è colpa tua se sono così, e lo sai!»

«No, non è vero!» esclamo tentando di tenere la voce bassa. «Non puoi incolparmi di tutto. Entrambi facciamo errori.»

«No, li fai tu. Ne fai un mucchio, e io sono stufo.» Si strattona i capelli. «Pensi che mi piaccia essere così? No, cazzo, non mi piace. Sei tu a ridurmi così!»

Resto in silenzio.

«Coraggio, piangi», dice sarcastico.

«Non piangerò.»

«Oh, che sorpresa!» fa il gesto di applaudire, con l'intenzione di offendermi.

Rido. E lui si ferma.

«Perché ridi?» Mi fissa in silenzio per un momento. «Rispondimi.»

Scuoto la testa. «Sei irrecuperabile. Sei una causa persa, cazzo.»

«E tu sei una stronza egoista. Ora dimmi qualcosa che non so.»

Smetto di ridere e mi alzo dal letto senza aggiungere altro, senza versare una lacrima. Prendo una maglietta e un paio di pantaloncini, li infilo in fretta.

«Dove pensi di andare?» mi chiede.

«Lasciami in pace.»

«No, vieni qui.» Mi si avvicina e mi prende per un braccio. Vorrei tanto schiaffeggiarlo ma so che me lo impedirebbe.

«Toglimi le mani di dosso!» ordino strattonando il braccio. «Ne ho abbastanza di questo tira e molla. Sono stanca, non ce la faccio più. Tu non mi ami, tu vuoi possedermi: ma non te lo permetterò.» Guardo nei suoi occhi di un verde brillante. Li fisso intensamente e affermo: «Sei malato, Hardin, e io non posso curarti».

In quel momento capisce cosa mi ha fatto e cosa ha fatto a se stesso. Resta di fronte a me come svuotato, senza più emozioni. Affloscia le spalle, mi guarda con occhi che non brillano più e vede un viso inespressivo quanto il suo. Non mi resta altro da dire, e a lui non rimane altro da spezzare dentro di me o dentro se stesso; dal modo in cui è impallidito deduco che finalmente l'ha capito anche lui.

50
Tessa

LANDON apre la porta e si stropiccia gli occhi. Indossa solo i pantaloni del pigiama.

«Posso dormire qui?» gli chiedo. Lui annuisce assonnato e non fa domande. «Scusa se ti ho svegliato», bisbiglio.

«Non fa niente», borbotta e torna barcollando verso il letto. «Ecco, prendi questo, l'altro è piatto», dice porgendomi un cuscino.

Sorrido, me lo stringo al petto e mi siedo sul letto. «Ecco perché ti voglio bene. Be', non solo per questo, ma è uno dei motivi.»

«Perché ti ho dato il cuscino migliore?» Il suo sorriso è ancora più adorabile quando è assonnato.

«No, perché ci sei sempre quando ho bisogno di te... e in più i tuoi cuscini sono morbidi.» Ho una voce strana quando sono ubriaca: parlo molto lentamente.

Landon si sdraia sul letto e si sposta per lasciarmi spazio. «Verrà qui a cercarti?» chiede sottovoce.

«Non penso.» Il momento di allegria è spazzato via dal ricordo del dolore che mi hanno inferto le parole di Hardin.

Mi sdraio sul fianco e guardo Landon, disteso accanto a me. «Ti ricordi quando hai detto che non è una causa persa?»

«Sì.»

«Lo pensi davvero?»

«Sì. A meno che ne abbia combinata un'altra...»

«No, be'... niente di nuovo. È solo che... Non so se ce la faccio più. Continuiamo a fare passi indietro, anziché avanti. Ogni volta che mi sembra che stiamo facendo progressi, ritorna lo stesso Hardin che ho conosciuto sei mesi fa. Mi dà della stronza egoista, in pratica mi dice che non mi ama... e so che non è vero, ma ogni sillaba mi stritola un po' di più, e sto iniziando a capire che è davvero fatto così: non può farci niente, non può cambiare.»

Landon mi guarda pensieroso e contrariato. «Ti ha dato della stronza? Stasera?»

Io annuisco, e lui fa un gran sospiro e si passa una mano sul viso.

«Anch'io gli ho detto cose brutte», singhiozzo. Il fatto di avere mischiato vino e whisky mi tormenterà domani, lo so.

«Non può insultarti così, lui è un uomo e tu sei una donna. Non è mai accettabile, Tessa. Per favore, non trovare giustificazioni al suo comportamento.»

«Non è questo che... è solo...» Ma è proprio quello che sto facendo. Sospiro. «Penso che sia tutta colpa della storia di Seattle. Si è fatto un tatuaggio per me e mi ha confessato che non poteva vivere senza di me, e ora mi dice che mi corre dietro solo per scoparmi. Oddio! Scusa Landon!» Mi nascondo il viso tra le mani. Non mi capacito di quello che ho appena detto.

«Non fa niente... ti ho vista tirare fuori le mutandine dalla vasca idromassaggio, ricordi?» sorride. Spero che la penombra nasconda il mio rossore.

«Questa vacanza è stata un disastro», commento appoggiandomi al cuscino fresco.

«Forse no; forse ne avevate bisogno.»

«Avevamo bisogno di lasciarci?»

«No... Vi siete lasciati?» Mi posa accanto un altro cuscino.

«Non lo so», ammetto affondandoci la faccia.

«È quello che vuoi?» chiede in tono cauto.

«No, ma è quello che *dovrei* volere. Non è giusto per nessuno dei due andare avanti così. Nemmeno io sono innocente, mi aspetto sempre troppo da lui.» Ho ereditato i difetti di mia madre: anche lei nutre sempre aspettative troppo alte nei riguardi di tutti.

«Non c'è niente di male nell'aspettarsi qualcosa da lui, soprattutto se si tratta di cose ragionevoli. Deve capire il valore di ciò che ha. Sei la cosa migliore che gli sia mai successa: deve ricordarselo.»

«Ha detto che è colpa mia... il modo in cui si comporta. Vorrei solo che mi trattasse bene almeno metà del tempo, e voglio un po' di sicurezza nella nostra storia, tutto qui. È patetico.» Mi si incrina la voce, sento ancora sulla lingua il whisky e la menta dell'alito di Hardin. «Andresti a Seattle se fossi nei miei panni? Penso che forse dovrei rinunciare e restare qui, o andare in Inghilterra con lui. Se si comporta così perché vado a Seattle, forse dovrei...»

«Non puoi non andarci», mi interrompe Landon. «Da quando ti ho conosciuta non fai altro che raccontarmi del tuo sogno di andare a Seattle. Se Hardin non vuole venire con te, peggio per lui. E poi gli do una settimana al massimo prima che te lo ritrovi lì, sullo zerbino di casa. Non puoi rinunciare, devi fargli capire che questa volta fai sul serio. Devi lasciare che senta la tua mancanza.»

Sorrido immaginando Hardin che arriva a Seattle una settimana dopo la mia partenza e chiede disperatamente il mio perdono con un mazzo di gigli in mano. «Non ho neppure uno zerbino, lì, perché non ho una casa.»

«È stato lui, vero? È per colpa sua che quella donna non ti richiamava?»

«Sì.»

«Lo sapevo. Gli agenti immobiliari richiamano sempre. Devi partire. Ken ti aiuterà a trovare una sistemazione provvisoria.»

«E se lui non viene a cercarmi? O peggio ancora, se viene e si arrabbia ancora di più perché non gli piace stare lì?»

«Tessa, lo dico solo perché ti voglio bene, okay?» Aspetta una mia reazione, e io faccio sì con la testa. «Saresti pazza se rinunciassi a Seattle per qualcuno che ti ama più di ogni altra cosa ma è disposto a dimostrartelo solo metà del tempo.»

Penso a quando Hardin mi ha detto che sono io a commettere tutti gli errori, che lo spingo a comportarsi in quel modo. «Credi che starebbe meglio senza di me?»

Landon si tira a sedere sul letto. «No, accidenti! No! Ma sapendo che non mi riferisci neppure la metà delle cose orribili che ti dice, forse è vero che non può funzionare.» Mi accarezza lentamente il braccio.

Faccio appello all'alcol che ho nelle vene per consentire a me stessa di ignorare il fatto che Landon, una delle poche persone che credeva nella mia storia con Hardin, ha appena gettato la spugna. «Domani mi sentirò malissimo», dico per cambiare argomento; mi sono ripromessa di non piangere.

«Sì, andrà così. Puzzi come un'osteria.»

«Ho conosciuto la ragazza di Lillian. Continuava a versarmi da bere. Ah, e ho ballato sul bancone del bar.»

«Non è vero!» esclama divertito.

«È vero. Mi sarei sotterrata. È stata un'idea di Riley.»

«Questa Riley sembra una persona interessante.» Sorride, ma poi si accorge che le sue dita scorrono ancora sulla mia pelle. Le tira via e infila il braccio sotto la testa.

«È la versione femminile di Hardin», affermo scoppiando a ridere.

«È vero! Ecco perché l'ho trovata irritante!» scherza lui, e in un momento di follia alcolica mi giro verso la porta, aspettandomi di vedere Hardin che ha sentito l'insulto di Landon e lo guarda storto.

«Mi fai dimenticare tutto», dico sovrappensiero.

«Mi fa piacere.» Il mio migliore amico sorride, prende la coperta in fondo al letto e la stende sopra di noi. Chiudo gli occhi.

Passano vari minuti di silenzio, e la mia mente lotta contro il sonno. Devo tenere gli occhi chiusi e fingere che sia Hardin a respirare accanto a me, altrimenti la mia mente non si arrenderà mai.

Il suo volto arrabbiato e le sue parole crudeli si insinuano nei miei pensieri confusi mentre finalmente mi addormento: Sei una stronza egoista.

«No!»

La voce di Hardin mi sveglia di soprassalto. Mi ci vuole un momento per ricordare che sono in camera di Landon e Hardin è di là, da solo.

«Toglile le mani di dosso!» La sua voce riecheggia in corridoio.

Prima ancora che abbia finito la frase, sono già davanti alla porta.

Deve capire il valore di ciò che ha. Devi fargli capire che questa volta fai sul serio. Devi lasciare che senta la tua mancanza.

Se entro in quella stanza so che gli perdonerò tutto. Lo vedrò vulnerabile e spaventato e dirò ciò che serve per confortarlo.

Con il cuore a pezzi me ne torno a letto e mi copro la testa con il cuscino, mentre un altro «No!» rimbomba nella casa.

«Tessa... sei...» bisbiglia Landon.

«No», rispondo, e mi si incrina la voce. Mordo il cuscino e infrango la promessa: scoppio a piangere. Non per me, ma per Hardin: per il ragazzo che non sa come trattare le persone che ama, il ragazzo che ha gli incubi quando non sono a letto con lui, ma che sostiene di non amarmi. Il ragazzo che ha proprio bisogno di ricordarsi come ci si sente a essere soli.

51
Hardin

NON si fermano, non smettono di toccarla. Le mani sporche e ruvide scorrono sulle sue cosce, e lei piange mentre l'altro uomo la tira con forza per i capelli.

«Lasciatela!» cerco di gridare, ma loro non mi sentono. Provo a muovermi ma sono immobilizzato sulle scale, fin da quand'ero bambino. Lei mi guarda con gli occhi sbarrati, impauriti e... morti, cazzo. Un livido viola si sta già formando sulla guancia.

«Tu non mi ami», sussurra. Continua a guardarmi negli occhi mentre la mano dell'uomo si stringe intorno al suo collo.

Cosa?

«Sì, sì! Ti amo, Tess!» grido, ma lei non mi ascolta.

Scuote la testa mentre l'uomo le stringe più forte il collo e l'altro le infila le mani tra le gambe.

«No!» grido un'ultima volta, e poi lei inizia a dissolversi sotto il mio sguardo.

«Tu non mi ami...» Ha gli occhi iniettati di sangue, e io non posso alzare un dito per aiutarla.

«Tess!» *Allungo il braccio sul letto per cercarla. Appena la tocco questo panico sparirà, portandosi dietro le immagini schifose di quelle mani strette intorno al suo collo.*

Ma non c'è.

Non è tornata. Mi alzo a sedere e accendo la lampada sul comodino. Il cuore mi martella nel petto, e sono in un bagno di sudore.

Lei non c'è.

Qualcuno bussa piano, e trattengo il respiro mentre la porta si apre cigolando. Per favore, fa' che sia...

«Hardin?» È la voce di Karen. *Merda.*

«Sto bene», sbotto, e lei apre di più la porta.

«Se hai bisogno di qualcosa, per favore...»

«Ho detto che sto bene, porca puttana!» con un movimento brusco del braccio scaravento la lampada a terra.

Senza una parola Karen esce dalla stanza e richiude la porta, lasciandomi da solo nel buio.

La testa di Tessa è appoggiata sulle braccia incrociate e posate sul bancone. È ancora in pigiama, i capelli spettinati e raccolti in cima alla testa. «Devo solo prendere un antidolorifico con un po' d'acqua», mugugna.

Landon siede accanto a lei a mangiare i cereali.

«Ti prendo l'acqua. Quando avremo caricato i bagagli in macchina possiamo partire. Ken però è ancora a letto, stanotte ha dormito male», afferma Karen.

Tessa alza la testa e si gira verso di lei in silenzio. So cosa sta pensando: Mi hanno sentita strillare come una cretina?

Karen tira fuori da un cassetto un rotolo di alluminio. Li guardo tutti e tre aspettando che diano cenno di essersi accorti della mia presenza. Nulla.

«Vado a fare i bagagli, grazie mille per la medicina», dice piano Tessa alzandosi. Prende la pastiglia e posa il bicchiere sul bancone, e in quel momento i nostri sguardi si incrociano, ma lei abbassa subito gli occhi.

Ho passato una sola notte senza di lei e già mi manca tantissimo. Non riesco a togliermi dalla testa le immagini orribili di quell'incubo, soprattutto quando lei mi passa accanto senza tradire alcuna emozione. Senza farmi capire che andrà tutto bene.

Quel sogno sembrava così reale, e lei è così fredda.

Esito per un momento, perché non so se seguirla o meno; ma i piedi decidono al posto mio e iniziano a salire le scale. Entrando nella stanza la trovo in ginocchio davanti alla valigia.

«Faccio i bagagli e poi possiamo andare», annuncia senza voltarsi.

«Okay», mormoro. Non so cosa stia pensando, cosa provi, cosa dovrei dire. Non capisco un cazzo, come al solito.

«Mi dispiace», continuo a voce troppo alta.

«Lo so», risponde subito. Mi volta ancora le spalle, sta piegando i miei vestiti.

«Sul serio, non pensavo davvero quello che ti ho detto.» Ho bisogno che mi guardi, che mi rassicuri che è stato solo un sogno.

«Lo so, non preoccuparti.» Sospira, ha le spalle più curve di prima.

«Sei sicura?... Ti ho detto cose tremende.» Sei malato, Hardin, e io non posso curarti: era la cosa peggiore che potesse urlarmi contro. Finalmente ha capito quanto sono ridotto male, e soprattutto capisce che non c'è cura possibile per la mia malattia. Nessuno può guarirmi tranne lei.

«Anch'io. Va bene così. Ho un gran mal di testa, possiamo parlare di qualcos'altro?»

«Certo.» Scalcio un pezzo della lampada che ho rotto stanotte. Devo ricomprare a mio padre e Karen almeno cinque lampade, ormai.

Mi sento un po' in colpa per aver gridato contro Karen, ma non mi va di parlargliene, e lei è troppo educata e comprensiva per sollevare l'argomento.

254

«Puoi prendere le tue cose dal bagno, per favore?» mi chiede Tessa.

Il resto del mio soggiorno in quella maledetta casa lo passo così, a osservarla fare i bagagli e raccogliere i cocci della lampada senza dirmi un'altra parola, senza neppure guardarmi.

52
Tessa

«Sono felicissima di avere rivisto Max e Denise, erano anni!» esclama Karen, mentre Ken avvia il motore del Suv. Le nostre borse sono nel portabagagli, e ho chiesto in prestito le cuffie di Landon per distrarmi con la musica durante il viaggio.

«È stato bello. Lillian è diventata adulta», sorride Ken.

«È vero. È proprio una bella ragazza.»

Mah. Non è male, ma dopo aver creduto per ore che fosse interessata a Hardin non so se mi starà mai simpatica. Per fortuna è difficile che ci rivedremo.

«Max non è cambiato affatto», osserva Ken in tono di disapprovazione. Almeno non sono l'unica a non apprezzare la sua arroganza.

«Ti senti un po' meglio?» mi chiede Landon.

«Non direi.» Sospiro.

«Puoi dormire durante il viaggio. Vuoi una bottiglietta d'acqua?»

«Gliela prendo io», interviene Hardin.

Landon lo ignora e tira fuori una bottiglietta dalla borsa

termica posata davanti al suo sedile. Lo ringrazio a bassa voce e infilo gli auricolari. Il telefono si blocca ripetutamente, lo spengo e lo riaccendo sperando che funzioni. Sarà un viaggio orribile se non posso neppure alleviare la tensione ascoltando un po' di musica. Non so perché non l'avessi mai fatto prima della «grande depressione», quando Landon ha dovuto insegnarmi come si scaricano le canzoni.

Mi fa sorridere quel ridicolo soprannome che ho affibbiato ai miei lunghi giorni senza Hardin; e non so perché sorrido, dato che sono stati i giorni peggiori della mia vita. E ora mi sento più o meno allo stesso modo. Sento che quel periodo sta per tornare.

«Cosa succede?» mi bisbiglia all'orecchio Hardin, e d'istinto mi tiro indietro. Lui si rabbuia e non prova più a toccarmi.

«Niente, il mio telefono... fa schifo.»

«Cosa stai cercando di fare, esattamente?»

«Di ascoltare musica e, possibilmente, di dormire.»

Mi toglie il telefono dalle mani e inizia a regolare le impostazioni. «Se mi dessi retta e ti comprassi un telefono nuovo, non succederebbe», mi rimprovera.

Mi mordo la lingua e guardo dal finestrino mentre lui prova a farlo funzionare. Non ne voglio uno nuovo, e comunque non avrei i soldi. Devo trovare un appartamento, comprare mobili, pagare bollette. Non voglio spendere centinaia di dollari per sostituire un telefono seminuovo.

«Ora funziona, mi pare. Altrimenti puoi usare il mio.»

Usare il suo? Hardin mi sta offrendo il suo telefono? Questa sì che è una novità.

«Grazie», borbotto. Scelgo una canzone: la musica mi si riversa nelle orecchie e mi entra nei pensieri, alleviando il tormento interiore.

256

Hardin appoggia la testa al finestrino e chiude gli occhi. Le occhiaie profonde testimoniano che ha dormito male.

Mi assale il senso di colpa, ma lo scaccio. In pochi minuti la musica mi concilia il sonno.

«Tessa.» La voce di Hardin mi sveglia. «Hai fame?»

«No», gracchio senza aprire gli occhi.

«Hai i postumi di una sbornia, devi mangiare.»

All'improvviso sento il bisogno di qualcosa che assorba i succhi gastrici. «E va bene», mi arrendo, dato che non ho le energie per oppormi.

Pochi minuti dopo mi vengono posati in grembo un panino e delle patatine, e apro gli occhi. Ne mangio metà e torno ad appoggiare la nuca allo schienale del sedile... ma il telefono non funziona di nuovo.

Vedendomi armeggiare, Hardin stacca gli auricolari e li infila nel suo telefono. «Ecco.»

«Grazie.»

Ha già aperto l'app della musica. Una lunga lista appare sullo schermo e cerco qualcosa di familiare. Quando sto per arrendermi, trovo una cartella denominata T. Guardo Hardin, che stranamente ha gli occhi chiusi. Apro la cartella e vedo apparire tutta la mia musica preferita, anche canzoni di cui non gli ho mai parlato. Deve averle viste sul mio telefono.

È questo il genere di cose che mi fa mettere in dubbio le mie decisioni. I piccoli gesti premurosi che cerca di far passare inosservati sono le cose che preferisco al mondo. Vorrei che smettesse di nasconderli.

* * *

Stavolta è Karen a svegliarmi, scuotendomi delicatamente. «Sveglia, cara.»

Hardin dorme ancora, la mano posata sul sedile a sfiorarmi la gamba. Anche nel sonno gravita verso di me.

«Hardin, svegliati», bisbiglio, e lui apre gli occhi di scatto. Se li stropiccia, poi si gratta la testa e mi guarda, cercando di interpretare la mia espressione.

«Ti senti bene?» mi chiede a bassa voce. Faccio cenno di sì: cerco di evitare ogni contrasto con lui, per oggi, ma la sua calma inizia a innervosirmi. Di solito quando fa così vuol dire che sta per esplodere.

Scendiamo dalla macchina e lui va a scaricare i bagagli.

Karen mi abbraccia. «Tessa, cara, grazie ancora di essere venuta. Ci siamo divertiti molto. Torna presto a trovarci, ma intanto fatti valere a Seattle.» Quando si separa da me ha le lacrime agli occhi.

«Verrò a trovarvi presto, promesso.» La abbraccio di nuovo. È sempre stata così buona con me, mi ha aiutata tanto: è quasi la madre che non ho avuto.

«Buona fortuna, Tessa, e fammi sapere se hai bisogno di qualcosa. Ho molti contatti a Seattle.» Ken sorride e mi posa un braccio sulle spalle con un gesto impacciato.

«Ci rivediamo prima che io parta per New York, quindi niente abbracci per ora», mi dice Landon, e ridiamo entrambi.

«Ti aspetto in macchina», borbotta Hardin, e se ne va senza neppure salutare la famiglia.

Ken lo guarda allontanarsi. «Cambierà idea, se ha un briciolo di cervello.»

Mi giro verso il mio ragazzo, già seduto in macchina. «Lo spero proprio.»

«Tornare in Inghilterra non gli farebbe bene. Ha troppi ricordi laggiù, troppi nemici, troppi errori. Sei tu quella che

258

gli fa bene, tu e Seattle», mi rassicura Ken. Se solo Hardin la pensasse allo stesso modo...

«Grazie ancora.» Rivolgo loro un ultimo sorriso prima di salire in macchina a mia volta.

Senza dire una parola accende la radio e alza il volume per farmi capire che non ha voglia di parlare. Vorrei sapere cosa gli passa per la testa in momenti come questi.

Giocherello con il braccialetto che mi ha regalato a Natale e guardo fuori dal finestrino. Quando arriviamo al nostro palazzo, la tensione tra noi è arrivata a un livello insostenibile: mi sta facendo impazzire. Ma lui non sembra minimamente turbato.

Faccio per scendere, ma Hardin mi ferma con una mano, e con l'altra mi prende per il mento e mi fa alzare la testa per costringermi a guardarlo. «Scusami. Per favore, non avercela con me», sussurra. Le sue labbra sono a un centimetro dalle mie.

«Okay», mormoro, inspirando il suo profumo di menta.

«Mi accorgo che non sei serena, sai. Ti stai trattenendo, ed è una cosa che detesto.»

Ha ragione: sa sempre esattamente cosa sto pensando, e al contempo non sa mai qual è il modo giusto di comportarsi. È una contraddizione unica. «Non voglio più litigare con te.»

«Allora non farlo», dice, come se fosse semplice.

«Ci sto provando, ma in questa vacanza è successo di tutto. Sto ancora cercando di raccapezzarmi», ammetto. È iniziato tutto quando ho scoperto che Hardin aveva boicottato la mia ricerca di un appartamento, ed è finito con lui che mi dava della stronza egoista.

«Lo so, ti ho rovinato la vacanza.»

«Non è stata tutta colpa tua. Anch'io non avrei dovuto passare del tempo con...»

«Basta così», mi interrompe. «Non voglio sentirne parlare.»

«Okay.» Distolgo lo sguardo.

Posa la mano sulla mia e la stringe pian piano.

«A volte... be', ogni tanto mi... Oh, cazzo.» Sospira e ricomincia. «Certe volte, quando penso a noi, mi viene la paranoia, capisci? Non mi spiego perché resti con me, e allora do di matto e mi convinco che tra noi non può funzionare o che ti sto perdendo, ed è in quel momento che dico stupidaggini. Se solo tu potessi dimenticare Seattle, potremmo finalmente essere felici... Niente più distrazioni.»

«Seattle non è una distrazione, Hardin», replico a bassa voce.

«Sì che lo è. Insisti tanto solo per dimostrarmi qualcosa.» È incredibile come il suo tono di voce possa diventare gelido in pochi secondi.

Guardo fuori dal finestrino. «Possiamo smettere di parlare di Seattle? Non cambia niente: tu non ci vuoi andare, io sì. Sono stanca di ripetere le stesse cose.»

Tira via la mano e io mi giro verso di lui, che dice: «E va bene, allora cosa dobbiamo fare, secondo te? Vai a Seattle senza di me? Quanto pensi che dureremmo? Una settimana? Un mese?» Mi fissa con occhi freddi e io rabbrividisco.

«Potremmo farlo funzionare, se davvero lo volessimo. Almeno finché capisco se Seattle è quello che voglio realmente. Se non mi piace, possiamo andare in Inghilterra.»

«No, no, no. Se tu vai a Seattle, non possiamo restare insieme. Sarà finita.»

«Cosa? E perché?»

«Perché non voglio una storia a distanza.»

«Non volevi storie di nessun tipo, ricordi?» Mi fa infuriare doverlo pregare di restare con me, dato che dovrei essere io a lasciarlo visto il modo in cui mi tratta.

«E infatti vedi come sta andando.»

«Due minuti fa mi stavi chiedendo scusa per esserti arrabbiato con me, e ora minacci di lasciarmi se vado a Seattle?»

Lui annuisce lentamente e io rimango esterrefatta. «Vediamo se ho capito bene: mi hai proposto di sposarci se non ci vado, ma se ci vado mi lasci?» Non ero pronta a tirar fuori l'argomento, ma le parole mi sono uscite da sole.

«Sposarti?» Apre la bocca e stringe gli occhi. Ecco, sapevo che non avrei dovuto parlarne. «Cosa?...»

«Hai detto che se scelgo te mi sposerai. So che eri ubriaco, ma ho pensato che forse...»

«Hai pensato cosa? Che ti avrei sposata?» Mi sento mancare l'aria, non riesco più a respirare. I secondi passano in silenzio.

Mi rifiuto di piangere davanti a questo ragazzo. «No, sapevo che non l'avresti fatto, solo che...»

«Allora perché me ne parli? Sai quanto ero ubriaco, e volevo disperatamente che tu restassi... Avrei detto qualsiasi cosa.»

Sono annichilita. Il disprezzo che percepisco nella sua voce... Sembra che mi faccia una colpa per avere creduto alle stronzate che escono dalla sua bocca. Sapevo che avrebbe reagito insultandomi, ma una piccola parte di me – quella che ancora credeva di essere amata – mi ha spinta a sperare che la sua proposta potesse essere vera.

Ho un déjà vu. Ero seduta qui, in questa macchina, mentre lui mi prendeva in giro e rideva di me perché avevo creduto possibile una storia con lui. Il fatto che ora mi senta altrettanto ferita, anzi di più, mi fa venire voglia di gridare.

Ma non grido. Resto seduta, in silenzio e in imbarazzo, come sempre.

«Ti amo. Ti amo più di ogni altra cosa, Tessa, e non voglio ferire i tuoi sentimenti, va bene?»

«Be', lo stai facendo», sbotto. «Vado in casa.»

Sospira e scende con me per aprire il portabagagli. Mi offrirei di aiutarlo a portare le borse, ma non ho proprio voglia di avere a che fare con lui, e comunque insisterebbe per non avere il mio aiuto. Perché più di ogni altra cosa, Hardin vuole essere un'isola.

Entriamo nel palazzo in silenzio, il ronzio dell'ascensore è l'unico rumore che ci accompagna al nostro piano.

Hardin infila la chiave nella serratura della porta e mi chiede: «Hai dimenticato di chiudere a chiave?»

All'inizio non capisco cosa intenda, ma poi dico: «No, hai chiuso tu. Mi ricordo». Ricordo di averlo visto girare la chiave quando siamo partiti: mi aveva presa in giro perché ci mettevo troppo a prepararmi.

«Che strano», dice. Quando entra si guarda intorno come in cerca di qualcosa.

«Pensi che...» inizio.

«Qualcuno è stato qui», afferma, improvvisamente all'erta.

Mi assale il panico. «Sei sicuro? Sembra tutto a posto.» Mi avvio in corridoio ma lui mi tira indietro.

«Non andare di là finché non ho controllato», ordina.

Vorrei chiedergli di restare dov'è, che vado io a controllare, ma sarebbe una sciocchezza l'idea che io possa proteggere lui, anziché il contrario. Un brivido mi corre lungo la schiena. *E se c'è davvero qualcuno in casa? Chi entrerebbe in nostra assenza lasciando lì il grande televisore che è ancora appeso alla parete del salotto?*

Hardin va in camera e io trattengo il fiato fino a quando sento di nuovo la sua voce.

«Via libera.»

Faccio un sospiro di sollievo. «Sei sicuro che sia entrato qualcuno?»

«Sì, ma non so perché non abbiano preso niente...»

«Neanch'io.» Mi guardo intorno e capisco cosa c'è di diverso. I libri sul comodino di Hardin sono stati spostati. Ricordo

262

bene che in cima alla pila c'era quello pieno di sottolineature che gli avevo dato.

«Tuo padre, cazzo, ecco chi!» grida all'improvviso.

«Cosa?» Sinceramente l'idea mi era passata per la testa, ma non volevo essere io a dirlo.

«Dev'essere stato lui! Chi altri sapeva che eravamo via, chi altri sarebbe entrato senza rubare niente? Solo lui, quell'alcolizzato di merda!»

«Hardin!»

«Chiamalo subito.»

Infilo una mano in tasca, ma poi mi blocco. «Non ha un telefono.»

Lui fa un gesto stizzito, come se non avesse mai ricevuto una notizia peggiore. «Ah già, certo che no. È spiantato e senza casa.»

«Smettila. Solo perché pensi che sia stato lui, non puoi dire cose del genere davanti a me!»

«E va bene», concede facendomi cenno di uscire. «Andiamo a cercarlo, allora.»

Raggiungo il telefono fisso. «No! Dobbiamo chiamare la polizia, non partire per la caccia all'uomo.»

«Chiamare la polizia e dire cosa? Che tuo padre, un tossicomane, è entrato in casa nostra ma non ha rubato niente?»

Mi giro nella sua direzione, paralizzata da una rabbia improvvisa. «Tossicomane?»

Batte le palpebre e fa un passo verso di me. «Volevo dire alcolizzato...» Non incrocia i miei occhi. Mente.

«Dimmi perché hai detto così», gli ordino.

Scuote la testa, si passa le mani tra i capelli. Mi guarda, poi guarda a terra. «È una mia teoria, va bene?»

«E cosa te lo fa pensare?» Mi bruciano gli occhi e mi si serra la gola al solo pensiero. *Hardin e le sue brillanti teorie.*

«Non lo so, forse perché quel tizio che è venuto a prenderlo sembrava strafatto.» La sua espressione ora è più calma.

«Mio padre non si droga…» dichiaro lentamente, ma non so neanch'io se ci credo. Però non sono pronta ad affrontare la possibilità.

«Non lo conosci neppure. Non volevo dirti niente.» Fa un altro passo verso di me, ma io indietreggio.

Mi trema il labbro e non riesco più a guardarlo. «Neanche tu lo conosci. E se non volevi dire niente, perché l'hai fatto?»

«Non lo so», ammette stringendosi nelle spalle.

Il mal di testa è aumentato e sono così stanca che temo di svenire. «Cosa l'hai detto a fare?»

«L'ho detto perché mi è scappato, e perché lui è entrato in casa nostra, cazzo.»

«Non lo sai con certezza.» Non lo farebbe. *Vero?*

«E va bene, Tessa. Va' pure avanti e fa' finta che tuo padre… che è un alcolizzato, ti ricordo… sia perfettamente innocente.»

Come sempre, ha davvero un bel coraggio. Accusa mio padre di bere troppo? Hardin Scott accusa qualcuno di bere troppo, quando lui stesso non ricorda mai cos'ha fatto la sera prima?

«Anche tu sei un alcolizzato!» urlo, e subito dopo mi tappo la bocca con la mano.

«Cos'hai detto?» Ogni traccia di compassione svanisce dal suo viso. Mi guarda con gli occhi feroci, e inizia a girarmi intorno.

Mi sento in colpa, ma capisco che tenta solo di spaventarmi per farmi stare zitta. Non ha la più pallida idea di chi è realmente. «Se ci pensi bene, lo sei. Bevi solo quando sei arrabbiato o depresso; non sai quando fermarti; e da ubriaco diventi cattivo. Spacchi le cose e prendi a botte la gente…»

«Non sono un alcolizzato, porca puttana. Avevo smesso di bere finché sei arrivata tu.»

«Non puoi darmi la colpa di tutto, Hardin.» Cerco di non pensare al fatto che anch'io, ultimamente, bevo quando sono triste o arrabbiata.

«Non ti sto dando la colpa del fatto che bevo, Tessa», ribatte a voce piuttosto alta.

«Altri due giorni e non dovremo più preoccuparci di queste cose!» dico risoluta. Torno in salotto e lui mi segue.

«Puoi fermarti e ascoltarmi?» chiede in tono molto nervoso, ma almeno non grida più. «Sai che non voglio che mi lasci.»

«Sì, be', ma sei molto bravo a dimostrarmi il contrario.»

«Cosa vorresti dire? Ti ripeto continuamente che ti amo!»

Vedo il dubbio comparire sul suo viso mentre mi butta addosso quelle parole; sa che non mi dimostra abbastanza il suo amore. «Non ci credi neanche tu. Me ne accorgo», commento.

«Rispondi a questo, allora: pensi che troverai qualcun altro che ti sopporti? Le tue perenni lamentele, il tuo irritante bisogno che tutto sia in ordine, la tua arroganza?» sbraita gesticolando in maniera frenetica.

Rido. Gli rido in faccia. Mi copro la bocca con la mano, ma non riesco a smettere. «La mia arroganza? La mia arroganza? Tu non fai altro che mancarmi di rispetto: sei sempre sull'orlo della violenza emotiva, sei ossessivo, soffocante e maleducato. Sei entrato nella mia vita, l'hai stravolta e ora ti aspetti che ti obbedisca, perché ti sei fatto un'idea di te stesso completamente falsa. Ti comporti come un vero duro a cui non frega niente di nessuno, ma non riesci neppure a dormire senza di me! Sopporto tutti i tuoi difetti, ma non ti permetto di parlarmi così.»

Mi osserva mentre cammino avanti e indietro. Mi sento un po' in colpa per queste parole, ma mi basta ricordare le sue perché la rabbia prenda di nuovo il sopravvento. «E a proposito, forse non è sempre facile stare con me, ma è perché sono così impegnata a preoccuparmi di te e di tutte le altre persone che ho intorno, e a cercare di non farti arrabbiare, che dimentico me stessa. Quindi scusa tanto se ti irrito, ma ti arrabbi di continuo con me senza uno straccio di motivo!»

Ha un'espressione cupa, i pugni stretti lungo i fianchi e le guance rosse. «Non so cos'altro fare, okay? Sai bene che non avevo mai vissuto niente del genere, sapevi che sarebbe stato difficile. Non hai il diritto di lamentarti adesso.»

«Non ho il diritto di lamentarmi? È anche la mia vita, questa, e mi lamento quanto cazzo mi pare», sbuffo. Non può dire sul serio. Per un attimo, dalla sua espressione ho pensato che stesse per chiedermi scusa, ma dovevo immaginare che non era vero. Il problema di Hardin è che quando è buono è davvero buono, così dolce e sincero che non posso non amarlo; ma quando è cattivo, è la persona più carica d'odio che mai conoscerò in vita mia.

Torno in camera, apro la valigia e ci butto dentro i vestiti.

«Dove vai?»

«Non lo so», rispondo sinceramente. *Lontano da te.*

«Lo sai qual è il tuo problema, Theresa? Il tuo problema è che leggi troppi romanzi e dimentichi che sono tutte stronzate. Non esiste nessun Darcy, esistono solo i Wickham e gli Alec d'Uberville, perciò svegliati e smetti di pretendere che io diventi un maledetto eroe della letteratura, perché non succederà!»

Quelle parole si piantano nella mia mente ed entrano in ogni cellula del mio corpo. Ecco, è fatta. «È esattamente per questo che non potrà mai funzionare tra noi. Ci ho provato e riprovato, ti ho perdonato le cose disgustose che mi hai fatto... e che hai fatto ad altre persone... eppure continui a trattarmi così. Anzi, sono io a ridurmi così. Non sono una vittima, sono solo una ragazza stupida che ti ama troppo, ma non significo comunque nulla per te. Lunedì, quando me ne andrò, la tua

266

vita tornerà alla normalità. Sarai lo stesso Hardin a cui non frega niente di nessuno, e sarò io quella che soffre... però me la sono cercata. Mi sono lasciata dominare da te, sapendo che sarebbe finita così. Pensavo che stando lontani avresti capito che stavi meglio con me che da solo, ma è proprio questo il punto, Hardin. Non stai meglio con me: stai meglio da solo. Resterai sempre solo. Anche se trovi un'altra ragazza ingenua disposta a rinunciare a tutto per te, anche a se stessa, prima o poi lei si stancherà e ti lascerà, esattamente come...»

Hardin mi fissa. Ha gli occhi rossi, gli tremano le mani, sta per esplodere. «Va' avanti, Tessa. Dimmi che mi lasci. Anzi, no. Prendi la tua roba e vattene.»

«Smettila di trattenerti», ribatto in tono arrabbiato, ma è anche una preghiera. «Stai cercando di non esplodere, ma sai che lo vuoi. Se solo permettessi a te stesso di mostrarmi cosa provi davvero...»

«Non sai niente di cosa provo davvero. Vattene!» Gli si incrina la voce. Vorrei abbracciarlo e dirgli che non lo lascerei mai.

Ma non posso farlo.

«Devi solo dirmelo. Ti prego, Hardin, dimmi solo che stavolta ci proverai davvero.» Lo sto scongiurando; non so cos'altro fare. Non voglio lasciarlo, anche se so che devo farlo.

Resta lì, di fronte a me, e vedo che si chiude. Ogni barlume di luce nel mio Hardin si sta spegnendo lentamente, e trascina sempre più lontano il ragazzo che amo. Quando stacca gli occhi da me e incrocia le braccia sul petto, capisco che se n'è andato. L'ho perduto.

«Non voglio più provarci. Sono quello che sono, e se non ti basta sai dov'è la porta.»

«È questo che vuoi, allora? Non sei neppure disposto a tentare? Se me ne vado, stavolta è per sempre. So che non mi credi, perché lo dico ogni volta, ma è la verità. Dimmi che ti comporti così perché hai paura che io vada a Seattle.»

Guarda il muro alle mie spalle e afferma semplicemente: «Sono sicuro che troverai un posto dove stare fino a lunedì».

Dato che non rispondo, si volta ed esce dalla stanza. Resto lì, scioccata. Dopo diversi minuti, raccolgo i pezzi di me che lui ha distrutto e faccio i bagagli per l'ultima volta.

53
Hardin

LA mia bocca continua a dire stronzate che il mio cervello non pensa. Ovviamente non voglio che se ne vada. Voglio stringerla tra le braccia e baciarle i capelli. Voglio dirle che farei qualsiasi cosa per lei, che cambierò per lei e la amerò fino alla morte. Invece esco e la lascio lì da sola.

La sento trafficare in camera. Dovrei tornare dentro e impedirle di fare i bagagli, ma a cosa servirebbe? Partirà comunque lunedì; che differenza fa se parte adesso? Sono ancora sconcertato che mi abbia proposto una storia a distanza. Non funzionerebbe mai: ci sentiremmo al telefono un paio di volte al giorno, non dormiremmo nello stesso letto. Non ce la farei.

Almeno, se ci lasciamo, non mi sentirò in colpa se bevo e faccio quello che mi pare… Ma chi voglio prendere in giro? Non c'è nient'altro che vorrei fare. Preferirei essere costretto a guardare repliche di *Friends* per ore, piuttosto che passare un minuto a fare qualcosa senza di lei.

Pochi istanti dopo entra in salotto con la borsa in spalla, trascinandosi dietro due valigie. È pallida. «Penso di non avere dimenticato niente, a parte qualche libro, ma li ricomprerò», mormora con voce tremante.

Ecco il momento che temevo fin dal giorno in cui ho conosciuto questa ragazza. Mi sta lasciando, e io non faccio niente per impedirlo. Non posso fermarla: era destinata da sempre a cose più grandi di me, a stare con una persona migliore di me. L'ho sempre saputo. Speravo solo di sbagliarmi, come al solito.

Invece di dirle questo, rispondo semplicemente: «Okay».

«Okay.» Deglutisce e raddrizza le spalle. Quando alza un braccio per prendere le chiavi dal gancio accanto alla porta, la borsa le scivola giù dalla spalla. Non so cosa mi sia preso: dovrei fermarla, o aiutarla, ma non ci riesco.

Si gira a guardarmi. «Be', eccoci qua. Tutti i litigi, le lacrime, il sesso, le risate… tutto per niente», mormora. Nelle sue parole non c'è traccia di rabbia. È… inespressiva.

Mi limito ad annuire, perché non riesco a parlare. Ma so che se parlassi peggiorerei soltanto le cose, per entrambi.

Scuote la testa e tiene aperta la porta con il piede per far passare le valigie.

Una volta sul pianerottolo, si gira verso di me e dice, a voce così bassa che quasi non la sento: «Ti amerò sempre. Spero che tu lo sappia».

Smetti di parlare, Tessa. Per favore.

«E ti amerà anche qualcun altro, quanto ti amo io. Spero.»

«Shhh», sibilo. Non riesco ad ascoltarla.

«Non resterai solo per sempre. Te l'ho detto, lo so, ma se tu potessi farti aiutare, imparare a tenere sotto controllo la rabbia, potresti trovare…»

Mi sforzo di mantenere la calma e raggiungo la porta. «Va',

vattene e basta», dico chiudendogliela in faccia. Anche al di là della porta chiusa, so che ha sussultato.

Le ho sbattuto la porta in faccia. *Ma che cazzo mi è preso?*

Mi arrendo al panico, mi lascio travolgere dal dolore. Ho resistito così a lungo, sono riuscito faticosamente a controllarmi finché lei se n'è andata. Cado in ginocchio sul pavimento, con le mani tra i capelli. Non so cosa fare. Sono il peggiore idiota del pianeta, e non c'è rimedio alla mia idiozia. Sembra così facile: va' a Seattle con lei e vivrete per sempre felici e contenti. Ma non è così semplice. Laggiù sarà tutto diverso: lei avrà da fare con lo stage e l'università, conoscerà nuovi amici, farà nuove esperienze – esperienze migliori – e mi dimenticherà. Non avrà più bisogno di me. Mi asciugo le lacrime.

Cosa? Per la prima volta capisco quanto sono egoista. Conoscere nuovi amici, fare nuove esperienze? E cosa c'è di male? Sarei lì accanto a lei a fare le stesse esperienze. Perché mi sono sforzato tanto di tenerla lontana da Seattle, invece di essere contento per lei? Invece di cogliere l'occasione per dimostrarle che posso far parte dei desideri che vuole realizzare? Non mi ha chiesto altro, e io non le ho concesso neppure questo.

Se la chiamo adesso, tornerà indietro, io farò i bagagli e ci troveremo una casa a Seattle…

No, non tornerà indietro. Mi ha dato la possibilità di fermarla e io non ci ho neppure provato. Ha cercato persino di consolarmi, mentre vedevo sparire dai suoi occhi l'ultimo briciolo di fiducia in me. Avrei dovuto consolarla, invece le ho sbattuto la porta in faccia.

Non resterai solo per sempre, mi ha detto. Si sbaglia: io resterò solo, ma lei no. Lei troverà qualcuno che la ami come io non sono riuscito ad amarla. No, nessuno amerà mai quella ragazza più di me, ma forse quel qualcuno le farà capire come ci si sente a essere amata da una persona, come lei ha amato me.

E se lo merita. Mi si mozza il respiro quando penso che lei merita di stare con un altro. Ma è così che deve succedere. Avrei dovuto lasciarla andare via molto tempo fa, invece di affondare gli artigli in lei e farle sprecare tempo.

Sono combattuto. Spero ancora che lei torni stasera, o magari domani, e mi perdoni. Ma so che ha finalmente rinunciato a tentare di cambiarmi.

Dopo po' mi rialzo da terra e vado in camera, dove rischio di crollare di nuovo. Il braccialetto che le ho regalato è posato su un foglio di carta, accanto al lettore di ebook e a una copia di *Cime tempestose*. Prendo il braccialetto, mi rigiro tra le dita il ciondolo con il simbolo dell'infinito e guardo il tatuaggio con lo stesso simbolo che ho sul polso.

Perché l'ha lasciato qui? Gliel'avevo regalato in un momento in cui avevo un bisogno disperato di dimostrarle il mio amore. Avevo bisogno del suo amore e del suo perdono, e lei me li ha dati. Con mio orrore vedo che il foglio di carta sotto il braccialetto è la lettera che le ho scritto. Mentre la rileggo mi sento squarciare il petto. Mi assalgono i ricordi: la prima volta che le ho detto che la amavo, e poi me lo sono rimangiato; la cena con la ragazza bionda con cui cercavo di rimpiazzarla; come mi sono sentito quando l'ho vista in piedi sulla soglia dopo aver letto la lettera. Continuo a leggere.

Mi ami anche se non dovresti, e io ho bisogno di te. Ho sempre avuto bisogno di te e sempre ne avrò. Quando mi hai lasciato, dopo aver scoperto la verità, mi sono sentito morire. Ero perduto senza di te. Sono uscito con una ragazza, la settimana scorsa. Non volevo dirtelo, ma non posso rischiare di perderti un'altra volta.

Mi tremano le dita, quasi strappo il foglio tentando di tenerlo fermo per leggere.

So che puoi trovare un uomo migliore di me. Non sono romantico, non ti scriverò mai poesie e non ti dedicherò canzoni.
Non sono neppure gentile.
Non posso prometterti che non ti farò più del male, ma posso giurare che ti amerò fino al giorno della mia morte. Sono una persona orribile, e non ti merito, ma spero che mi darai una possibilità di riconquistare la tua fiducia. Mi dispiace di averti fatta soffrire e ti capisco se non riesci a perdonarmi.

Invece mi ha perdonato. È sempre passata sopra ai miei sbagli, ma non questa volta. Avrei dovuto riconquistare la sua fiducia, invece ho continuato a farla soffrire. Strappo la lettera in mille pezzi e li lascio cadere a terra.

Vedi, distruggo tutto ciò che tocco! So quanto significava per lei quella lettera, eppure l'ho fatta a brandelli.

«No! No, no, no!» Mi getto a terra e cerco di raccogliere i pezzetti e ricostruire la pagina. Ma sono troppi, non si allineano, mi sfuggono di mano e cadono di nuovo. Anche lei dev'essersi sentita così mentre cercava di rimettermi insieme. Mi alzo, tiro un calcio ai pezzi di carta, poi mi chino di nuovo a raccoglierli e li ammucchio sulla scrivania. Ci metto sopra un libro perché il vento non li porti via. Il libro è *Orgoglio e pregiudizio.* Ci avrei scommesso, porca puttana.

Mi sdraio sul letto e aspetto di sentirla tornare.

Aspetto per ore e ore, ma la porta non si apre mai.

54
Tessa

Dico una bugia a Steph. Non voglio parlare a nessuno dei miei problemi sentimentali, almeno finché non ci avrò riflettuto per conto mio. Ed è proprio per questo che ho telefonato a lei: Landon conosce troppo bene la situazione, e non voglio disturbarlo di nuovo. Non ho alternative, dato che ho un solo amico, ed è il fratellastro del mio ragazzo.

Be', ex ragazzo…

Così, sentendola preoccupata, rassicuro Steph: «No, no, sto bene. È solo che… Hardin è… fuori città con suo padre, e mi ha chiusa fuori di casa, quindi ho bisogno di un posto dove stare fino a quando torna lunedì».

«Tipico di Hardin», commenta lei. Per fortuna ci ha creduto. «Okay, vieni pure. È sempre la stessa stanza, sarà come ai vecchi tempi!» esclama tutta allegra, e io mi sforzo di ridere con lei.

Fantastico. I vecchi tempi.

«Più tardi dovrei andare al centro commerciale con Tristan, ma puoi restare qui se vuoi, o venire con noi. Scegli tu.»

«Devo preparare un sacco di cose per Seattle, quindi resterò nella tua stanza, se per te va bene.»

«Certo, come preferisci. Spero che tu sia pronta per la festa di domani sera!»

«Festa?»

Ah, già… La festa. Ero così distratta da tutto il resto che ho dimenticato la festa organizzata da Steph per la mia partenza. Come per la «festa di compleanno» di Hardin, sono sicura che i suoi amici si sarebbero visti per bere insieme con o senza di me, ma sembra che Steph ci tenga molto alla mia presenza e, siccome le sto chiedendo un grande favore, voglio essere cortese.

«Un'ultima volta, dai! Hardin avrà detto di no, ma...»

«Hardin non decide al posto mio», le ricordo.

Scoppia a ridere. «Lo so! Dicevo per dire. Non ci rivedremo mai più: io me ne vado e anche tu», piagnucola.

«Okay, fammici pensare. Sto arrivando.»

Ma invece di andare subito al suo dormitorio, faccio un giro in macchina. Devo assicurarmi di non piangere davanti a lei. *Niente lacrime. Niente lacrime.* Mi mordo l'interno della guancia per assicurarmi di non cedere allo sconforto.

Per fortuna ormai sono abituata al dolore: quasi non lo sento più.

Quando arrivo in camera di Steph, si sta vestendo. Mi apre la porta con un sorriso mentre si sistema un vestito rosso, sopra un paio di calze a rete nere.

«Mi sei mancata!» strilla e mi abbraccia.

Riesco a non piangere. «Anche tu mi sei mancata, eppure non è passato poi tanto tempo», dico sorridendo. Mi pare passato un secolo, anziché una settimana, da quando io e Hardin l'abbiamo incontrata dal tatuatore.

«No, ma sembra.» Tira fuori dall'armadio un paio di stivali e si siede sul letto. «Non dovrei star via molto. Fa' come fossi a casa tua... ma non pulire niente!» mi ordina, accorgendosi che sto osservando il disordine della stanza.

«Non avevo intenzione di farlo!» mento.

«Eccome se l'avevi! E scommetto che lo farai comunque.» Tento di ridere con lei ma non ci riesco, e mi esce un suono a metà tra uno sbuffo e un colpo di tosse, ma per fortuna lei non ci fa caso.

«Ah, ho già avvertito tutti che saresti arrivata, e sono

274

entusiasti!» dice uscendo dalla stanza. Faccio per protestare, ma la porta si è già richiusa.

Questa stanza mi richiama alla mente troppi brutti ricordi. La odio e la amo al tempo stesso. Il lato che era mio ora è vuoto, ma Steph ha coperto il mio vecchio letto di vestiti e sacchetti di negozi. Lo sfioro, ricordando la prima volta che Hardin ha dormito qui con me.

Non vedo l'ora di andarmene da questo campus, da questa città e da tutta la gente che ci vive. Non mi hanno portato altro che sofferenze, fin dal giorno in cui sono arrivata. Vorrei non esserci mai venuta.

Anche la parete mi ricorda Hardin: quella volta che ha lanciato in aria i miei appunti e mi ha fatto venire voglia di prenderlo a schiaffi, ma poi mi ha baciata, appoggiandomi a questa parete. Mi porto le dita alle labbra e tremo al pensiero che non lo bacerò mai più.

Non penso che riuscirò a dormire in questa stanza. I ricordi mi tormenteranno ogni volta che proverò a chiudere gli occhi.

Devo distrarmi in qualche modo. Tiro fuori il computer e cerco un appartamento a Seattle. Come temevo, è impossibile; l'unico che trovo è a mezz'ora di macchina dai nuovi uffici della Vance, ed è un po' troppo caro per me. Ma salvo ugualmente il numero nel cellulare.

Dopo un'altra ora di ricerche, metto da parte l'orgoglio e telefono a Kimberly. Non volevo chiedere a lei e Christian di ospitarmi, ma Hardin non mi ha lasciato scelta. Kimberly, essendo Kimberly, accetta con gioia, dicendo che saranno felici di ospitarmi nella nuova casa di Seattle; e si vanta anche un po', perché la casa è ancora più grande di quella in cui hanno vissuto fino alla partenza.

Le prometto che non mi fermerò più di due settimane, sperando di riuscire a trovare un appartamento in tempi brevi.

Di colpo realizzo che, a causa di tutto quello che è successo con Hardin, ho quasi dimenticato che qualcuno è entrato in casa nostra mentre eravamo via. Mi piacerebbe pensare che non sia stato mio padre, ma non so se crederci. Se è stato lui, non ha rubato niente; forse aveva solo bisogno di un posto dove passare la notte. Prego che Hardin non vada a cercarlo. A cosa servirebbe? Forse dovrei trovarlo prima io, ma si sta facendo tardi, e sinceramente ho un po' paura di andare da sola in quella zona della città.

Mi sveglio quando Steph rientra barcollando e si butta sul letto, verso mezzanotte. Non ricordo di essermi addormentata alla scrivania, e quando alzo la testa mi fa male il collo.

«Non dimenticare la festa di domani», borbotta lei, e un istante dopo si addormenta.

Vado a toglierle gli stivali mentre inizia a russare, la ringrazio a bassa voce di essere una buona amica e di avere accettato di ospitarmi con soltanto un'ora di preavviso.

Mugugna qualche parola senza senso, si gira dall'altra parte e ricomincia a russare.

Ho passato tutto il giorno sdraiata sul letto a leggere. Non voglio andare da nessuna parte né parlare con nessuno, e soprattutto non voglio imbattermi in Hardin, anche se dubito che sia possibile: non ha motivo di venire da queste parti. Ma sono paranoica e ho il cuore spezzato, e non voglio rischiare.

Steph si sveglia alle quattro del pomeriggio.

«Ordino una pizza, ne vuoi una anche tu?» chiede, struccandosi gli occhi con una salvietta.

«Sì, grazie.» Il mio stomaco borbotta, e mi ricordo che non tocco cibo da ieri.

Per le successive due ore, io e Steph mangiamo e parliamo del suo imminente trasferimento in Louisiana, e del fatto che i genitori di Tristan non sono contenti che il figlio si trasferisca per causa sua.

«Se ne faranno una ragione: gli stavi simpatica, no?» la incoraggio.

«Sì, più o meno. Ma sono ossessionati dalla Washington Central, l'importanza della tradizione, bla bla bla.»

Rido, perché non voglio spiegarle cosa significa per una famiglia portare avanti una tradizione.

«Allora, la festa. Sai già come ti vestirai?» mi chiede con un sorriso complice. «O vuoi che ti presti qualcosa, come ai vecchi tempi?»

Scuoto la testa. «Non mi capacito di avere accettato di venire, dopo…» Sto per nominare Hardin, ma mi trattengo. «Dopo tutte le feste a cui mi hai trascinata in passato.»

«Ma questa è l'ultima. E poi lo sai che a Seattle non troverai amici fighi come noi.» Mi guarda battendo le lunghe ciglia finte.

«Mi ricordo la prima volta che ti ho vista. Ho aperto questa porta e per poco non mi è venuto un infarto. Senza offesa», sorrido, e lei ricambia. «Hai detto che c'erano tante feste, e mia madre stava per svenire. Voleva farmi cambiare stanza, ma le ho detto di no…»

«Meno male, altrimenti ora non staresti con Hardin», commenta con un ghigno, poi distoglie lo sguardo. Per un momento cerco di immaginare come sarebbe andata se avessi cambiato stanza e non avessi più rivisto Hardin. Nonostante tutto quello che abbiamo passato, non vorrei che fosse andata diversamente.

«Basta tuffi nel passato, prepariamoci!» esclama Steph battendo le mani. Mi prende per le braccia e mi fa alzare dal letto.

«Ora ricordo perché odiavo le docce comuni», sbuffo mentre mi asciugo i capelli con un asciugamano.

«Non sono così male», commenta Steph ridendo. Ripenso alla doccia nel nostro appartamento: ogni cosa che vedo mi fa pensare a Hardin, e sotto il sorriso finto mi sento morire.

Mi trucco e mi arriccio i capelli, e Steph mi aiuta a indossare l'abito giallo e nero che ho comprato di recente. L'unica cosa che mi tiene in piedi, al momento, è la speranza che la festa sia divertente, che mi saranno concesse almeno due ore di pace.

Tristan viene a prenderci poco dopo le otto. Steph non vuole lasciarmi guidare perché vuole che mi ubriachi. Un'idea che non mi dispiace. Forse se mi ubriaco non vedrò più il sorriso e le fossette di Hardin ogni volta che apro gli occhi. Ma l'alcol non basterà a farmi smettere di immaginarlo quando ho gli occhi chiusi.

«Dov'è Hardin stasera?» chiede Nate dal sedile del passeggero.

Vado un attimo nel panico. «Via. Fuori città con suo padre», mento.

«Non partite lunedì per Seattle?»

«Sì, questo è il piano.» Mi sudano le mani: detesto mentire, e non sono brava a farlo.

Nate mi sorride. «Be', in bocca al lupo a entrambi. Mi dispiace non rivederlo prima che se ne vada.»

Sto sempre peggio. «Grazie, Nate. Glielo riferirò.»

Nell'istante in cui arriviamo alla confraternita, mi pento

di essere venuta. Sapevo che era una cattiva idea, ma non ragionavo a mente lucida e mi sembrava di avere bisogno di distrarmi. Ma questa non è una distrazione: è un posto che mi ricorda tutto quello che ho passato e tutto ciò che ho perso.

È paradossale che mi penta ogni volta, e che ogni volta finisca per tornare in questa maledetta confraternita.

«Diamo inizio allo show!» esclama Steph prendendomi a braccetto.

Vedo una scintilla balenare nei suoi occhi, e per un momento ho l'impressione che non abbia scelto le parole a caso.

55
Hardin

Ho la nausea mentre busso alla porta dello studio di mio padre. Non riesco a credere di essere sceso così in basso da dover chiedere consigli a lui. Ma ho bisogno di qualcuno che mi ascolti, qualcuno che capisca come mi sento. Più o meno.

«Avanti, tesoro», lo sento dire da dentro la stanza. Esito prima di entrare, sapendo che sarà difficile ma necessario. Mi siedo davanti alla sua scrivania e noto la sua espressione cambiare, da un'aria di aspettativa a una di sorpresa.

Gli sfugge un risolino. «Scusa, pensavo fossi Karen.» Ma poi mi guarda bene in faccia e smette di ridere.

Io distolgo lo sguardo. «Non so cosa ci faccio qui, ma non saprei dove altro andare», comincio prendendomi la testa tra le mani.

Mio padre si siede sul bordo della scrivania. «Sono contento che tu ti sia rivolto a me», osserva a bassa voce.

«Non direi proprio che mi sono rivolto a te.» Sì, sono venuto da lui, ma non voglio che si aspetti chissà quale confessione… anche se forse lo è. Lui deglutisce a disagio, spostando gli occhi su ogni punto della stanza tranne che su di me.

«Non c'è bisogno di essere nervoso, non farò scenate e non spaccherò niente. Non ne ho le energie.» Fisso le targhe appese al muro dietro di lui.

Lui non replica, e io sospiro.

Quella reazione, quell'ammissione di sconfitta sembra smuoverlo. «Vuoi dirmi cos'è successo?»

«No, non voglio», rispondo guardando i libri sugli scaffali.

«Okay…»

«Non voglio, ma dovrò…» Sospiro di nuovo.

Mio padre sembra perplesso per un momento, e mi scruta. Scommetto che è impaziente di scoprire cos'ho da dirgli.

«Credimi, se potessi andare da qualcun altro non sarei qui, ma Landon è prevenuto e si schiera sempre dalla sua parte.» So benissimo che non è vero, ma non voglio i consigli di Landon. E non voglio ammettere quanto sono stato stupido e quante cose orribili ho detto a Tessa negli ultimi giorni. Non mi importa granché dell'opinione del mio fratellastro, ma stranamente me ne importa più che di quella di chiunque altro, esclusa Tessa, ovvio.

Mio padre fa un sorriso sofferto. «Lo so, figliolo.»

«Bene.»

Non so da dove cominciare, e sinceramente non so ancora bene cosa ci faccio qui. Avevo deciso di andare a ubriacarmi in qualche bar, ma alla fine sono venuto da mio padre. È fortunato che ora lo chiami «mio padre» anziché «Ken» o «quello stronzo», come ho fatto per gran parte della mia vita.

«Be', come avrai indovinato, alla fine Tessa mi ha lasciato», ammetto. Alzo lo sguardo su di lui: fa del suo meglio per mantenere un'espressione neutra e aspetta che io continui. Ma aggiungo soltanto: «E io non l'ho fermata».

«Sei sicuro che non tornerà?» mi chiede.

«Sì, sono sicuro. Mi ha dato molte possibilità di fermarla, e non mi chiama e non mi scrive da...» guardo l'orologio, «quasi ventotto ore. E non ho la minima idea di dove sia.»

Mi aspettavo di trovare la sua macchina davanti a casa di Ken e Karen. Probabilmente è per questo che sono venuto. Dove poteva essere, se non qui? Spero che non sia arrivata fino a casa di sua madre.

«Era già successo, però», osserva mio padre. «Voi due trovate sempre il modo...»

«Ma mi ascolti? Ho detto che non tornerà», lo interrompo stizzito.

«Sì, ti ascolto. Ma non capisco perché questa volta sia diversa dalle altre.»

Mi fissa impassibile, e io resisto alla tentazione di alzarmi e andarmene. «È così e basta. Non so come faccio a saperlo... e mi crederai stupido perché sono venuto qui... ma sono stanco, papà. Ne ho le palle piene di essere così, e non so cosa farci.»

Merda, sembro disperato. Patetico.

Fa per dire qualcosa ma poi ci ripensa e tace.

«È colpa tua», proseguo. «È tutta colpa tua. Perché se tu fossi rimasto con me, forse avresti potuto insegnarmi a... non lo so, a non trattare di merda le persone. Se da bambino avessi avuto un uomo in casa, forse non sarei cresciuto così male. Se non trovo una soluzione per me e Tessa, finirò come te. Be', prima che tu diventassi così», concludo indicando il suo maglione senza maniche e i pantaloni perfettamente stirati. «Se non trovo il modo di smettere di odiarti, non riuscirò mai a...»

Non voglio terminare la frase. Non voglio dirgli che, se non smetto di odiarlo, non riuscirò mai a dimostrare a Tessa quanto la amo e a trattarla come dovrei, come merita.

Quelle parole non dette restano sospese nell'aria viziata dello studio come uno spettro tormentato che nessuno di noi sa esorcizzare.

Poi mio padre mi stupisce dicendo: «Hai ragione».

«Ah sì?»

«Sì. Se un padre ti avesse insegnato a essere un uomo, ora avresti gli strumenti per gestire queste situazioni e la vita in generale. Mi sono sempre sentito in colpa per il tuo…» esita cercando la parola giusta, e io mi sporgo un po' in avanti, «comportamento. Se sei così è colpa mia. Deriva tutto da me e dagli errori che ho commesso. Mi porterò sulle spalle la responsabilità dei miei sbagli per tutta la vita, e mi dispiace moltissimo, figliolo.» Mentre pronuncia le ultime parole gli si incrina la voce, e all'improvviso mi sento… mi sento…

Incredibilmente nauseato. «Be', fantastico, potrei anche perdonarti, ma resterei come sono! Cosa posso farci, ormai?» Mi tormento le pellicine intorno alle unghie e noto che per una volta le nocche non sono ferite. Quel dettaglio placa un po' la mia rabbia. «Dev'esserci un modo», mormoro.

«Penso che dovresti parlarne con qualcuno.»

Mi sembra una risposta insufficiente e scontata, e la rabbia monta un'altra volta. «E cosa stiamo facendo? Stiamo parlando, mi pare.»

«Mi riferivo a un professionista», replica calmo. «Ti porti dentro molta rabbia da quando eri bambino, e se non trovi il modo di liberartene, o almeno di gestirla in modo sano, ho paura che non farai progressi. Non posso essere io a darti questi strumenti; sono stato io a causarti tutto questo dolore, e nei momenti di rabbia non ti fideresti di me.»

«Quindi ho perso tempo a venire qui? Non c'è niente che tu possa fare?» Facevo meglio ad andare al bar: a quest'ora potevo essere al secondo whisky e coca.

«Non hai perso tempo. È stato un passo molto importante nel tuo impegno per diventare una persona migliore.» Mi guarda di nuovo negli occhi, e mi sembra di sentire in bocca il sapore del whisky. «Sarà molto fiera di te», aggiunge.

Fiera? Chi mai potrebbe essere fiero di me? Scioccata che io sia qui, forse, ma fiera... no.

«Mi ha dato dell'alcolizzato», confesso senza pensare.

«Ha ragione?» chiede preoccupato.

«Non lo so. Non penso di esserlo, ma non lo so.»

«Forse è meglio scoprirlo prima che sia troppo tardi.»

Studio il volto di mio padre e lo vedo sinceramente spaventato per me. Prova la paura che forse dovrei provare io. «Perché hai iniziato a bere?» gli domando. L'ho sempre voluto sapere, ma non mi è mai sembrato il caso di domandarglielo.

Sospira e si passa una mano sulla testa. «Be', io e tua madre non andavamo molto d'accordo, e i guai sono iniziati quando una sera sono uscito e mi sono ubriacato. Al punto da non riuscire a tornare a casa. Ma ho scoperto che mi piaceva sentirmi in quel modo. Mi rendeva insensibile al dolore. Da quel giorno è diventata un'abitudine. Passavo più tempo in quel maledetto bar, lì vicino a casa, che con te e lei. A un certo punto non riuscivo più a stare in piedi senza bere, ma non stavo in piedi neanche quando bevevo. Era una battaglia persa.»

Non ricordo nulla del periodo in cui mio padre non era un alcolizzato; avevo sempre pensato che fosse così da prima della mia nascita. «Cosa c'era di tanto doloroso che cercavi di dimenticare?»

«Non è importante. L'importante è che finalmente un giorno mi sono svegliato e ho smesso di bere.»

«Dopo che ci avevi abbandonati», puntualizzo.

«Sì, figliolo, dopo avervi abbandonati tutti e due. Stavate meglio senza di me. Non ero in grado di essere un padre o un marito. Tua madre ti ha tirato su molto bene, e vorrei che non avesse dovuto farlo da sola, ma è andata meglio che se fossi rimasto con voi.»

La rabbia mi ribolle dentro, stringo forte i braccioli della sedia. «Ma puoi essere un marito per Karen e un padre per Landon.»

Ecco, l'ho detto. Covo un risentimento profondo per quest'uomo, uno stronzo alcolizzato che mi ha rovinato la vita ma che ora è riuscito a risposarsi, ad avere un altro figlio e a rifarsi una vita. E per giunta è diventato ricco, mentre quando ero piccolo non avevamo niente. Karen e Landon hanno tutto ciò che io e mia madre avremmo meritato.

«Lo so che ti sembra così, Hardin, ma non è vero. Ho conosciuto Karen due anni dopo avere smesso di bere. Landon era già un adolescente, e io non ho mai cercato di fargli da padre. Anche lui è cresciuto senza un uomo in casa, quindi mi ha accolto con gioia. Non era mia intenzione farmi una nuova famiglia per rimpiazzare voi, perché non potrei mai rimpiazzarvi. Tu non hai mai voluto avere niente a che fare con me, e non te ne faccio una colpa; ma, figliolo, ho passato gran parte della mia vita nell'oscurità e nella solitudine. E Karen è stata la mia luce, come Tessa lo è per te.»

Quando sento il nome di Tessa il mio cuore manca un battito. Ero così smarrito nei brutti ricordi dell'infanzia che per un momento avevo smesso di pensare a lei.

«Non posso che essere felice e grato che Karen sia entrata nella mia vita, e Landon con lei», prosegue Ken. «Darei qualsiasi cosa per essere in buoni rapporti con te come lo sono con lui... e forse un giorno ci riusciremo.»

Ha il fiato corto dopo questa confessione: quanto a me, sono senza parole. Non avevo mai avuto una conversazione del genere con lui... con nessuno tranne che con Tessa. Lei sembra sempre l'eccezione a qualsiasi cosa.

Non so cosa rispondergli. Non lo assolvo per avermi rovinato la vita e per aver scelto l'alcol invece di mia madre, ma ero serio quando ho detto che volevo provare a perdonarlo. Se non lo faccio, non potrò mai essere normale. Non so se riuscirò mai a essere «normale», in ogni caso, ma voglio poter passare una settimana senza spaccare qualcosa o prendere a botte qualcuno.

Ricordo ancora l'umiliazione sul volto di Tessa quando le ho detto di andarsene. Ma invece di lottare come faccio sempre, mi arrendo alle emozioni. È giusto ricordare cosa le ho fatto: non posso più sottrarmi alle conseguenze delle mie azioni.

«Non dici niente», osserva mio padre interrompendo i miei pensieri. L'immagine di Tessa inizia a svanire, mi scivola via dalla mente anche se cerco di trattenerla. L'unica consolazione è sapere che tornerà presto a tormentarmi.

«Non so proprio cosa dire. Mi hai raccontato un mucchio di roba, non so più cosa pensare», ammetto. La sincerità delle mie parole mi terrorizza, e temo che mio padre aggiunga qualcosa che renderà il tutto ancora più imbarazzante.

Invece si limita ad annuire e si alza in piedi. «Karen sta preparando la cena, se vuoi fermarti.»

«No, meglio di no.» Voglio andare a casa. L'unico problema è che non troverò lì Tessa. Ed è tutta colpa mia.

Mentre andavo via ho incrociato Landon in corridoio, ma sono filato via prima di dovermi sorbire i suoi consigli non richiesti. Avrei dovuto domandargli dov'era Tessa; muoio dalla voglia di scoprirlo. Ma mi conosco, e so che se sapessi dov'è ci andrei subito e cercherei di convincerla a venire via con me. Ho bisogno di stare con lei, ovunque sia. Ascoltare le spiegazioni di mio padre è stato un passo nella direzione giusta, ma non smetterò all'improvviso di essere un bastardo prepotente. E se Tessa è dove non voglio che sia… per esempio da Zed…

È con Zed? Cazzo, non sarà mica andata da lui? Penso di no, ma non le ho mai dato occasione di conoscere nuovi amici. E se non è con Landon…

No, non può essere con Zed. Impossibile.

Continuo a ripetermelo mentre salgo in ascensore verso il nostro appartamento. Spero quasi che quell'estraneo sia tornato, così avrei qualcuno con cui sfogarmi.

Un brivido mi scuote. E se Tessa fosse stata a casa da sola quand'è entrato l'intruso? Mi torna alla mente il suo viso arrossato e rigato di lacrime, quello che vedo in sogno. Se qualcuno provasse a farle del male, sarebbe l'ultima cosa che fa.

Sono un ipocrita del cazzo! Ora minaccio di ammazzare chi le fa del male, quando io stesso la faccio solo soffrire.

Bevo un po' d'acqua e mi guardo intorno nell'appartamento vuoto, dopo qualche minuto inizio a sentirmi irrequieto. Per tenermi occupato faccio ordine tra i libri di Tessa. Ne ha lasciati qui troppi, le sarà dispiaciuto molto. Ecco un'altra conferma di quanto le faccio male.

Trovo un quaderno di pelle nascosto tra due edizioni di *Emma*, e inizio a sfogliarlo: è interamente coperto dalla grafia di Tessa. È una specie di diario, di cui non sapevo niente?

Sulla prima pagina c'è scritto *Introduzione alle religioni del mondo*. Mi siedo sul letto e inizio a leggere.

56
Tessa

LOGAN mi chiama dall'altra parte della cucina, ma si accorge che non lo sento e mi raggiunge. «Sei stata gentile a venire, non ci speravo!» mi dice con un gran sorriso.

«Non mi sarei mai persa la mia festa di addio», rispondo alzando il bicchiere di plastica in un brindisi.

«Mi sei mancata, è da un po' che nessuno cerca di strozzare Molly...» Fa una risata e inizia a bere dalla bottiglia. Poi batte le palpebre e si schiarisce la voce: deve bruciargli molto la gola. «Sarai sempre la mia eroina, dopo quell'episodio», dichiara porgendomi la bottiglia.

Rifiuto mostrandogli il bicchiere mezzo pieno che ho in mano. «Scommetto che qualcun altro ci proverà presto», replico con un sorriso divertito.

«Ah, si parla del diavolo...» dice lui, guardando alle mie spalle.

Non voglio girarmi. «Perché?» faccio in tono lamentoso, posando un gomito sul bancone. Stavolta, quando Logan mi offre la bottiglia, la accetto.

«Bevilo tutto.» Sorride e si allontana, lasciandomi sola con la bottiglia.

Molly entra nel mio campo visivo e alza il bicchiere a mo' di saluto. «Per quanto mi rattristi sapere che te ne vai», comincia con finta cordialità, «sarò contenta di non rivederti più. Mi mancherà Hardin, però... le cose che sa fare con quella lingua...»

La guardo storto e cerco una risposta a tono, ma non mi viene in mente nulla. Vorrei riprovare a strozzarla.

«Oh, vattene», dico infine, e lei ride. Ha una risata orribile.

«Ma dai, Tessa. Sono stata la tua prima nemica al college, vorrà pur dire qualcosa, no?» Mi fa l'occhiolino e batte il fianco sul mio prima di andarsene.

Venire a questa festa è stata una pessima idea, tanto più senza Hardin. Steph è scomparsa, e Logan si è trovato una ragazza più disponibile alla quale tenere compagnia. La vedo di profilo e mi sembra carina e a posto, ma poi si gira e mi accorgo che l'altra metà del viso è coperta di tatuaggi. Con un brivido mi chiedo se siano davvero permanenti, poi mi riempio il bicchiere. Ho intenzione di bere molto lentamente, stasera. Altrimenti la facciata di normalità che mi sono costruita crollerà, e diventerò una di quelle odiose ragazze ubriache che piangono ogni volta che qualcuno le guarda.

Mi costringo a girare per casa in cerca dei capelli rossi di Steph, ma non la trovo. Quando finalmente noto il volto familiare di Nate, vedo che anche lui è impegnato con una ragazza e non voglio interromperli. Mi sento un pesce fuor d'acqua: non solo perché queste persone sono molto diverse da me, ma perché ho la sensazione che dedicare questa festa a me e Hardin sia stato solo un pretesto: a nessuno qui importa davvero se partiamo o no. Forse mostrerebbero più interesse se ci fosse anche Hardin; sono più amici suoi che miei, dopotutto.

Resto seduta da sola al bancone della cucina per quasi un'ora, e alla fine sento Steph esclamare: «Eccoti!» Ormai ho mangiato un'intera ciotola di salatini e sono al secondo bicchiere. Stavo pensando di chiamare un taxi, ma dato che Steph si è rifatta viva mi tratterrò un altro po'. Tristan, Molly e Dan sono dietro di lei, e faccio del mio meglio per mantenere un'espressione neutra.

Mi manca Hardin.

«Credevo che te ne fossi andata!» grido sopra la musica,

per distrarmi dal pensiero di quanto è strano essere qui senza Hardin. Da un'ora lotto contro me stessa per non andare nella sua vecchia stanza al piano di sopra: vorrei tanto chiudermi lì per nascondermi da tutta questa gente, per ricordare... non so cosa.

«Ma no! Ti ho preso da bere.» Steph sorride e mi toglie il bicchiere dalle mani rimpiazzandolo con un altro, pieno di un liquido rosa. «Vodka alla ciliegia, ovviamente!» esclama vedendomi confusa. Faccio una risata forzata e mi porto il bicchiere alle labbra.

«Alla tua ultima festa con noi!» brinda Steph, e varie persone che non conosco alzano i bicchieri. Molly si gira dall'altra parte.

«Un tempismo perfetto», dice Molly a Steph, e io mi giro subito a vedere chi è arrivato. Non so decidere se voglio che sia Hardin o no, ma il dilemma è subito risolto quando scorgo Zed entrare in cucina, vestito di nero dalla testa ai piedi.

Rimango esterrefatta. «Hai detto che non sarebbe venuto», mormoro a Steph. Ci mancava solo lui a ricordarmi tutti i miei problemi. Gli ho già detto addio e non sono pronta a riaprire le ferite che l'amicizia con lui mi ha provocato.

«Scusa, non sapevo che sarebbe venuto», fa lei stringendosi nelle spalle, poi si appoggia a Tristan.

«Sei sicura che questa festa sia in mio onore?» domando lanciandole un'occhiataccia. Le sembrerò un'ingrata, ma mi dà molto fastidio che abbia invitato Zed e Molly. Se Hardin fosse venuto, si sarebbe infuriato vedendo Zed.

«Ma certo! Senti, mi dispiace che lui sia qui. Gli dirò di stare lontano da te», mi assicura. Si incammina verso Zed ma io la fermo prendendola per un braccio.

«No, non dirglielo. Sarebbe una cattiveria. Non importa.»

Zed sta parlando con una ragazza bionda che è entrata in

cucina con lui. Quando mi vede, il sorriso gli si spegne sulle labbra. Si gira verso Steph e Tristan, che però evitano il suo sguardo ed escono dalla stanza seguiti da Molly e Dan. Resto di nuovo sola.

Vedo Zed dire qualcosa all'orecchio della bionda, che sorride e si allontana.

«Ciao», mi dice quando mi raggiunge, con un sorriso imbarazzato.

«Ciao», rispondo, poi bevo un altro sorso.

«Non sapevo che ci fossi anche tu», diciamo all'unisono, e scoppiamo entrambi in una risata nervosa.

Lui sorride e mi invita a parlare per prima.

È un sollievo vedere che non mi serba rancore. «Stavo solo dicendo che non sapevo che saresti venuto anche tu.»

«È lo stesso per me.»

«Lo immaginavo. Steph continua a ripetermi che è una festa di addio per me, ma ora so per certo che lo diceva solo per gentilezza.»

Bevo un altro sorso. La vodka è molto più forte degli altri due cocktail che ho bevuto. «E tu... sei qui con Steph?» mi domanda lui avvicinandosi.

«Sì, Hardin non c'è, se è questo che ti stavi chiedendo.»

«No, io...» Mi osserva posare il bicchiere vuoto sul bancone. «Cosa bevi?»

«Vodka alla ciliegia. Come ai vecchi tempi.»

Non ride, sembra confuso, sposta lo sguardo da me al bicchiere. «Te l'ha data Steph?» domanda in tono serio... troppo serio... e intanto sento rallentare i pensieri.

Rallentano troppo. «Sì... perché?»

«Merda.» Prende il bicchiere dal bancone. «Resta qui», ordina, e io faccio cenno di sì. Inizio a sentire la testa un po' pesante. Cerco di focalizzare lo sguardo su Zed, che sta uscendo dalla cucina, ma vengo distratta dalle luci sul soffitto, che hanno cominciato a girare in tondo. Sono così belle, quelle luci, danzano sulla testa della gente.

Le luci danzano? Sì, danzano... anch'io dovrei ballare.

No, devo sedermi.

Mi appoggio al bancone e osservo la parete, che si curva e si piega, fondendosi con le luci che illuminano le teste... o danzano sulle teste? Non lo so, ma insomma, sono così carine... e mi danno il capogiro... a dire la verità non so bene cosa stia succedendo.

57
Hardin

SFOGLIO il quaderno, cercando di decidere da dove iniziare a leggere. È un diario che Tessa ha tenuto per il corso di religione: ci ho messo un po' a capirlo, perché nonostante il titolo sulla prima pagina ogni annotazione è intitolata con una parola e una data, e la maggior parte di quelle parole non c'entra niente con la religione. Inoltre è meno strutturato delle tesine che le ho visto scrivere, sembra più un flusso di coscienza.

Dolore. Quella parola attira la mia attenzione: inizio a leggere.

Il dolore allontana le persone dal loro Dio? Se sì, come?
Il dolore può allontanare chiunque da qualsiasi cosa. Il

dolore ti spinge a fare cose che non avresti mai pensato di fare, come incolpare Dio della tua infelicità.

Dolore... una parola così semplice, ma così densa di significato. Ho imparato che il dolore è l'emozione più intensa che si possa provare. È l'unica che ogni essere umano sperimenti almeno una volta nella vita; e non ha alcun lato positivo, alcun risvolto che permetta di osservarlo da un punto di vista diverso. Ti travolge e basta. Ultimamente ho conosciuto bene il dolore: è diventato quasi insopportabile. A volte, quando sono da sola (e di recente capita molto spesso), mi trovo a domandarmi quale tipo sia il peggiore. La risposta non è semplice come pensavo. Un dolore lento e ostinato, quello che ti assale quando una persona ti ha fatto soffrire ripetutamente, eppure eccoti – eccomi – a permettere che il dolore continui... e non finisce mai.

Solo nei rari momenti in cui lui mi stringe al petto e mi fa promesse che poi non manterrà, il dolore scompare. E proprio quando sto per abituarmi alla libertà, ecco che torna a tormentarmi.

Questa roba non c'entra niente con la religione: parla di me.

Ho deciso che il peggiore è quel dolore lancinante, ineluttabile, quello che ti assale quando finalmente inizi a rilassarti, quando finalmente respiri, pensi di esserti lasciata i problemi alle spalle, e invece li hai ancora, e i problemi di ieri saranno i problemi di oggi e di domani. Il dolore che provi quando investi tutto su qualcosa, su qualcuno, e quel qualcuno ti tradisce completamente – e senza apparente motivo – al punto che il dolore ti stritola e non riesci più a respirare, e ti aggrappi a malapena a quel poco di forza che ti resta dentro e che ti scongiura di andare avanti, di non arrenderti.

Oh, cazzo.

Qualcuno si aggrappa alla fede. Qualcuno ha la fortuna di potersi confidare con un'altra persona. Il dolore è uno di quei luoghi orribili che, visitati una volta, non riesci più ad abbandonare; e anche quando pensi di essere sfuggito alle sue grinfie, scopri che ti ha lasciato un marchio indelebile. Se sei come me, non hai nessuno su cui fare affidamento, nessuno che ti prenda per mano e ti rassicuri. Devi prenderti per mano da sola e tirarti fuori di lì.

Cerco la data in cima alla pagina. L'ha scritto mentre ero in Inghilterra. Dovrei smettere di leggere, dovrei chiudere questo quaderno e non riaprirlo mai più, ma non posso. Ho bisogno di sapere cos'altro contiene questo libro dei segreti. Ho paura che non potrò mai più sentirmi così vicino a lei.

Giro pagina e trovo il titolo *Fede*.

Cosa significa per te la fede? Hai fede in un'entità superiore? Pensi che la fede possa fare bene alle persone?

Ora dovrebbe andare meglio: questa pagina non dovrebbe rigirare il coltello nella piaga e peggiorare il dolore che sento nel petto. Almeno qui non dovrebbe parlare di me.

Per me la fede significa credere in qualcosa di diverso da se stessi. Sono convinta che ognuno, che sia religioso o meno, dia un significato differente a questo termine. Personalmente credo in qualcosa di più grande di noi,

perché sono stata educata così. Mia madre e io andava-
mo in chiesa ogni domenica, e spesso anche il mercoledì.
Adesso non ci vado più, e probabilmente dovrei farlo, ma
non ho ancora capito come la penso sulla religione ora
che sono adulta e non sono più tenuta a fare ciò che mia
madre si aspetta da me.
Quando penso alla fede, la mia mente non corre subito alla
religione. Dovrebbe, forse; ma non lo fa. I miei pensieri
corrono subito a lui, come sempre. Lui abita ogni mio
pensiero. Non so se sia un bene, ma è così che stanno le
cose, e ho fede che prima o poi si sistemerà tutto. Sì, lui è
difficile e iperprotettivo, a volte pretende persino di darmi
ordini... d'accordo, spesso, non a volte. Ma ho fede in lui,
sono convinta che abbia buone intenzioni, per quanto le
sue azioni mi facciano arrabbiare. La mia storia con lui mi
mette alla prova in modi che non avrei creduto possibili,
ma ogni istante ne vale la pena. Credo davvero che un
giorno il suo terrore di perdermi si dissolverà e potremo
affrontare insieme il futuro: è tutto ciò che voglio. So che
lo desidera pure lui, anche se non lo ammetterebbe mai.
Ripongo così tanta fiducia in quel ragazzo che sopporto
ogni lacrima, ogni litigio inutile... sopporterei qualsiasi
cosa, pur di essere ancora con lui il giorno in cui finalmente
crederà in se stesso.
Nel frattempo, ho fede che un giorno Hardin dirà aper-
tamente e sinceramente ciò che prova, e porrà fine al suo
esilio autoimposto dai sentimenti. Quel giorno capirà
finalmente che non è cattivo. Si sforza tanto di esserlo, ma
in realtà in questa storia lui non è il cattivo: è l'eroe. È il
mio eroe, anche se ogni tanto mi tormenta. Mi ha salvata
da me stessa. Da sempre fingevo di essere una persona che
non ero, e Hardin mi ha mostrato che potevo essere me

*stessa. Non mi adeguo più all'immagine che mia madre ha
di me, e di questo devo ringraziare lui. Sono convinta che un
giorno capirà quanto è meraviglioso. È così perfettamente
imperfetto, e per questo lo amo tanto.*

*Non dà dimostrazioni convenzionali del suo eroismo, ma
ci prova, e non posso chiedere di più. Ho fede che, se
ci prova costantemente, alla fine si concederà di essere
felice. Continuerò ad avere fede in lui finché non la avrà
in se stesso.*

Richiudo il quaderno e premo le dita sugli occhi nel tentativo di tenere sotto controllo le emozioni. Tessa crede in me,
senza motivo. Non capirò mai perché abbia sprecato il suo
tempo con me, ma leggere i suoi pensieri espressi con tanta
spontaneità è come una pugnalata al cuore.

Capire che Tessa è proprio come me mi spaventa e mi
rende felice al tempo stesso. Sapere che tutto il suo mondo
gira... girava intorno a me mi dà gioia... Ma appena ricordo
che ho rovinato tutto, quella gioia svanisce in un istante. Per
il suo bene e per il mio, devo migliorarmi. Devo liberarmi
dalla rabbia.

Stranamente, dopo la confessione a mio padre mi sento
come se mi fosse stato tolto un peso dalle spalle. Non mi
spingerei ad affermare che l'ho perdonato, o che guarderemo
insieme le partite in televisione, ma lo odio meno di prima.
Sono più simile a lui di quanto io stesso voglia ammettere. Ho
cercato di lasciare Tessa per il suo bene, ma non ne ho avuto
la forza. Quindi in un certo senso mio padre è più forte di
me. Se n'è andato e non è più tornato. Se avessi un figlio con
Tessa, e temessi di rovinargli la vita, anch'io vorrei andarmene.

Al diavolo. Il pensiero di avere un figlio mi dà la nausea.
Sarei il padre peggiore del mondo, ed è vero che Tessa sta

meglio da sola che con me. Non riesco a dimostrare il mio amore neppure a lei, figuriamoci a un bambino.

«Basta così», dico a voce alta, e mi alzo in piedi sospirando. Vado in cucina e apro uno sportello. La bottiglia di vodka mezza vuota sembra chiamarmi, scongiurarmi di aprirla.

Sono davvero un alcolizzato. Sono in piedi davanti al bancone della cucina con una stupida bottiglia di vodka in mano. Svito il tappo e me la porto alle labbra. Un sorso basterà a scacciare i sensi di colpa. Con un sorso posso costringermi a fingere che Tessa tornerà presto a casa. Ha funzionato altre volte e funzionerà di nuovo. Un sorso soltanto.

Mentre chiudo gli occhi e getto la testa all'indietro, vedo gli occhi di Tessa pieni di lacrime. Mi riscuoto, faccio scorrere l'acqua e verso la vodka nel lavandino.

58
Tessa

LE bocche si aprono, le labbra si muovono senza produrre suoni. E la musica rimbalza sulle pareti e rimbomba nella mia testa.

Da quanto tempo sono qui? Quando sono entrata in cucina? Non ricordo.

«Ciao.» Dan mi si piazza davanti all'improvviso. Ha la faccia un po' distorta: lo guardo meglio cercando di mettere a fuoco.

«Ciao…» scandisco lentamente.

Sorride. «Ti senti bene?»

«Mi sento strana, diciamo», rispondo. Cerco con gli occhi Zed: spero che torni presto.

«Come sarebbe?»

«Non lo so… strana. Come ubriaca, ma più lenta, e allo stesso tempo ho un sacco di energia.» Agito una mano davanti alla faccia: ne vedo tre.

Dan scoppia a ridere. «Devi aver bevuto proprio tanto.»

Fisso il pavimento e faccio cenno di sì. Vedo una ragazza passarmi davanti alla velocità di una lumaca. «Zed sta tornando?» gli chiedo.

Dan si guarda intorno. «Dov'è andato?»

«A cercare Steph, per il mio bicchiere.» Mi appoggio al bancone. Ormai ci sono praticamente sdraiata sopra. O almeno mi pare.

«Ah sì? Be', posso aiutarti a ritrovarlo. Mi sembra di averlo visto salire al piano di sopra.»

«Okay», rispondo. Non penso che Dan mi piaccia, ma devo trovare Zed, perché sento la testa sempre più pesante.

Seguo piano Dan che si fa strada tra la gente e mi guida verso le scale. La musica è a volume altissimo, e mentre salgo le scale dondolo lentamente la testa.

«È quassù?» chiedo a Dan.

«Sì, credo sia entrato lì dentro», dice indicando una porta in corridoio.

«Quella è la stanza di Hardin», lo informo, e lui non risponde. «Posso sedermi qui per un momento? Non riesco più a camminare.» Sento i piedi pesanti ma la mente mi sembra più lucida, e non capisco perché.

«Sì, certo, puoi sederti qui.» Dan mi prende per il braccio e mi porta nella vecchia stanza di Hardin. Barcollo fino al letto e vengo assalita dai ricordi: io e Hardin seduti proprio qui, su questo letto. E io che lo bacio per la prima volta. Ero così confusa dal desiderio di stare accanto a quel ragazzo tanto cupo. Quella è stata la prima volta che ho intravisto un Hardin più dolce, più gentile. Non si è trattenuto a lungo, ma è stato bello conoscerlo.

«Dov'è Hardin?»

Dan fa un'espressione strana, poi ridacchia. «Oh, Hardin non è qui, e hai detto che forse non sarebbe venuto, ti ricordi?» Chiude la porta a chiave.

Cosa sta succedendo? Mi vengono in mente una serie di possibilità, ma il mio corpo è troppo pesante e non riesco a muovermi. Vorrei sdraiarmi, ma un allarme mi risuona in testa. *Non sdraiarti! Tieni gli occhi aperti!*

«Apri la porta», dico cercando di alzarmi, ma la stanza mi gira intorno.

In quel momento qualcuno bussa. Provo un sollievo profondo quando vedo che Dan fa entrare Steph.

«Steph!» balbetto. «Lui sta... facendo qualcosa.» Non so come spiegarlo, ma so che stava per farmi qualcosa.

Steph guarda Dan, che le rivolge un sorriso sinistro. Poi mi chiede semplicemente: «Cosa?»

«Steph...» ripeto. Ho bisogno che mi aiuti a uscire di qui.

«Piantala di frignare!» sbotta lei.

Resto senza fiato. «Eh?»

Ma Steph sorride a Dan e rovista nella borsa che ha con sé. Quando mugolo ancora, mi guarda male. «Merda, ma non stai mai zitta? Sono stufa dei tuoi piagnistei.»

Il mio cervello non funziona a dovere. È impossibile che Steph mi stia dicendo queste cose.

«E quello stupido broncio innocente: dacci un taglio, cazzo.» Dopo qualche altro secondo di ricerca nella borsa, porge a Dan un piccolo oggetto e dice: «Trovata... eccola».

Mi sento svenire, ma un trillo sommesso mi richiama alla coscienza... almeno per qualche altro istante.

Vedo una lucina rossa, come una ciliegia piccolissima.

Come la vodka alla ciliegia. Steph, Dan, Molly, Zed. La festa. Oh, no.

«Cos'hai fatto?» le chiedo.

Scoppia a ridere. «Non ti avevo detto di piantarla? Andrà tutto bene», borbotta, dirigendosi verso il letto. C'è una telecamera nella mano di Dan. La luce accesa vuol dire che è in funzione.

«Sta'... lontana da me.» Cerco di gridare, ma mi esce solo un sussurro. Tento di rimettermi in piedi, ma barcollo e ricado sul letto. È morbido... come le sabbie mobili.

«Pensavo che tu...» inizio.

Ma Steph mi posa le mani sulle spalle e mi spinge giù. Non riesco a rialzarmi. «Cosa pensavi? Che fossi tua amica?» Si mette in ginocchio sul letto, incombe sopra di me. Comincia a tirarmi su il vestito. «Eri troppo impegnata a fare la puttana, a saltare da Zed a Hardin, per capire che in realtà ti ho sempre disprezzata. Se me ne fosse fregato qualcosa di te, non pensi che ti avrei detto che Hardin usciva con te solo per vincere una scommessa? Non pensi che un'amica ti avrebbe avvisata?»

Ha ragione, e anche stavolta sono stata un'idiota. Il dolore del tradimento è moltiplicato dal torpore che ho nella testa: e quando guardo Steph, il diavolo dai capelli rossi, i suoi lineamenti sono contorti in un'espressione demoniaca, e negli occhi scuri c'è una scintilla che mi dà i brividi.

«Ah, a proposito, spero che ti sia divertita ad aspettare Hardin il giorno del suo compleanno. Straordinario cosa si riesce a fare con un semplice sms. Quindi una telecamera sarà molto peggio, no?»

Cerco di oppormi, ma è impossibile. Toglie senza sforzo

le mie dita dalle sue braccia e continua a tirarmi su il vestito. Chiudo gli occhi e immagino Hardin che irrompe nella stanza, per salvarmi: il mio cavaliere senza macchia.

«Hardin lo verrà a... sapere», minaccio debolmente.

«Ah, ah... certo, è quello che vogliamo. Ora sta' zitta.»

Di nuovo bussano alla porta, e di nuovo tento inutilmente di spingere via Steph.

«Chiudi la porta, sbrigati», interviene Dan, e quando giro la testa per guardare non mi stupisco che Molly ci abbia raggiunti.

«Aiutami a toglierle il vestito», dice Steph.

Mi si chiudono gli occhi, faccio per scuotere la testa ma non ci riesco, il corpo non risponde più ai comandi. Dan mi violenterà, lo so. Era il piano di Steph per questa festa. Non è mai stata una festa d'addio per me. Serviva a distruggermi. Perché ho pensato che fosse mia amica?

I capelli di Molly ricadono sul mio viso quando sale sul letto accanto a me, e Steph mi tira su e mi fa girare per slacciarmi il vestito sulla schiena.

«Perché?...» chiedo con voce rotta. Sento le lacrime scorrermi sulle guance.

«Perché?!» esclama Dan avvicinandosi. «Perché quello stronzo del tuo ragazzo si è filmato mentre si scopava mia sorella: ecco perché.» Il suo fiato caldo sembra fango sul mio viso.

«Ehi! Mi pareva che avessi detto di volerle solo scattare qualche foto!» si intromette Molly a voce alta.

«Sì, e forse un piccolo video», ribatte Steph.

«Ma no! Col cavolo, non puoi permettergli di stuprarla!» grida Molly.

«Non... Cazzo, non sono mica psicotica. La toccherà e farà sembrare che stiano scopando, così Hardin guarderà il video e uscirà di testa. Immaginati la sua faccia quando vede questa puttanella innocente della sua ragazza che si fa scopare da

Dan.» Steph scoppia a ridere. «Pensavo che fossi d'accordo anche tu, avevi detto di sì», sibila rivolta a Molly.

«Sono d'accordo con l'idea di farlo incazzare, ma non puoi girare un video del genere.» Ora Molly bisbiglia, ma la sento benissimo ugualmente.

«Sembri lei.» Steph mi gira di nuovo dopo avermi sfilato il vestito.

«Fermi», piagnucolo. Steph fa un'espressione esasperata e Molly sembra in procinto di vomitare.

«Non sono più tanto sicura», dice poi, nel panico.

Steph la afferra con forza per la spalla e fa: «Be', allora quella è la porta. Se vuoi fare la cacasotto, torna giù e tra poco ti raggiungiamo».

Bussano di nuovo e distinguo la voce di Tristan. «Steph, sei qui dentro?» *No, lui no.*

«Merda», mormora Steph. «Sì, ehm… sto parlando con Molly. Usciamo tra un minuto!»

Apro la bocca per gridare, ma lei me la copre con una mano appiccicosa che puzza di alcol.

Chiedo aiuto con lo sguardo a Molly, ma lei si gira dall'altra parte, la vigliacca.

«Va' di sotto, piccolo. Arrivo subito. Problemi… da ragazze, sai», mente, e malgrado la situazione in cui mi trovo mi sento sollevata al pensiero che Tristan non immagini neppure le intenzioni della sua ragazza.

«Okay!» grida dall'esterno.

«Vieni qui», bisbiglia Steph a Dan. Poi mi tocca la guancia. «Apri gli occhi.»

Li socchiudo, e sento la mano di Dan sulla coscia. Mi assale il terrore e li richiudo.

«Vado di sotto», afferma infine Molly quando Dan si porta la telecamera davanti al viso.

«Va bene, chiudi a chiave», risponde secca Steph.

«Spostati», dice Dan, e il letto si muove sotto di me quando Steph si alza e lui prende il suo posto. «Tienila.»

Provo a immaginare che le mani di Dan siano quelle di Hardin, ma è impossibile. Le mani di Dan sono troppo lisce, troppo morbide. Cerco di ricordare la coperta morbidissima che avevo da bambina... La porta si richiude alle spalle di Molly, e io mi lascio sfuggire un altro gemito.

«Lui ti farà male», parlo con voce strozzata, senza aprire gli occhi.

«Nah», ribatte Dan. «Vorrà che nessuno veda questo video, quindi non farà niente.» Fa scorrere le dita sull'elastico delle mie mutandine e, in tono sinistro, sussurra: «È così che va il mondo».

Faccio appello a tutte le mie forze e tento di spingerlo via, ma riesco solo a far tremare un po' il letto.

Steph fa una risata disgustosa. «Hardin è uno stronzo, okay?» grida, puntandomi la telecamera in faccia. «E rovina sempre la vita a tutti. L'ha fatto con la sorella di Dan, con me, ha preso in giro tante ragazze, le scopa e le butta via. Finché sei arrivata tu. Non capirò mai perché gli piaci così tanto.» Il suo tono gronda ribrezzo.

«Tessa!» La voce di Zed rimbomba da non so dove, e Steph mi tappa di nuovo la bocca mentre sentiamo bussare forte alla porta.

«Sta' zitta», ordina. Cerco di morderle la mano e lei mi dà uno schiaffo. Per fortuna non lo sento quasi.

«Steph, porca puttana, apri la porta!» grida Zed.

È coinvolto anche lui? Hardin aveva ragione sul suo conto? Tutte le persone che ho intorno vogliono farmi del male? Non sarebbe strano: quasi ogni persona di cui mi sono fidata da quando sono arrivata al college mi ha tradita.

«Butto giù la porta, non scherzo», lo sento gridare. Poi, rivolto a qualcun altro aggiunge: «Va' a cercare Tristan!»

Steph allora mi toglie subito la mano dalla bocca e andando alla porta strilla: «Aspetta!» Ma è troppo tardi: la porta si apre di schianto e la mano di Dan si stacca da me. Quando apro gli occhi lo vedo indietreggiare rapidamente mentre Zed irrompe nella stanza.

«Ma che cazzo...» grida correndo verso di me.

Qualcuno mi getta una coperta addosso mentre allungo le braccia verso di lui.

«Aiutami», lo scongiuro, e prego che non sia complice di questo incubo. E che riesca a sentirmi.

Strappa la telecamera dalle mani di Steph gridandole: «Ma che problema hai?!» Una volta che se ne è impadronito, la scaglia a terra e la calpesta ripetutamente.

«Calmati, bello, era uno scherzo», fa lei, mettendosi a braccia conserte. In quel momento Tristan entra nella stanza.

«Uno... scherzo? Le hai messo qualcosa nel bicchiere e ora sei quassù con una telecamera mentre Dan cerca di stuprarla! Non è uno scherzo, cazzo!»

Tristan è esterrefatto. «Cosa?»

Falsa come sempre, Steph punta un dito su Zed e inizia a piangere a comando. «Non dargli retta!»

Zed scuote la testa. «È la verità. Domanda a Jace. Lei gli ha chiesto una benzo... e ora guarda Tessa! La telecamera che stavano usando è qui», spiega indicando il pavimento.

Cerco di alzarmi a sedere, stringendomi nella coperta. Non ci riesco.

«Era uno scherzo, nessuno le avrebbe fatto del male!» ripete Steph con un risolino falso.

Ma Tristan fissa inorridito la sua ragazza. «Come hai potuto? Pensavo che fosse tua amica!»

«No, no, piccolo, non è come sembra... È stata un'idea di Dan!»

Dan fa un gesto di stizza: anche lui vuole scaricare la colpa su qualcun altro. «Ma che cazzo! No, l'idea è stata tua.» Punta il dito su Steph e guarda Tristan. «È ossessionata da Hardin... è stata una sua trovata.»

Tristan, rabbuiato, fa per uscire dalla stanza, ma poi sembra cambiare idea: si gira e sferra un pugno a Dan, facendolo stramazzare a terra, poi esce seguito da Steph.

«Sta' lontana da me! Abbiamo chiuso!» le grida, e se ne va.

Lei si gira verso tutti gli altri. «Grazie tante, cazzo!»

Vorrei ridere dell'assurdità della situazione: lei che organizza questo show dell'orrore, e quando le si ritorce contro scarica la colpa sugli altri. E riderei, se non fossi sdraiata qui senza fiato.

Il viso di Zed appare sopra di me. «Tessa... stai bene?»

«No...» Mi gira la testa ancora più di prima. All'inizio erano solo i movimenti del corpo a essere rallentati; la mente era ancora quasi lucida. Ma la droga sta facendo sempre più effetto.

«Scusa se ti ho lasciata sola. Avrei dovuto sapere che non era il caso.» Mi stringe nella coperta, mi passa un braccio dietro le ginocchia e un altro dietro la schiena e mi solleva dal letto.

Prima di portarmi fuori dalla stanza si ferma davanti a Dan, che solo ora si sta rialzando da terra. «Spero che Hardin ti ammazzi quando lo verrà a sapere. Te lo meriti.»

Sento bisbigli e mormorii intorno a me mentre Zed mi porta in braccio nella casa affollata. Ma non mi importa: voglio solo andarmene da qui e non pensarci mai più.

«Ma cosa succede?» Riconosco la voce di Logan.

«Puoi andare di sopra a prendere il suo vestito e la borsa?» gli chiede Zed a bassa voce.

«Sì, certo», risponde Logan.

Zed mi porta fuori dalla casa e l'aria fredda mi fa rabbrividire. O almeno così mi sembra, ma non ne sono sicura. Cerca di stringermi la coperta addosso ma continua a scivolare. Non posso aiutarlo, perché non riesco quasi a muovere le braccia.

«Appena ti ho messa in macchina chiamo Hardin, okay?»

«No, non lo fare.» Hardin sarà furioso con me. Non voglio proprio sentirmi gridare in faccia quando non sono neppure in grado di tenere gli occhi aperti.

«Tessa, penso proprio che dovrei chiamarlo.»

«No, per favore.» Ricomincio a piangere. Hardin è l'unica persona che vorrei vedere in questo momento, ma non voglio sapere come reagirà quando scopre cos'è successo. Se fosse venuto lui a salvarmi invece di Zed, cosa avrebbe fatto a Dan e Steph? A quest'ora sarebbe già in prigione, ne sono certa.

«Non dirglielo, non dirgli niente, shhh», ripeto.

«Lo scoprirà comunque. Anche se il video è stato distrutto, troppe persone sanno cos'è successo.»

«No, ti prego.»

Sospira e mi sposta sull'altro braccio per aprire la portiera.

Logan ci raggiunge mentre Zed mi sta posando sul sedile. «Ecco la sua roba. Sta bene?» chiede in tono preoccupato.

«Sì, penso di sì. Ha preso una benzo.»

«Ma cosa?…»

«È una storia lunga. Tu l'hai mai presa?»

«Sì, una volta, ma solo mezza, e dopo un'ora mi sono addormentato. Speriamo che non le vengano le allucinazioni, certe persone hanno reazioni assurde a quella roba.»

«Merda», sbuffa Zed. Lo immagino rigirarsi tra le dita il piercing.

«Hardin lo sa?» chiede Logan.

«Non ancora…»

Continuano a parlare di me come se non fossi lì, ma per fortuna il riscaldamento della macchina inizia a funzionare.

«Devo portarla a casa», afferma infine Zed, e pochi secondi dopo è in macchina con me.

Mi guarda inquieto. «Se non vuoi che glielo dica, dove ti porto? Puoi venire a casa mia, ma sai quanto si arrabbierà quando lo scopre.»

Se potessi formulare una frase, gli spiegherei che ci siamo lasciati; ma dato che non posso, emetto un suono a metà tra un singhiozzo e un colpo di tosse. «Madre», riesco a dire.

«Sicura?»

«Sì... non Hardin. Per favore.»

La macchina inizia a muoversi. Cerco di concentrarmi sulla sua voce al telefono, ma fatico a seguire la conversazione, e poco dopo mi ritrovo sdraiata sul sedile.

Mi arrendo e chiudo gli occhi.

59
Hardin

L'AMORE è l'emozione più forte che si possa provare. Che si tratti dell'amore per Dio o per un'altra persona, è l'esperienza più intensa, impetuosa, travolgente che ci sia. Il momento in cui capisci di essere capace di amare qualcuno più di te stesso è forse il più importante della vita. Per me lo è stato. Amo Hardin più di me stessa, più di ogni cosa.

Il telefono vibra sul tavolino per la quinta volta negli ultimi due minuti. Decido di rispondere per dirgliene quattro.

«Che cazzo vuoi?»

«È…»

«Sputa il rospo, Molly, non ho tempo per le tue stronzate.»

«È per Tessa.»

Mi alzo in piedi e il diario cade a terra. Mi si gela il sangue nelle vene. «Cosa succede?»

«Lei… Senti, non spaventarti, ma Steph le ha messo qualcosa nel bicchiere e Dan sta…»

«Dove sei?»

«Alla confraternita.» Prima ancora che abbia finito di parlare le sbatto il telefono in faccia, prendo le chiavi e mi precipito fuori dall'appartamento.

Per tutto il tragitto ho il cuore a mille. Perché cazzo ho preso casa così lontano dall'università? È il tragitto più lungo della mia vita.

Steph ha fatto bere qualcosa a Tessa… Ma cosa le è saltato in mente? E Dan… cazzo, Dan è un uomo morto se l'ha toccata con un dito.

Passo con il rosso a tutti i semafori e ignoro le fotocamere; alle multe penserò dopo.

È per Tessa… La voce di Molly mi risuona in testa finché arrivo alla confraternita. Salto giù senza neppure spegnere il motore. Il salotto e i corridoi sono pieni di idioti ubriachi, ma non vedo Tessa.

Prendo Nate per il colletto e lo scaravento contro il muro. «Lei dov'è?»

«Non lo so! Non l'ho vista!»

Allento la presa. «Dove cazzo è Steph?»

«In giardino, penso… non la vedo da un po'.»

Prima di mollarlo gli do uno spintone e lui mi guarda storto.

Esco in giardino, nel panico… Se Tessa è qui fuori al freddo con Steph e Dan…

I capelli rossi di Steph si vedono anche al buio; la prendo per il bavero della giacca di pelle e la strattono in piedi.

«Ma che cazzo!» fa lei cercando di divincolarsi.

«Dov'è?» ringhio.

«Non lo so, dimmelo tu», sbotta lei.

La faccio girare verso di me. «Dove cazzo è?»

«Tanto non mi fai niente.»

«Non ne sarei così sicuro. Dimmi dove cazzo è Tessa, subito!» le grido in faccia.

Fa un sussulto e per un momento sembra impaurita, ma poi dice: «Non lo so dov'è, ma ormai sarà svenuta».

«Sei disgustosa, sei malata. Fossi in te me ne andrei di qui prima che io trovi Tessa. Quando saprò che sta bene, niente mi impedirà di venire a cercarti.» Per una frazione di secondo ho voglia di prendere a botte Steph, ma so che non ce la farei. Non voglio neppure immaginare la reazione di Tessa se sfiorassi una ragazza… anche una bastarda come Steph.

Torno in casa: non ho tempo da perdere.

«Dov'è Dan Heard?» chiedo a una tizia bionda seduta da sola in fondo alle scale.

«Lui?» fa indicando il pianerottolo sopra di noi.

Senza un'altra parola mi fiondo su per le scale, due gradini alla volta. Dan non si accorge di niente finché lo butto a terra, facendo cadere un altro paio di persone. Lo faccio girare a pancia in su e gli stringo le mani alla gola. *Déjà vu, cazzo.*

«Dov'è Tessa?» Stringo più forte.

Il volto di Dan sta già assumendo un bel colorito rosa. Per

tutta risposta emette un patetico gemito soffocato. Stringo ancora.

«Se le hai torto un capello, ti ammazzo.»

Inizia a scalciare. Guardo il ragazzo che stava parlando con lui.

«Dov'è Tessa Young?» gli chiedo.

«Non... non la conosco. Giuro!» grida il vigliacco, e con un gesto di resa indietreggia, mentre io continuo a strozzare il suo amico.

Il viso di Dan è virato dal rosa al viola. «Sei pronto a dirmelo?»

Annuisce disperato.

«E allora parla, cazzo!» urlo lasciandolo andare.

«Lei... Zed.» Appena gli tolgo le mani dal collo inizia a tossire.

«Zed?» Tutte le mie paure si materializzano all'istante. «Te l'ha proposto lui, vero?»

«No, Zed non c'entra niente», interviene Molly uscendo da una delle stanze lungo il corridoio. «Non è stato lui. Insomma, ha sentito Steph che parlava di fare qualcosa, ma avrà pensato che non dicesse sul serio.»

Punto gli occhi su di lei. «Dov'è? Dov'è Tessa?» chiedo per la centesima volta. Ogni secondo in cui non la vedo, ogni momento in cui non ho la certezza che stia bene, è un altro colpo alla mia già compromessa sanità mentale.

«Non lo so, penso che sia andata via con Zed.»

«Cosa le hanno fatto? Dimmi tutto, dimmelo!» Mi alzo in piedi e lascio Dan a terra a riprendere fiato.

«Niente», risponde Molly. «Lui li ha fermati prima che potessero fare qualcosa.»

«Lui chi?»

«Zed. Sono andata a chiamare Zed e Tristan prima che

succedesse qualcosa. Steph era impazzita, voleva che Dan stuprasse Tessa, o qualcosa del genere. Non che la stuprasse sul serio, ma non lo so… sembrava una psicopatica.»

«Stuprare Tessa?» ansimo. *No.* «Lui… l'ha toccata?»

«Un po'», risponde in tono angosciato, guardando a terra.

Mi volto di nuovo verso Dan, che si è alzato a sedere. Gli sferro un calcio sulla guancia e lui stramazza a terra.

«Porca vacca, così lo ammazzi!» strilla Molly.

«Come se te ne fregasse qualcosa.» Cerco di valutare quanto forte dovrei colpirlo per spaccargli il cranio. Il sangue gli cola sulla guancia e dall'angolo della bocca. Bene.

«Non… non me ne frega un cazzo di tutta questa storia.»

«Allora perché mi hai chiamato? Pensavo che odiassi Tessa.»

«La odio, credimi. Ma non potevo stare lì senza far niente e lasciare che la violentassero.»

«Be'…» Sono tentato di ringraziarla, ma poi ricordo quanto è stronza, quindi mi rimetto a cercare Tessa.

Cosa ci faceva qui Zed? Quel pezzo di merda arriva sempre al momento giusto per farmi sembrare stupido: e l'ha salvata un'altra volta.

A parte la gelosia, sono sollevato di sapere che Tessa è al sicuro da Steph e Dan e dal loro spaventoso piano di vendetta contro di me. E questo mi ricorda per l'ennesima volta che tutti i problemi di Tessa hanno origine da me. Se non avessi fatto quelle cose alla sorella di Dan, questo non sarebbe mai successo. Ora Tessa ha una droga in corpo ed è con Zed. Chissà cosa proverà a farle.

Ecco… ecco come si sta all'inferno. Sapere che lei si è ritrovata in questo casino per colpa mia. Potevano stuprarla, per colpa mia.

Proprio come nei miei incubi… e io non ero qui per impedirlo. Come non sono riuscito a impedire che succedesse a mia madre.

Dio, quanto mi odio. Rovino chiunque mi si avvicini. Sono velenoso. E lei è un angelo che sto distruggendo lentamente.

«Hardin!» Logan mi viene incontro in fondo alle scale.

«Sai dove sono Tessa e Zed?» Mi fa male pronunciare quelle parole.

«Se ne sono andati un quarto d'ora fa, pensavo che stessero tornando a casa tua.»

Quindi Tessa non ha detto a nessuno che ci siamo lasciati. «Lei... stava bene?» gli chiedo, e trattengo il fiato in attesa della risposta.

«Non lo so, era abbastanza fuori. Le hanno dato una benzo.»

«Cazzo», sbotto correndo alla porta di casa. «Chiamami, se senti Zed prima che li trovi io.»

Logan annuisce e io mi precipito alla macchina. Per fortuna non me l'hanno rubata. Ma qualcuno ha versato una birra sul parabrezza e ha lasciato il bicchiere vuoto sul cofano. Che branco di stronzi.

Provo a chiamare Tessa, ma mi ritrovo a mormorare alla segreteria: «Rispondi, per favore... ti prego, rispondi».

Probabilmente non è in grado di rispondere, ma Zed potrebbe farlo per lei. Immaginarla in quello stato, senza la mia protezione, mi fa imbestialire. Sbatto le mani sul volante e mi immetto in strada. È una catastrofe, e Tessa è con Zed... Non mi fido di lui più di quanto mi fidi di Dan o Steph.

No, non è proprio vero, ma comunque non mi fido di lui. Quando arrivo davanti a casa sua sono così disperato da ritrovarmi in lacrime. Ho permesso io che succedesse tutto questo: che le dessero quella droga, che per poco la violentassero, e che la umiliassero. Avrei dovuto essere lì. Se ci fossi stato io nessuno avrebbe osato fare una cosa del genere. Si sarà spaventata da morire...

Mi asciugo gli occhi con la maglietta e spengo il motore. Il pick-up di Zed non è nel parcheggio... *Dove cazzo è? E dov'è lei?*

Provo a chiamare Tessa, poi Zed, poi Tessa di nuovo, ma nessuno mi risponde. Se la sfiora con un dito mentre è svenuta, giuro che lo ammazzo.

Dove altro potrebbe andare?

Da Landon?

«Hardin?» La voce assonnata di Landon risponde al telefono. Inserisco il vivavoce.

«Tessa è lì?»

Sbadiglia. «No... dovrebbe?»

«No, non la trovo.»

«Sei...» esita. «Stai bene?»

«Sì... no, non sto bene. Non trovo Tessa e non so più dove cercarla.»

«Lei vuole essere trovata?»

Probabilmente no. Ma in questo momento non sarà in grado di formare un pensiero lucido. È una situazione di emergenza.

«Prendo il tuo silenzio come un no, Hardin», continua Landon. «Se non vuole essere trovata, immagino sia andata nell'unico posto in cui tu non vorrai seguirla.»

«Da sua madre», sbuffo, irritato per non averci pensato prima.

«Pensi di andarci?» domanda preoccupato.

«Sì.» *Ma Zed la porterebbe davvero a due ore di macchina da qui?*

«Sai la strada?»

«Non proprio, ma posso trovare l'indirizzo a casa mia.»

«Penso di averlo scritto qui da qualche parte... Mi ha

lasciato dei documenti per il cambio di residenza, tempo fa. Lo cerco e ti richiamo.»

«Grazie.» Aspetto con impazienza in macchina, guardando il buio fuori dal finestrino e tentando di non lasciarmi sopraffare. Devo concentrarmi su Tess, trovarla, assicurarmi che stia bene.

«Vuoi dirmi cosa succede?» mi chiede Landon quando mi richiama, pochi minuti dopo.

«Steph... sai, la ragazza con i capelli rossi? Le ha dato della droga.»

«Eh?» fa Landon sbalordito. «Cos'hai detto?»

«Sì, è una situazione di merda e io non ero lì ad aiutarla, e quindi è con Zed.»

«Ma sta bene?» domanda palesemente terrorizzato.

«Non ne ho idea.»

Mi asciugo il naso sulla maglietta mentre Landon mi spiega come arrivare a casa della madre di Tessa.

Quella donna andrà fuori di testa quando mi vedrà arrivare, soprattutto data la situazione, ma non mi importa. Non so cosa farò una volta là, ma devo vederla e assicurarmi che stia bene.

60
Tessa

«Cos'è successo? Raccontami tutto dall'inizio!» strilla mia madre mentre Zed mi tira fuori dalla macchina. Quel movimento mi sveglia e mi fa sprofondare nell'imbarazzo.

«L'ex compagna di stanza di Tessa le ha versato qualcosa nel bicchiere, e Tessa mi ha chiesto di portarla qui», le spiega Zed, ed è una mezza verità. Gli sono grata di avere omesso certi dettagli.

«Oh mio Dio! E perché quella ragazza ha fatto una cosa del genere?»

«Non lo so, Mrs Young... glielo spiegherà Tessa quando si sveglia.»

Sono sveglia! vorrei gridare, ma non ci riesco. È una sensazione strana, sentire tutto ciò che accade intorno a me e non essere in grado di partecipare alla conversazione. Non riesco a muovermi né a parlare, ho la mente annebbiata, i pensieri distorti... ma sono stranamente consapevole di tutto. Quello che succede intorno a me, però, cambia da un momento all'altro: a volte la voce di Zed si trasforma in quella di Hardin, e mi sembra di sentire la sua risata e vedere il suo volto quando provo ad aprire gli occhi. Sto perdendo la testa. Questa droga mi sta facendo impazzire, voglio che la smetta.

Passa un po' di tempo, non so quanto, e poi vengo depositata sul divano. Lentamente, quasi con riluttanza, le braccia di Zed si staccano da me.

«Be', grazie di averla portata qui», dice mia madre. «È orribile. Quando si sveglierà?» La sua voce è stridula, mi fa male alle orecchie.

«Non lo so. Penso che gli effetti durino al massimo dodici ore. Ne sono già passate tre.»

«Come ha potuto essere così stupida?» sbotta mia madre, e quell'insulto riecheggia a lungo nella mia testa.

«Chi, Steph?» chiede Zed.

«No, Theresa. Come ha potuto essere così stupida da frequentare persone del genere?»

«Non è stata colpa sua», mi difende Zed. «Doveva essere

una festa d'addio. Tessa pensava che quella ragazza fosse sua amica.»

«Amica? Ma per favore! Doveva sapere che non era il caso di fare amicizia con quella ragazza, e con nessuno di voi, se è per questo.»

«Con tutto il rispetto, signora, lei non mi conosce. Ho appena fatto due ore di macchina per portarle sua figlia», replica educatamente Zed.

Mia madre sospira e sento i suoi tacchi battere sulle piastrelle della cucina.

«Le serve altro?» chiede Zed. Il divano è molto più comodo delle sue braccia. Le braccia di Hardin sono morbide ma sode; mi è sempre piaciuto guardare i muscoli che guizzano sotto la pelle. Mi si stanno annebbiando di nuovo i pensieri. Detesto questi sprazzi di lucidità alternati alla confusione.

Sento mia madre rispondere dall'altra stanza: «No, grazie di averla portata qui. Ti chiedo scusa per la mia maleducazione di un momento fa».

«Prendo i suoi vestiti e le sue cose in macchina, poi me ne vado.»

«Okay», risponde lei, e i suoi tacchi alti ticchettano dall'altra parte della stanza.

Aspetto di sentire il rombo del motore. Non arriva, o forse c'è stato e non l'ho sentito. Sono confusa. Ho mal di testa. Non so da quanto tempo sono sdraiata qui, ma ho sete. Zed se n'è già andato?

«E tu che accidenti ci fai qui?» grida mia madre, riscuotendomi dal torpore. Non capisco però cosa stia succedendo.

«Lei sta bene?» chiede una voce ansimante, roca. Hardin.

Lui è qui. Hardin.

A meno che sia di nuovo la voce di Zed a trarmi in inganno. No, so che è Hardin. In qualche modo che non so, lo percepisco.

«Tu non entri in casa mia!» strilla mia madre. «Mi hai sentito? Non oltrepassarmi come se non mi avessi sentito!»

La porta sbatte e lei continua a gridare.

E poi mi sembra che la mano di Hardin sia sulla mia guancia.

61
Hardin

Non possono essere arrivati da molto: ho guidato per tutto il tempo ben oltre il limite di velocità. Quando vedo il pick-up di Zed nel vialetto mi viene da vomitare. Appena esce in veranda, la rabbia mi travolge.

Raggiunge lentamente la sua macchina mentre io parcheggio in strada per lasciargli il vialetto libero, così potrà togliersi dalle palle più in fretta. *Cosa gli dirò? E cosa dirò a lei? Riuscirà a sentirmi?*

«Immaginavo che saresti venuto», esordisce a bassa voce quando mi vede.

«E perché non dovevo?» ringhio.

«Forse perché è tutta colpa tua.»

«Dici sul serio, cazzo? È colpa mia se Steph è psicopatica?» *Sì. Sì, è colpa mia.*

«No, è colpa tua che non sei venuto a quella festa con Tessa. Avresti dovuto vedere la sua faccia quando ho buttato giù quella porta.» Scuote la testa come per scacciare il ricordo. Ho una fitta nel petto. Tessa non gli avrà detto che non stiamo più insieme. *Significa che ci spera ancora, come me?*

«Non… non sapevo neppure che ci andasse, quindi vaffanculo. Dov'è?»

«Dentro», risponde con uno sguardo assassino.

«Non guardarmi in quel modo, non dovresti neppure essere qui», gli ricordo.

«Se non fosse stato per me, l'avrebbero stuprata e chissà cos'altro…»

Lo prendo per il bavero del giubbotto di pelle e lo spingo contro la fiancata del pick-up. «Per quante volte ci provi, per quante volte la salvi, non ti vorrà mai. Non dimenticarlo.»

Gli do un ultimo spintone e faccio per allontanarmi. Voglio prenderlo a botte, spaccargli il naso per punire la sua strafottenza, ma in quella casa c'è Tessa, e vederla è la cosa più importante. Passando accanto al pick-up noto sul sedile la borsa di Tessa… e il suo vestito.

Non ha niente addosso?

«Cosa ci fa lì il suo vestito?» mi azzardo a chiedere. Apro la portiera e prendo le sue cose.

«Gliel'hanno tolto», risponde semplicemente Zed con espressione cupa.

«Merda», mormoro avviandomi verso la casa.

Quando arrivo alla veranda, Carol si pianta sulla soglia per sbarrarmi il passo. «E tu che accidenti ci fai qui?»

Sua figlia sta male e il suo primo pensiero è strillarmi in faccia.

«Devo vederla.» Afferro la maniglia della controporta. Lei scuote la testa ma si fa da parte. Evidentemente ha capito che entrerò comunque.

«Tu non entri in casa mia!» grida. La oltrepasso. «Mi hai sentito? Non oltrepassarmi come se non mi avessi sentito!» La porta sbatte dietro di me mentre cerco la mia ragazza nel piccolo salotto.

Quando la vedo mi sento raggelare. È sdraiata sul divano con le ginocchia piegate, i capelli come un'aureola bionda intorno alla testa, gli occhi chiusi. Carol continua a infastidirmi, minaccia di chiamare la polizia, ma non me ne frega niente. Mi inginocchio davanti a Tessa, e senza pensare le accarezzo la guancia arrossata.

«Merda», impreco guardandola respirare lentamente. «Tess, mi dispiace tanto. È tutta colpa mia», le sussurro, sperando che mi senta. È così bella, immobile e calma, le labbra socchiuse, il viso stupendo e innocente.

Carol, ovviamente, approfitta di quel momento per vomitarmi addosso la sua rabbia. «Hai ragione, è colpa tua! Ora vattene da qui prima che ti faccia trascinare fuori dalla polizia!»

Senza voltarmi le dico: «Vuole piantarla? Non vado da nessuna parte. Chiami pure la polizia, a quest'ora della notte: domani in città non si parlerà d'altro, e sappiamo entrambi che lei non lo vuole». So che mi sta fulminando con lo sguardo, ma non riesco a staccare gli occhi dalla ragazza che ho davanti.

«E va bene. Hai cinque minuti», sbuffa infine.

I tacchi fanno un rumore orribile. *Cosa ci fa così ben vestita a quest'ora?*

«Spero che tu mi senta, Tessa», le dico precipitosamente ma le mie carezze sono delicate. Le mie lacrime cadono sul suo viso. «Mi dispiace tanto… Dio, non sai quanto. Non avrei dovuto lasciarti andare via. Cosa mi è passato per la testa? Saresti fiera di me, almeno un po', credo. Non ho ammazzato Dan, gli ho solo tirato un calcio in faccia… ah, e l'ho quasi strozzato, ma respira ancora.» Dopo un momento di pausa, ammetto: «E stasera stavo per bere, ma poi non l'ho fatto. Non potevo peggiorare ancora le cose tra noi. So che pensi che non me ne importi niente, ma non è vero; è solo che non so come dimostrartelo.» A quelle parole le sue ciglia fremono.

318

«Tessa, mi senti?» chiedo speranzoso.

«Zed?» bisbiglia, e per un momento temo di impazzire.

«No, piccola, sono Hardin. Hardin, non Zed», ribatto senza riuscire a nascondere del tutto l'irritazione.

«Non Hardin.» Si acciglia, sembra confusa, ma tiene gli occhi chiusi. «Zed?» ripete.

Tolgo la mano dalla sua guancia e mi alzo in piedi. Sua madre è sparita. Strano che non mi sia rimasta con il fiato sul collo mentre tentavo di chiedere scusa a sua figlia.

E poi, come evocata dai miei pensieri, irrompe di nuovo nella stanza. «Hai finito?»

«No», dico alzando una mano. Vorrei aver finito... dopotutto Tessa sta cercando Zed.

E poi, in tono mite, come ammettendo di non avere il controllo del mondo intero, sua madre mi chiede: «Puoi portarla in camera prima di andartene? Non può restare sul divano».

«Perciò non posso rimanere qui, ma...» Mi interrompo, sapendo che non servirebbe a niente litigare con questa donna per la decima volta da quando la conosco. Quindi mi limito a domandare: «Certo, dov'è la stanza?»

«Al piano di sopra, l'ultima porta a sinistra», risponde secca, e sparisce di nuovo. Non so da chi Tessa abbia ereditato la gentilezza, ma di sicuro non da lei.

Sospiro, prendo in braccio Tessa e me la stringo al petto. Emette un lamento sommesso. La casa è molto più piccola di quanto immaginassi.

L'ultima porta a sinistra è socchiusa, e quando la spingo con il piede mi stupisco della nostalgia che provo entrando in una stanza in cui non ero mai stato. Un letto singolo addossato alla parete riempie quasi metà della minuscola camera. La scrivania nell'angolo è grande quasi quanto il letto. Immagino Tessa adolescente, che passava ore a quella scrivania a fare i compiti. L'espressione concentrata, i capelli che le ricadono sugli occhi, la mano che li sistema all'indietro e infila la matita dietro l'orecchio.

Conoscendola ora, non avrei immaginato queste lenzuola rosa e questo piumone viola. Devono essere ricordi di una Tessa più piccola, di quel periodo in cui amava le Barbie e che una volta ha definito «il periodo più bello e più brutto della mia vita». Ricordo quando mi ha detto che sentiva continuamente il bisogno di chiedere a sua madre dove lavorava Barbie, quale università avesse frequentato, se un giorno avrebbe avuto figli.

Guardo la Tessa adulta che ho tra le braccia e soffoco una risata pensando alla sua insaziabile curiosità: una delle cose che mi piacciono di più ma anche di meno in lei. La faccio sdraiare sul letto lasciandole un solo cuscino sotto la testa, come quando dorme a casa.

Casa... Questa non è più casa sua. Allo stesso modo, anche il nostro appartamento è stato solo una tappa del viaggio all'inseguimento del suo sogno: Seattle.

Il comò cigola quando apro il primo cassetto in cerca di qualcosa con cui coprire il suo corpo seminudo. Il pensiero che Dan l'abbia spogliata mi fa stritolare tra le dita una vecchia maglietta. Con la massima delicatezza possibile, sollevo Tessa dal letto e gliela infilo. Ha i capelli in disordine, e quando provo a pettinarli con le mani peggioro solo la situazione. Emette un altro lamento e contrae le dita. Sta cercando di muoversi ma non ci riesce. Detesto vederla così. Mi sento ribollire di rabbia al pensiero delle mani di quello stronzo su di lei.

Per rispetto non la guardo mentre le infilo la maglietta. Carol mi sorveglia dalla soglia, con un'espressione pensierosa ma severa, e mi domando da quanto tempo sia lì.

62
Tessa

PIANTATELA! vorrei gridare a quei due. Non sopporto che strillino in questo modo. Non riesco a decifrare cosa si dicono: ho perso la cognizione del tempo, è tutto fuori posto. Sento porte che sbattono, mia madre che litiga con Hardin... e non capisco una parola... ma soprattutto c'è il buio che mi trascina giù, mi strattona...

A un certo punto chiedo a Hardin: «Cos'è successo a Zed? Gli hai fatto del male?» Quantomeno riesco a pensare, e mi sforzo di esprimere i pensieri. Non so se li sto davvero esprimendo a voce alta, se c'è coordinazione tra la mente e la bocca.

«No.»

Hardin è qui, non Zed. Aspetta, è qui anche Zed. No?

«No, Hardin, hai fatto del male a Zed?» ripeto. L'oscurità mi trascina nella direzione opposta alla sua voce. Poi la voce di mia madre rimbomba nella stanza con il suo tono autoritario, ma non capisco cosa dice. L'unica ad arrivarmi nitida è la voce di Hardin. Non le parole, ma il suono, il modo in cui mi riecheggia dentro.

A un certo punto sento premere qualcosa sotto di me. Il braccio di Hardin? Non ne sono sicura, ma respiro il familiare profumo di menta e mi sento sollevare dal divano. Cosa ci fa qui, e come mi ha trovata?

Pochi secondi dopo sono sdraiata sul letto, poi vengo sollevata di nuovo. Non voglio muovermi. Le mani tremanti di Hardin mi infilano una maglietta, e vorrei gridargli che deve smettere di toccarmi. Non voglio essere toccata... ma appena le sue dita mi sfiorano la pelle, il ricordo disgustoso di Dan viene cancellato.

«Toccami ancora, ti prego. Fallo andare via», lo scongiuro.

Non risponde. Continua a toccarmi la testa, il collo, i capelli, e io cerco di alzare una mano verso la sua, ma è troppo pesante.

«Ti amo, e mi dispiace tanto», gli sento dire prima di posare di nuovo la testa sul cuscino. «Voglio portarla a casa.»

No, lasciami qui. Per favore, penso. Ma non andartene…

63
Hardin

«IMPOSSIBILE», sentenzia Carol mettendosi a braccia conserte.

«Lo so», sibilo. Mi chiedo quanto si arrabbierebbe Tessa se insultassi sua madre. Lasciare la sua stanza, la sua stanza da bambina, è già difficile anche senza sentire il singulto strozzato che le esce dalle labbra quando esco in corridoio.

«Dov'eri stasera, mentre succedeva tutto questo?» mi chiede Carol.

«A casa.»

«Perché non eri lì a fermarli?»

«Cosa le fa pensare che non fossi coinvolto anch'io? Di solito dà la colpa a me per tutto quello che non va nel mondo.»

«Perché so che, nonostante i tuoi sbagli e il tuo pessimo carattere, non permetteresti che a Tessa succedesse una cosa del genere, se potessi evitarlo.»

È un complimento? Un po' ambiguo... ma dovrò accontentarmi. «Be'...» inizio.

Alza una mano per zittirmi. «Non avevo finito. Non ti incolpo di tutto ciò che non va nel mondo», fa una pausa per indicare la figlia addormentata sul letto e conclude: «Solo nel suo mondo».

«Non posso darle torto», ammetto con un sospiro sconfitto. Non posso negare di aver rovinato quasi completamente la vita di Tessa.

È il mio eroe, anche se ogni tanto mi tormenta, aveva scritto nel diario. Un eroe? Sono tutt'altro che un eroe, cazzo. Darei qualsiasi cosa per esserlo, ma non saprei da dove cominciare.

«Be', almeno siamo d'accordo su qualcosa.» Le sue labbra carnose si piegano in un accenno di sorriso, ma un istante dopo torna seria e abbassa lo sguardo. «Adesso, se non ti serve altro, puoi andare.»

«Okay...» Do un'ultima occhiata a Tessa, poi mi giro di nuovo verso sua madre, che mi sta fissando.

«Che intenzioni hai con mia figlia?» chiede in tono autoritario, ma forse anche un po' impaurito. «Devo conoscere i tuoi progetti a lungo termine, perché ogni volta che la perdo di vista per un momento le succede qualcosa, e non è mai niente di buono. Cosa pensi di fare con lei a Seattle?»

«Non vado a Seattle con lei», dico, e pronunciare queste parole mi costa una fatica tremenda.

«Cosa?» Si incammina in corridoio e io la seguo.

«Non ci vado. Parte senza di me.»

«Questo mi riempie di gioia, ma posso chiedere perché?» Inarca un sopracciglio perfettamente sagomato.

Distolgo lo sguardo. «Non ci vado e basta. È meglio per lei se non ci vado, in ogni caso.»

«Sembri proprio il mio ex marito», commenta, poi deglutisce. «A volte mi sento in colpa perché Tessa si è affezionata a te. Temo che dipenda da suo padre, da com'era prima che ci lasciasse.» Si liscia i capelli con una mano dalle unghie smaltate, fingendo indifferenza nei confronti dell'argomento Richard.

«Lui non c'entra niente con la nostra storia; Tessa lo conosce appena. I pochi giorni che hanno trascorso insieme ultimamente lo dimostrano: non ha abbastanza ricordi di lui perché possa influenzare le sue scelte sentimentali.»

«Ultimamente?» ripete Carol sconcertata e, con orrore, la vedo impallidire. Dal suo viso, insieme al colore, sparisce ogni traccia di comprensione per me.

Merda. Cazzo. «Ehm… l'abbiamo incontrato una settimana fa o poco più.»

«Richard? L'ha trovata?» Le si incrina la voce, si posa la mano sul collo.

«No, si sono incontrati per caso.»

Tormenta le perle della collana. «Dove?»

«Non penso che dovrei dirglielo.»

«Scusa?» Lascia ricadere le braccia lungo i fianchi e mi guarda scioccata.

«Se Tessa volesse farle sapere che ha visto suo padre, gliene avrebbe parlato lei stessa.»

«Questo è più importante della tua antipatia nei miei confronti, Hardin. Si sono visti… spesso?» I suoi occhi grigi si riempiono di lacrime, ma conoscendo questa donna so che per nessun motivo piangerebbe davanti a qualcuno, meno che mai davanti a me.

Sospiro: non voglio tradire la fiducia di Tessa, ma non voglio neanche provocare altri guai con sua madre. «È stato da noi per qualche giorno.»

«Non voleva dirmelo, vero?» chiede con un filo di voce.

«Probabilmente no. Parlare con lei non è semplicissimo, signora», le ricordo. Mi chiedo se sia il momento giusto per farla partecipe dei miei sospetti sul fatto che sia stato Richard a introdursi in casa nostra.

«E con te sì, invece?» replica alzando la voce. «Almeno a me importa qualcosa del suo bene; non si può certo dire lo stesso di te!»

Sapevo che i toni non sarebbero rimasti civili a lungo. «Mi importa di Tessa più che a chiunque altro, compresa lei!» ribatto facendo un passo nella sua direzione.

«Sono sua madre: nessuno le vuole bene più di me. Il fatto che tu pensi di poterla amare più di me mostra in pieno la tua stupidità!» sbraita iniziando a camminare avanti e indietro.

«Sa cosa penso? Penso che lei mi odia perché le ricordo lui. Odia me per non dover odiare se stessa, per quello che ha rovinato... ma sa una cosa? Io e lei ci somigliamo molto. Più di quanto ci somigliamo io e Richard: entrambi ci rifiutiamo di assumerci la responsabilità dei nostri sbagli. E scarichiamo la colpa su tutti gli altri. Isoliamo le persone che amiamo e le costringiamo a...»

«No! Ti sbagli!» grida.

Le sue lacrime e le urla mi impediscono di portare a termine il pensiero: le costringiamo a passare il resto dei loro giorni da sole.

«No, non mi sbaglio. Ma ora me ne vado. La macchina di Tessa è ancora da qualche parte vicino all'università, gliela riporto domani se non vuole andare a prenderla lei.»

Carol si asciuga gli occhi. «Va bene, porta qui la macchina. Domani alle cinque.» Mi guarda con gli occhi rossi e il mascara colato. «Questo non cambia niente. Non mi piacerai mai.»

«E a me non importerà mai nulla di piacerle o no.» Mi avvio alla porta di casa, ma avrei ancora una mezza voglia di prendere Tessa e portarmela via.

«Hardin, nonostante la mia opinione di te so che ami mia

figlia. Voglio solo ricordarti un'altra volta che, se la ami davvero, devi smettere di interferire con la sua vita. Non è la stessa ragazza che ho accompagnato in quel maledetto campus sei mesi fa.»

«Lo so.» Per quanto detesti questa donna, mi fa pena: perché anche lei, come me, probabilmente resterà sola per sempre. «Può farmi un favore?» le chiedo.

«Che favore?» domanda in tono sospettoso.

«Non le dica che sono stato qui. Se non se lo ricorda, non glielo dica.» Probabilmente Tessa non ricorderà niente. Penso che non si sia neppure accorta che sono qui.

Carol mi guarda, legge dentro di me e dice: «Questo lo posso fare».

64
Tessa

Ho la testa pesante, pesantissima, e la luce che filtra dalle tende gialle è violenta.

Tende gialle? Riapro gli occhi e vedo le tende della mia vecchia stanza. Le abbiamo sempre odiate, ma mia madre non poteva permettersi tende intonate al resto, quindi ce le siamo tenute. E un po' per volta mi tornano in mente le ultime dodici ore, immagini e frammenti senza un filo conduttore.

Non ha senso. Passo diversi minuti a sforzarmi di comprendere.

Il tradimento di Steph è il ricordo più chiaro, uno dei più dolorosi della mia vita. Come ha potuto farmi questo? È tutto così sbagliato, così perverso, e non l'avevo previsto: ricordo il grande sollievo che ho provato vedendola entrare in quella stanza, e poi il panico quando ha ammesso che non è mai stata mia amica. La sua voce mi arrivava così nitida, nonostante lo stato in cui ero. Mi ha versato qualcosa nel bicchiere per intorpidirmi, o peggio ancora per farmi perdere conoscenza… e soltanto per vendicarsi di me e Hardin. Ho avuto tanta paura, e lei si è trasformata da soccorritrice a predatore con una rapidità sconcertante.

Sono stata drogata a una festa da una persona che credevo mia amica. Mi asciugo le lacrime con gesti rabbiosi.

L'umiliazione rimpiazza il dolore quando ricordo Dan e la sua telecamera. Mi hanno tolto il vestito… la luce rossa della telecamera nella stanza in penombra è un'immagine che non dimenticherò mai. Volevano violentarmi, filmare il tutto e farlo vedere in giro. Mi viene da vomitare.

Ogni volta che penso mi sia concessa una tregua dalla battaglia incessante che è diventata la mia vita, succede qualcosa di ancora più brutto. E continuo a infilarmi da sola in queste situazioni. Steph, proprio lei? Non mi capacito. Se mi ha raccontato la verità, se ha organizzato tutto soltanto perché non le piaccio e ha una cotta per Hardin, perché non me l'ha detto e basta? Perché ha finto di essermi amica per tutto questo tempo, solo per ingannarmi? Come ha potuto sorridermi e fare shopping con me, ascoltare i miei segreti e condividere le mie preoccupazioni, e intanto architettare una mostruosità simile?

Mi alzo a sedere lentamente, ma comunque troppo in fretta. Il sangue mi fischia nelle orecchie, vorrei correre in bagno e costringermi a vomitare per liberare lo stomaco da ogni residuo di droga. Invece chiudo di nuovo gli occhi.

Quando mi risveglio sento la testa un po' più leggera e riesco a scendere dal letto. Indosso solo una maglietta che non

ricordo di essermi messa. Deve avermi vestita mia madre...
ma mi sembra improbabile.

L'unico paio di pantaloni del pigiama che trovo nel comò
mi sta piccolo. Ho messo su qualche chilo da quando sono
partita per il college, ma mi sento più a mio agio di prima
nel mio corpo.

Esco barcollando dalla stanza e vado in cucina, dove trovo
mia madre appoggiata al bancone, intenta a leggere una rivista.
L'abito nero è pulito e ben stirato, i tacchi sono alti e i capelli
sono ondulati alla perfezione. Guardo l'orologio del forno:
sono le quattro del pomeriggio passate.

«Come ti senti?» mi chiede in tono schivo, girandosi a
guardarmi.

«Malissimo», rispondo, incapace di fingere altrimenti.

«Lo immagino, dopo la nottata che hai passato.»

Ecco, ci siamo...

«Prendi un caffè e un antidolorifico, ti sentirai meglio.»

Annuisco e afferro una tazza.

«Stasera devo andare in chiesa. Immagino che non vorrai
venire con me; ti sei persa la funzione di stamattina», dice in
tono inespressivo.

«No, non sono nelle condizioni di andare in chiesa.» Solo
mia madre mi chiederebbe di andare in chiesa con lei quando mi
sono appena svegliata dopo aver smaltito una droga da stupro.

«D'accordo. Porterò i tuoi saluti a Noah e ai Porter. Sarò a
casa verso le otto, forse un po' più tardi», afferma prendendo
la borsetta dal tavolo della cucina.

Sentendo nominare Noah mi assale il senso di colpa. Non
l'ho chiamato dopo aver saputo della morte di sua nonna.
Avrei dovuto... anzi, devo. Lo farò dopo la chiesa... se trovo
il telefono.

«Come sono arrivata qui ieri sera?» chiedo, cercando di

328

ricostruire gli eventi. Ricordo che Zed è entrato nella vecchia stanza di Hardin e ha rotto la telecamera.

«Il ragazzo che ti ha portata qui si chiamava Zed, mi pare.» Torna a guardare la rivista e si schiarisce la voce.

«Oh.»

Detesto non sapere. Mi piace avere tutto sotto controllo, e ieri sera non ero padrona dei miei pensieri né del mio corpo.

Mia madre posa la rivista e mi guarda con occhi vacui. «Chiamami se hai bisogno di qualcosa», dice, e si avvia alla porta.

«Okay…»

Si gira e dà un'ultima occhiata di disapprovazione al mio pigiama troppo stretto. «Ah, e trovati qualcosa nel mio armadio.»

Appena la porta di casa si richiude, mi torna in mente la voce di Hardin.

È tutta colpa mia, diceva. Non poteva essere Hardin, la mente mi sta facendo qualche scherzo. Devo chiamare Zed e ringraziarlo di tutto. È venuto a salvarmi. Gli sono davvero grata, non potrò mai sdebitarmi con lui per avermi aiutata e avermi accompagnata fin qui. Non so proprio cosa sarebbe successo se non fosse arrivato lui.

Per la mezz'ora successiva le lacrime si mescolano al caffè. Alla fine mi costringo ad alzarmi da tavola e vado in bagno a sciacquare via gli orribili eventi di ieri sera. Quando cerco qualcosa da mettermi nell'armadio di mia madre mi sento già molto meglio.

«Non c'è niente di normale?!» sbuffo di fronte all'ennesimo abito da cocktail. Finalmente trovo un maglione color crema e un paio di jeans scuri. I jeans mi stanno alla perfezione e il maglione tira un po' sul seno, ma meglio di niente; è un miracolo aver trovato qualcosa di casual in quell'armadio.

Vado in cerca della borsa e del cellulare, e mi rendo conto

di non avere la minima idea di dove siano. Perché la mia mente non riesce a fare ordine tra i ricordi? Immagino che la mia macchina sia ancora parcheggiata davanti al dormitorio di Steph; spero che non mi abbia bucato le gomme.

Torno nella mia vecchia camera e apro il cassetto della scrivania. Dentro c'è il mio telefono e la borsetta. Accendo il cellulare e aspetto che si carichi la schermata iniziale. Sono tentata di spegnerlo di nuovo quando inizia a vibrare senza sosta. Messaggio dopo messaggio, la segreteria, una notifica dopo l'altra.

Hardin... Hardin... Zed... Hardin... Numero sconosciuto... Hardin... Hardin...

Leggendo il suo nome sul display, il cuore mi balza in gola. Lo sa; è impossibile che non lo sappia. Qualcuno gli ha raccontato cos'è successo e lui mi ha cercata. Dovrei almeno chiamarlo per fargli sapere che sto bene, prima che gli venga un infarto. Anche se ci siamo lasciati, scoprire cos'è successo lo avrà sconvolto.

Chiudo la chiamata dopo sei squilli, quando entra la segreteria, e torno in camera di mia madre per tentare di pettinarmi. Non mi importa nulla del mio aspetto, al momento, ma non voglio neanche dovermi sorbire gli insulti di mia madre se non sono almeno presentabile. Occuparmi dei capelli mi aiuta a distrarmi dall'ansia per i vaghi ricordi di ieri sera che mi girano in testa. Mi copro le occhiaie, metto un po' di mascara e mi spazzolo i capelli. Sono quasi asciutti e hanno formato delle onde naturali. Non sono a posto quanto vorrei, ma non ho le energie per fare di meglio.

Sento bussare alla porta di casa. *Chi può essere a quest'ora?* E all'improvviso mi assale il terrore che sia Hardin.

«Tessa?» chiama una voce familiare mentre la porta si apre.

Il sorriso di Noah, in salotto, mi fa provare sollievo e senso di colpa insieme.

«Ciao…» dice imbarazzato.

D'istinto corro ad abbracciarlo e scoppio a piangere.

Le sue braccia forti mi stringono, e riusciamo a malapena a restare in piedi. «Stai bene?»

«Sì, è solo… No, non sto bene.» Alzo la testa dal suo petto per non sporcargli il cardigan con il mascara.

«Tua madre ha detto che eri tornata.» Continua ad abbracciarmi, e io a godermi il suo abbraccio familiare. «Perciò sono uscito un po' prima dalla chiesa per salutarti senza tutti gli altri intorno. Allora, cos'è successo?»

«Tante cose, troppe per raccontartele tutte. Sono così melodrammatica», sbuffo, staccandomi da lui.

«L'università non ti tratta ancora come speravi?» chiede con un sorrisetto comprensivo.

Scuoto la testa e gli faccio cenno di seguirmi in cucina, dove preparo un altro caffè. «No, per niente. Mi trasferisco a Seattle.»

«Tua madre me l'ha accennato.» Si siede al tavolo.

«In ogni caso non ti consiglio quel campus.» Ma la battuta non mi riesce, e gli occhi mi si riempiono di lacrime.

«In realtà la ragazza con cui mi vedo… pensavamo anche a San Francisco. Sai quanto mi piace la California.»

Ricordo a malapena che mi aveva accennato a voler andar via, ma non mi aveva parlato di nessuna ragazza. Non ero pronta a scoprire che esce con un'altra. Mi sembra naturale, ma al contempo così strano… Riesco a dire solo: «Oh».

I suoi occhi azzurri brillano sotto la luce al neon della cucina. «Sì, stiamo bene insieme. Ho provato a riprendermi, ma sai… dopo tutto quello che è successo.»

Non voglio che finisca di esprimere quel pensiero e mi

faccia sentire ancora più in colpa per la nostra rottura, quindi gli chiedo: «Be', come vi siete conosciuti?»

«Lei lavora in un negozio al centro commerciale vicino a te, e...»

«Sei stato in città?» lo interrompo. Mi sembra strano che non me l'abbia detto, che non sia passato a trovarmi... ma lo capisco.

«Sì, per vedere Becca. Avrei dovuto chiamarti, ma era tutto così strano tra noi...»

«Lo so, non fa niente.» Quel nome, Becca, non mi è nuovo... ma poi lui continua a parlare e il pensiero mi sfugge.

«Be', insomma, ci siamo conosciuti meglio. Abbiamo avuto qualche problema, e per un po' ho creduto di non potermi fidare di lei, ma ora stiamo bene.»

Sentirlo parlare dei suoi problemi mi riporta alla mente i miei, e sospiro. «A me sembra di non potermi più fidare di nessuno.» Lui si rabbuia, così aggiungo subito: «Tranne che di te. Non sto parlando di te. Ogni persona che ho conosciuto da quando sono arrivata all'università mi ha mentito, in un modo o nell'altro».

Anche Hardin. Soprattutto Hardin.

«È questo che è successo ieri sera?»

«Più o meno...» Mi chiedo cosa gli abbia detto mia madre.

«Sapevo che doveva essere qualcosa di grave, per spingerti a tornare a casa.»

Io annuisco, e lui prende le mie mani tra le sue e con voce triste mormora: «Mi sei mancata».

Lo guardo e sento tornare le lacrime. «Mi dispiace tanto di non averti chiamato per tua nonna.»

«Non importa, so che hai molto da fare.» Si appoggia allo schienale della sedia e mi osserva con sguardo pacato.

«Non è una scusa, ti ho trattato malissimo.»

«No, non è vero.»

«Sai che è vero. Ti tratto in modo indegno da quando sono andata via di casa, e mi dispiace. Non lo meritavi.»

«Smettila di rimproverarti: ora sto bene», mi rassicura con un sorriso gentile, ma il senso di colpa non se ne va.

«Comunque non avrei dovuto.»

Poi mi stupisce con una domanda che non mi sarei mai aspettata da lui. «Se potessi ricominciare da capo, cosa cambieresti?»

«Il modo in cui ho affrontato le cose. Non avrei dovuto ingannarti e tenerti all'oscuro. Ti conosco da sempre e ti ho mollato così in fretta… è stato terribile da parte mia.»

«È vero, ma ora capisco. Non eravamo fatti l'uno per l'altra… Be', eravamo perfetti insieme», continua ridendo, «ma penso che fosse proprio questo il problema.»

La piccola cucina mi sembra meno angusta ora che il senso di colpa inizia a dissolversi. «Lo pensi davvero?»

«Sì. Ti voglio bene e te ne vorrò sempre, ma non ti amo nel modo in cui pensavo di amarti, e tu non potresti mai amare me come ami lui.»

Resto senza fiato. Ha ragione, ma non posso parlare con Noah di Hardin. Non ora.

Devo cambiare argomento. «Quindi Becca ti rende felice?»

«Sì, è diversa da quello che ti aspetteresti, ma d'altronde neanche Hardin è l'uomo per il quale mi aspettavo di essere lasciato.» Ridacchia, senza rancore. «Evidentemente, entrambi avevamo bisogno di qualcosa di diverso.»

Ha ragione, di nuovo. «Penso di sì.» Rido con lui e continuiamo a chiacchierare, finché qualcuno bussa alla porta.

«Vado io», dice, alzandosi e uscendo dalla cucina senza lasciarmi il tempo di fermarlo.

65
Hardin

GUARDARE passare i minuti sull'orologio è un supplizio. Preferirei strapparmi un capello per volta che starmene qui nel vialetto ad aspettare le cinque. Non vedo la macchina della madre di Tessa. Non ci sono auto nel vialetto, a parte quella di Tessa in cui sono seduto. Landon ha parcheggiato in strada: mi ha seguito qui per darmi un passaggio al ritorno. Per fortuna gli preme il bene di Tessa più che a chiunque altro escluso me, quindi non ci ho messo molto a convincerlo.

«Va' a bussare alla porta, o ci vado io», minaccia al telefono.

«Ora ci vado! Cazzo, dammi un secondo. Non so se c'è qualcuno.»

«Be', altrimenti lascia le chiavi nella cassetta della posta e andiamocene.» Non l'ho fatto perché voglio accertarmi che lei sia in casa, che stia bene.

«Vado a bussare», dico, e sbatto il telefono in faccia al mio insopportabile fratellastro.

I diciassette gradini che conducono alla porta di casa sono i più faticosi della mia vita. Busso alla controporta, ma non sono sicuro che possano avere sentito. Busso più forte. Troppo forte: il sottile strato di alluminio si piega e alcune maglie della rete di fil di ferro si staccano. Merda.

La porta si apre cigolando, e non rivela né Tessa, né sua madre, né chiunque altro al mondo che preferirei vedere, ma Noah.

«Cazzo, ci mancavi tu», esordisco.

Lui fa per chiudermi la porta in faccia, ma la blocco con la punta dell'anfibio.

«Non fare lo stronzo.» Spingo la porta e lui indietreggia di un passo.

«Che ci fai qui?» mi domanda, scuro in volto. Dovrei chiedergli cosa ci fa lui qui, piuttosto. Io e Tessa ci siamo lasciati da un paio di giorni ed eccolo qui, pronto a insinuarsi di nuovo nella sua vita.

«Le ho riportato la macchina.» Guardo alle sue spalle ma non riesco a vedere niente. «Lei c'è?» Per tutto il tragitto mi sono detto che non volevo che mi vedesse, o che ricordasse che ero stato qui ieri sera; ma ora capisco che mentivo a me stesso.

«Forse. Ti aspettava?» ribatte Noah mettendosi a braccia conserte. Devo fare appello a tutto il mio autocontrollo per non sbatterlo a terra e calpestarlo per arrivare da lei.

«No. Voglio solo controllare che stia bene. Cosa ti ha detto?» gli chiedo, indietreggiando sulla veranda.

«Niente, non era tenuta a raccontarmi nulla. Ma so che non sarebbe venuta fin qui se tu non le avessi fatto qualcosa di male.»

«A dire il vero ti sbagli: non sono stato io… stavolta», lo informo. Lo vedo sorpreso, perciò continuo in tono pacato, per il momento. «Senti, so che mi detesti, e ne hai il diritto, ma in un modo o nell'altro la vedrò, quindi o ti sposti e mi lasci passare, oppure…»

«Hardin?» La voce di Tessa è un bisbiglio sommesso che quasi si smarrisce nella brezza, e la vedo apparire alle spalle di Noah.

«Ciao…» Senza pensarci entro in casa, e Noah, saggiamente, si fa da parte. «Stai bene?» le chiedo posandole le mani fredde sulle guance.

Lei si tira indietro di scatto – per il freddo, mi costringo a credere – e mente: «Sì, sto bene».

La tempesto di domande. «Sicura? Come ti senti? Hai dormito? Ti fa male la testa?»

«Sì, bene, un po', sì», risponde in maniera automatica, ma ho già dimenticato le domande.

«Chi te l'ha detto?» mi chiede, rossa in volto.

«Molly.»

«Molly?»

«Sì, mi ha chiamato mentre tu eri… ehm, nella mia vecchia stanza.» Non riesco a nascondere il panico nella voce.

«Oh…» Guarda nel vuoto alle mie spalle, pensierosa.

Ricorda che sono stato qui? E io voglio che lo ricordi?

Sì, certo che lo voglio. «Stai bene, però?»

«Sì.»

Noah si avvicina e domanda, allarmato: «Tessa, ma cos'è successo?»

Capisco che lei non vuole raccontargli tutto, e questo mi fa più piacere di quanto dovrebbe.

«Niente, non preoccuparti», rispondo al posto suo.

«Qualcosa di grave?» insiste lui.

«Ho detto di non preoccuparti», ringhio, e lui deglutisce. Torno a rivolgermi a Tessa: «Ti ho portato la macchina».

«Ah sì? Grazie, pensavo che Steph mi avesse spaccato il parabrezza o qualcosa del genere.» Sospira, e a ogni parola incurva di più le spalle. Il tentativo di buttarla sul ridere non ha funzionato.

«Perché sei andata da lei? Con tutte le persone da cui potevi andare, perché proprio da lei?»

Guarda Noah e poi me. «Noah, puoi lasciarci un momento?» chiede in tono gentile.

Lui mi lancia un'occhiata che suppongo voglia essere minacciosa, e ci lascia soli in salotto.

«Perché lei? Dimmelo, per favore», ripeto.

«Non lo so. Non sapevo dove altro andare, Hardin.»

«Potevi andare da Landon, hai praticamente una stanza fissa in quella casa.»

«Non voglio continuare a coinvolgere la tua famiglia in questa storia. Non è corretto nei loro confronti.»

«E poi credevi che sarei venuto a cercarti lì?» Lei si guarda le mani, allora continuo: «Non sarei venuto».

«Okay», dice in tono triste.

Cazzo, non intendevo questo. «Non in quel senso, nel senso che volevo lasciarti spazio.»

«Ah», sussurra tormentandosi le pellicine intorno alle unghie.

«Sei molto taciturna.»

«È solo… non lo so. È stata una nottata lunga, e anche una mattinata lunga», risponde rabbuiandosi. Vorrei avvicinarmi e spazzare via con un bacio il dolore che vedo sul suo viso.

Non Hardin… Zed, ha detto mentre era a malapena cosciente.

«Lo so, te lo ricordi?» le chiedo, ma non so se sono pronto a sopportare la risposta.

Mi aspetto che mi dica di andarmene, o che mi insulti, invece si siede sul divano e mi fa cenno di sedermi dall'altra parte.

66
Hardin

VORREI avvicinarmi a lei, prenderla per mano e trovare il modo di cancellare i suoi ricordi. Sono nuovamente stupito dalla forza d'animo che dimostra anche dopo un'esperienza del genere. Siede con la schiena dritta come un fuso ed è pronta a parlare con me.

«Perché sei venuto?» mi chiede a bassa voce.

Anziché rispondere, domando: «Cosa ci fa lui qui?» e accenno con il capo alla cucina. So benissimo che Noah sta origliando. Non lo sopporto, ma date le circostanze forse è meglio se non mi lamento.

«È qui per controllare che io stia bene.»

«Non ce n'è bisogno.» Ci sono io per questo.

«Hardin, non oggi, per favore.»

«Scusa…» Mi tiro indietro, mi sento ancora più stronzo di pochi istanti fa.

«Perché sei venuto?» ripete.

«Per portarti la macchina. Non mi vuoi qui, vero?» Finora quella possibilità non mi aveva neppure sfiorato, ora invece mi corrode dentro come un acido. Forse la mia presenza peggiora solo le cose. Sono passati i giorni in cui Tessa trovava conforto in me.

«Non è questo… sono soltanto confusa.»

«Su cosa?»

«Tu, ieri sera, Steph, ogni cosa. Tu sapevi che era un gioco per lei, e che per tutto questo tempo mi ha solo odiata?»

«No, certo che non lo sapevo.»

«Non avevi idea che lei ce l'avesse con me?»

Dannazione. Ma voglio essere sincero, quindi dico: «Forse un po'. Molly me ne aveva accennato un paio di volte, ma senza scendere nei dettagli, e non pensavo certo che ti odiasse fino a questo punto… o che Molly sapesse di cosa parlava».

«Molly? Da quando in qua a Molly importa qualcosa di me?»

Bianco o nero. Tessa vede sempre tutto bianco o nero. Scuoto la testa: è triste che le cose non siano mai così semplici. «Infatti no, ti odia ancora. Ma dopo quello schifo all'*Applebee* mi ha chiamato, e mi sono arrabbiato. Non volevo che lei o Steph rovinassero le cose tra me e te. Pensavo che Steph fosse solo un'impicciona, non una psicopatica.»

Si asciuga le lacrime. Scorro sul divano verso di lei, facendola trasalire. «Ehi, va tutto bene», le dico, e la prendo per un braccio per tirarmela al petto. «Shhh…» Le poso una mano sui capelli, lei oppone resistenza per qualche secondo ma poi si arrende.

«Voglio solo ricominciare da capo. Voglio dimenticare tutto quello che è successo in questi sei mesi», singhiozza.

Ho una fitta al cuore. Annuisco, anche se non sono d'accordo con lei: non voglio che mi dimentichi.

«Odio l'università. Non vedevo l'ora di andarci, ma ho fatto uno sbaglio dietro l'altro.» Mi tira per la maglietta, così da avvicinarsi ancora. Resto in silenzio, perché non voglio farla stare ancora peggio. Non avevo la minima idea di cosa aspettarmi quando ho bussato alla porta, ma di sicuro non mi aspettavo di ritrovarmi tra le braccia una Tessa in lacrime.

«Sono così melodrammatica.» Si separa da me, troppo presto, e per un momento ho l'istinto di abbracciarla di nuovo.

«No, non è vero. Sei fin troppo calma, considerando quello che è successo. Dimmi cosa ricordi, non farmelo domandare di nuovo. Ti prego.»

«Niente di preciso, era tutto così… strano. Vedevo e sentivo tutto, ma niente aveva senso. Non so come spiegartelo. Non riuscivo a muovermi, ma percepivo ogni cosa», dice rabbrividendo.

«Percepivi? Dove ti ha toccata?» la incalzo, anche se so che non lo voglio sapere.

«Sulle gambe… mi hanno spogliata.»

«Solo le gambe?» *Ti prego, di' di sì.*

«Sì, penso di sì. Poteva andare molto peggio, ma Zed…» Si interrompe. Fa un respiro profondo. «Comunque, le pillole mi facevano sentire così pesante… non so come spiegarlo.»

«Ho capito.»

«Cosa?»

Mi passano in testa i ricordi: io che perdo conoscenza in un bar, che barcollo nelle strade di Londra. L'idea del divertimento che avevo un tempo è molto diversa da quella che ho oggi. «Ogni tanto prendevo quella roba per sballarmi.»

«Davvero?» domanda incredula. Non mi piace come mi sento sotto quello sguardo.

«Sembrava divertente. Ora non più.»

Sorride sollevata. Si sistema il collo del maglione, che – noto solo ora – le sta molto stretto.

«Dove l'hai preso, quello?» le chiedo.

«Il maglione?» Fa un sorrisetto complice. «È di mia madre, non si vede?»

«Accidenti… Noah mi ha aperto la porta, e tu sei vestita così… Ho pensato di essere finito in una macchina del tempo», la prendo in giro. Una scintilla di divertimento attraversa i suoi occhi, per un momento dimentica la tristezza e si morde il labbro per non ridere.

Tira su col naso e prende un fazzoletto dalla scatola sul tavolino. «No, non ci sono macchine del tempo.» Scuote la testa e si soffia il naso.

È bellissima anche dopo che ha pianto. «Ero preoccupato per te.»

Il sorriso svanisce. *Merda.*

«È questo a confondermi. Mi hai detto che non volevi più provarci, e invece eccoti qui a dirmi che eri preoccupato per me.» Mi guarda spiazzata e con il labbro che trema.

Ha ragione. Non lo dico sempre, ma è vero. Passo ore ogni giorno a preoccuparmi per lei. Emozioni… ecco di cosa ho bisogno da lei. Ho bisogno di essere rassicurato.

Ma lei interpreta il mio silenzio nel modo sbagliato. «Non fa niente, non sono arrabbiata con te. Ti ringrazio di avermi riportato la macchina.»

Resto ammutolito sul divano.

«Di nulla», riesco a dire. Ma devo aggiungere qualcosa di vero, di concreto.

Dopo un altro momento di silenzio da parte mia, Tessa entra in modalità «padrona di casa» e dice: «Come torni indietro? Ehi, aspetta... come sapevi la strada per venire qui?»

Merda. «Me l'ha detta Landon.»

Le si illuminano di nuovo gli occhi. «Ah, c'è anche lui?»

«Sì, è qui fuori.»

Arrossisce e scatta in piedi. «Oh! Ti sto trattenendo, scusa.»

«No, non gli dà fastidio aspettare fuori», balbetto. *Non voglio andarmene. A meno che tu venga con me.*

«Sarebbe dovuto entrare», dice guardando la porta.

«Va bene così», rispondo in tono troppo secco.

«Grazie ancora per la macchina...» Sta cercando di liberarsi di me in modo educato. La conosco.

«Vuoi che porti in casa le tue cose?» le chiedo.

«No, parto domattina, quindi è più comodo lasciarle lì.»

Perché mi stupisce che ogni volta che apre bocca mi ricorda che va a Seattle? Continuo ad aspettare che cambi idea, ma non succederà mai.

67
Tessa

ACCOMPAGNO Hardin alla porta e gli chiedo: «Cos'hai fatto a Dan?»

Voglio saperne di più su ieri sera, anche se Noah può sentirci.

Quando gli passiamo davanti, Hardin non lo degna di uno sguardo. Noah però lo incenerisce con un'occhiata, probabilmente incerto sul da farsi.

«Hai detto che è stata Molly ad avvertirti. Cos'hai fatto a Dan?» Conosco troppo bene Hardin per non sapere che è andato a cercarlo. Mi stupisco ancora che Molly mi abbia aiutata: non me l'aspettavo neanche lontanamente quando l'ho vista entrare in quella stanza, e il ricordo mi fa rabbrividire.

Hardin accenna un sorriso. «Niente di eccessivo.»

Non l'ho ammazzato, gli ho solo tirato un calcio in faccia.

«Gli hai tirato un calcio in faccia...» dico cercando di raccapezzarmi nel caos che ho in testa.

«Sì...» risponde lui. «Te l'ha detto Zed?»

«Non... non lo so...» Ricordo di avere sentito le parole, ma non chi le ha pronunciate.

Sono Hardin. Hardin, non Zed, ha detto: la sua voce risuona nella mia testa.

«Sei stato qui, vero? Ieri sera...» Faccio un passo verso di lui, che arretra verso la parete. «Sì, eri qui: ora me lo ricordo. Hai detto che avresti voluto bere ma poi non l'avevi fatto...»

«Non pensavo che ti saresti ricordata», mormora.

«Perché non me l'hai detto e basta?» Il tentativo di separare la realtà dalle allucinazioni indotte dalla droga mi fa venire mal di testa.

«Non lo so. Stavo per farlo, ma poi tu sorridevi e non volevo rovinarti il momento.» Guarda il grande quadro alla parete, che ritrae i cancelli d'oro del paradiso.

«Cosa avresti rovinato dicendomi che mi avevi accompagnata qui?»

«Non ti ho portata qui io, è stato Zed.»

Me l'ero ricordato, più o meno. È tutto così frustrante...

«Quindi sei arrivato dopo? Cosa stavo facendo?» Voglio

che Hardin mi aiuti a rimettere in ordine la successione degli eventi. Da sola non ci riesco.

«Eri sdraiata sul divano, quasi non riuscivi a respirare.»

«Oh...»

«Chiamavi il suo nome», aggiunge a bassa voce, con una nota velenosa.

«Il nome di chi?»

«Zed.» Una sola parola, ma carica di emozione.

«No, non è vero.» Non ha senso. «È assurdo.» Ci rifletto, e finalmente trovo un barlume di senso... Hardin che parla di Dan, Hardin che mi chiede se lo sento, io che gli chiedo di Zed...

«Ti stavo chiedendo se gli avevi fatto del male... mi sembra.» Il ricordo è confuso ma c'è.

«Hai detto il suo nome più di una volta. Ma non importa, stavi molto male.» Tiene gli occhi fissi sul tappeto. «In ogni caso non mi aspettavo che volessi me.»

«Non volevo lui. Non ricordo molto, ma ricordo che avevo paura. Mi conosco abbastanza per sapere che cercherei solo te», ammetto senza riflettere.

Perché ho detto così? Io e Hardin ci siamo lasciati, di nuovo. Questa è la seconda volta, ma mi sembra la millesima. Forse perché stavolta non mi sono gettata tra le sue braccia alla prima dimostrazione d'affetto da parte sua. Stavolta sono andata via di casa e ho lasciato lì i suoi regali; e parto per Seattle tra meno di ventiquattr'ore.

«Vieni qui», dice aprendo le braccia.

«Non posso.» Mi passo le mani tra i capelli, come fa sempre lui.

«Sì che puoi.»

Ogni volta che sono con Hardin, in qualsiasi situazione, la familiarità della sua presenza penetra in ogni cellula del mio essere. O ci insultiamo, oppure ci prendiamo allegramente in giro. Non c'è mai distacco, non c'è mai una via di mezzo. È così naturale per me, è diventato un istinto, concedermi di trovare conforto tra le sue braccia, ridere del suo caratteraccio incorreggibile, ignorare i problemi che ci hanno cacciato nei guai per l'ennesima volta.

«Non stiamo più insieme», bisbiglio, più che altro per rammentarlo a me stessa.

«Lo so.»

«Non possiamo fingere che non sia così.» Mi mordo il labbro cercando di non dare peso alla sua espressione avvilita.

«Non ti sto chiedendo di fingere. Ti chiedo solo di venire qui.» Ha ancora le braccia aperte, invitanti, che mi chiamano, mi attirano in maniera irresistibile.

«Se vengo lì non faremo altro che ripiombare nel circolo vizioso che entrambi abbiamo deciso di spezzare.»

«Tessa...»

«Hardin, ti prego.» Indietreggio. Il salotto è troppo piccolo e il mio autocontrollo vacilla.

«E va bene», sospira infine. E affonda le mani tra i capelli, come sempre quando è frustrato.

«Ne abbiamo bisogno, lo sai anche tu. Dobbiamo stare lontani per un po' di tempo.»

«Lontani?» Lo vedo ferito e arrabbiato, e ho un po' paura della prossima cosa che dirà. Non voglio litigare con lui, non è proprio il giorno giusto.

«Sì, lontani per un po'. Non riusciamo ad andare d'accordo, e tutto il mondo sembra cospirare contro di noi. Hai detto tu stesso, qualche giorno fa, che eri stufo. Mi hai cacciata di casa», gli ricordo mettendomi a braccia conserte.

«Tessa... Cazzo, non puoi...» Mi guarda negli occhi e lascia la frase in sospeso. «Quanto tempo?»

«Eh?»

«Per quanto tempo dobbiamo stare lontani?»

«Be'...» Non mi aspettavo che accettasse. «Non lo so.»

«Una settimana? Un mese?»

«Non lo so, Hardin. Finché stiamo entrambi meglio.»

«Senza di te starei peggio, Tess.»

Quelle parole mi spezzano il cuore, e mi costringo a distogliere gli occhi da lui prima di perdere la poca forza di volontà che mi resta. «Per me è lo stesso, e lo sai, ma con te mi sento sempre in ansia. Devi fare qualcosa per questa rabbia, e io ho bisogno di stare un po' da sola.»

«Quindi è di nuovo colpa mia?»

«No, è anche mia. Mi lascio condizionare troppo da te. Devo diventare più indipendente.»

«E da quando in qua conta qualcosa?» Il tono della sua voce mi dice che non ha mai considerato un problema la mia dipendenza da lui.

«Da quando abbiamo avuto quel brutto litigio, a casa, qualche sera fa. Anzi, era iniziato un po' prima; Seattle e il litigio dell'altra sera sono stati solo la goccia che ha fatto traboccare il vaso.»

Quando finalmente trovo il coraggio di guardarlo negli occhi, mi accorgo che la sua espressione è cambiata.

«Okay. Ho capito. Mi dispiace, so di commettere molti sbagli. Abbiamo già parlato fin troppo di Seattle, e forse è arrivato il momento di ascoltarti un po' di più.» Mi prende la mano e io lo lascio fare, momentaneamente spiazzata dalla sua ragionevolezza. «Ti lascio un po' di spazio, okay? Hai sofferto abbastanza nelle ultime ventiquattr'ore. Non voglio essere un altro problema... per una volta.»

«Grazie», rispondo semplicemente.

«Puoi avvertirmi quando arrivi a Seattle? E mangia qualcosa, e riposati, per favore.» I suoi occhi verdi mi guardano affettuosi, confortanti.

Vorrei chiedergli di restare, ma so che non è una buona idea.

«Lo farò. Grazie… davvero.»

«Non devi ringraziarmi.» Infila le mani nelle tasche dei jeans neri e mi scruta attentamente. «Dirò a Landon che lo saluti», dice andandosene.

Non riesco a trattenere un sorriso quando lo vedo indugiare accanto alla macchina di Landon, lanciando un'ultima occhiata alla casa di mia madre prima di salire sul sedile del passeggero.

68
Tessa

APPENA la macchina di Landon sparisce alla vista, sento un grande vuoto dentro. Arretro dalla porta di casa e lascio che si richiuda.

Noah si appoggia allo stipite tra salotto e cucina. «Se n'è andato?» chiede in tono gentile.

«Sì, se n'è andato.» La mia voce è distaccata, la sento estranea.

«Non sapevo che non steste più insieme.»

«Be'… Stiamo cercando di chiarirci.»

«Puoi dirmi una cosa, prima di cambiare argomento?» dice guardandomi negli occhi. «Conosco quello sguardo, stai per cambiare argomento.»

Benché non ci vedessimo da mesi, Noah sa ancora leggermi nel pensiero. «Cosa vuoi sapere?»

I suoi occhi azzurri fissano i miei a lungo, coraggiosamente. «Se tu potessi tornare indietro, lo rifaresti, Tessa? Ti ho sentita dire che vorresti cancellare gli ultimi sei mesi… ma lo faresti davvero, se potessi?»

Lo farei?

Mi siedo sul divano per riflettere. Vorrei non avere mai vissuto gli ultimi sei mesi? La scommessa, gli interminabili litigi con Hardin, la spirale distruttiva dei rapporti con mia madre, il tradimento di Steph, le umiliazioni, tutto.

«Sì, senza pensarci due volte.»

La mano di Hardin sulla mia, le sue braccia tatuate che mi stringono, la sua risata che mi riempie le orecchie e il cuore e tutto l'appartamento, la sensazione di non essere mai stata così viva.

«No, non lo farei. Non potrei mai», mi correggo.

Noah scuote la testa. «Quale delle due? Deciditi.» Ridacchia e va a sedersi sulla poltrona davanti al divano. «Non ti avevo mai vista così incerta.»

Scuoto il capo con convinzione. «Non cancellerei questi sei mesi.»

«Ne sei sicura? È stato un brutto anno per te… e lo dico basandomi solo su quello che mi hai raccontato.»

«Sicura», confermo. «Farei diversamente alcune cose, però, con te.»

Accenna un sorriso. «Sì, anch'io.»

«Theresa.» Una mano mi scuote per la spalla. «Theresa, svegliati.»

«Sono sveglia», biascico, e apro gli occhi. Il salotto. Sono

nel salotto di mia madre. Scalcio via un plaid dalle gambe...
un plaid con cui mi ha coperta Noah, quando mi sono sdraiata dopo aver parlato un altro po' con lui e avere guardato la
televisione insieme. Proprio come ai vecchi tempi.

Mi divincolo dalla stretta di mia madre. «Che ore sono?»

«Le nove di sera. Avrei voluto svegliarti prima.»

Deve averle dato molto fastidio vedermi sprecare la giornata
dormendo. Stranamente, quel pensiero mi diverte.

«Scusa, non ricordo nemmeno di essermi addormentata.»
Mi stiracchio e mi alzo. «Noah se n'è andato?» Guardo in
cucina e non lo vedo.

«Sì. La signora Porter ci teneva molto a vederti, ma le ho
detto che non era un buon momento», spiega.

La seguo in cucina e sento un profumo provenire dai fornelli. «Grazie.» Mi dispiace non avere salutato Noah come
si deve.

Mia madre si avvicina ai fornelli e, senza girarsi, dice in
tono di disapprovazione: «Hardin ti ha riportato la macchina, vedo». Un attimo dopo mi porge un piatto di insalata e
pomodori grigliati.

Non mi è mancata la sua cucina, ma mangio lo stesso.
«Perché non mi hai detto che Hardin è venuto qui? Adesso
me lo ricordo.»

«Mi ha chiesto lui di non farlo», mi informa con noncuranza.

Mi siedo a tavola e inizio a mangiare con poca convinzione.
«Da quando in qua ti interessa cosa vuole lui?» domando, e
aspetto nervosamente la sua reazione...

«Infatti non mi interessa», risponde riempiendo un piatto
per sé. «Non te l'ho detto perché è meglio se non ricordi, per
il tuo bene.»

La forchetta mi scivola dalle dita e rimbalza sul piatto.
«Per il mio bene, è giusto che sappia la verità.» Faccio del

mio meglio per parlare in tono calmo, mi sforzo davvero. Per sottolineare la mia compostezza, mi pulisco gli angoli della bocca con il tovagliolo.

«Theresa, non sfogare su di me le tue frustrazioni», dice mia madre sedendosi a tavola. «Qualsiasi cosa ti abbia fatto quel ragazzo per farti diventare così, è colpa tua. Non mia.»

Le labbra tinte di rosso si aprono in un sorrisetto saccente, e io mi alzo da tavola, getto il tovagliolo sul piatto ed esco di corsa dalla cucina.

«Dove vai, signorina?» mi grida dietro.

«Vado a dormire. Domattina devo alzarmi alle quattro e guidare per molte ore.» Mi chiudo in camera.

Mi siedo sul letto di quando ero bambina… e le pareti grigie sembrano stringersi intorno a me. Odio questa casa. Non dovrei, ma la odio. Detesto come mi sento quando sono qui: non posso aprire bocca senza essere rimproverata o contraddetta. Non mi ero mai resa conto di quanto fossi in trappola finché ho assaggiato la libertà con Hardin. Mi piace cenare con una pizza, passare tutto il giorno a letto nuda con lui. Niente tovaglioli ben ripiegati, niente orribili tende gialle.

Prima di capire cosa sto facendo l'ho già chiamato. Risponde al secondo squillo.

«Tess?» dice, con il fiatone.

«Ehm, ciao», sussurro.

«Che succede?»

«Niente, stai bene?»

«Sbrigati, Scott, torna qui», dice una voce femminile in sottofondo.

Il mio cuore fa un balzo, e mi vengono in mente mille scenari orrendi. «Ah, ma sei… Non ti disturbo, allora.»

«No, non preoccuparti, lei può aspettare.» Il rumore è meno forte. Evidentemente si sta allontanando da quella donna.

«Davvero, nessun problema, non voglio… interromperti.» Guardo la parete grigia e la sento incombere su di me, pronta a schiacciarmi.

«Okay», sospira.

Cosa?

«Okay, ciao», taglio corto e riaggancio, coprendomi la bocca per non vomitare sulla moquette.

Dev'esserci una spiegazione logica…

Il telefono inizia a vibrare. C'è il nome di Hardin sul display. Rispondo, nonostante tutto.

«Non sto facendo quello che pensi tu… Non mi ero neanche reso conto che tu potessi fraintendere», dice subito. La sua voce è smorzata dal fischio del vento.

«Non preoccuparti, è tutto a posto.»

«No, Tess, non dire così. Se in questo momento fossi con un'altra, non sarebbe tutto a posto.»

Mi sdraio sul letto e ammetto a me stessa che ha ragione. «Non pensavo niente di brutto», spiego, ed è una mezza verità. Dentro di me sapevo che non stava facendo nulla di male, ma la mia immaginazione… è andata a parare lì.

«Bene, forse finalmente ti fidi di me.»

«Forse.»

«Il che sarebbe molto più significativo se tu non mi avessi lasciato.»

«Hardin…»

Sospira. «Perché mi hai chiamato? Tua madre fa di nuovo la stronza?»

«No, non parlare così di lei», dico irritata. «Be'… sì, è quello che sta facendo, ma niente di grave. Solo… Non so perché ti ho chiamato, a essere sincera.»

«Be'…» Esita, sento chiudere la portiera di una macchina. «Vuoi parlare?»

«Possiamo?» Poche ore fa gli ho detto che dovevo diventare più indipendente, e invece gli ho telefonato al primo accenno di un problema.

«Certo che possiamo.»

«Ma dove sei?» Cerco di mantenere la conversazione su un terreno neutrale... per quanto sia possibile tra me e Hardin.

«In palestra.»

Mi viene quasi da ridere. «Tu non frequenti palestre.» Hardin è una di quelle rare persone che hanno un corpo perfetto senza bisogno di ginnastica. Ha un fisico invidiabile, è alto e ha le spalle larghe, benché sostenga che da ragazzino era troppo magro. I muscoli sono sodi ma non troppo; il suo corpo è un equilibrio irresistibile tra duro e morbido.

«Lo so, me ne stava dicendo di tutti i colori. Mi vergognavo.»

«Chi?» dico, con un po' troppa enfasi. *Calmati, Tessa, è chiaro che sta parlando della donna di cui hai sentito la voce.*

«Ah, l'allenatrice. Ho deciso di usare quel coupon per kickboxing che mi hai regalato per il compleanno.»

«Davvero?» Il pensiero di Hardin che fa kickboxing mi fa venire in mente cose che non dovrebbero venirmi in mente. Per esempio lui, sudato...

«Sì», risponde un po' imbarazzato.

Cerco di scacciare dalla testa l'immagine di lui a torso nudo. «Com'è?»

«Non male, direi. Preferisco altri sport, ma il lato positivo è che mi sento molto meno teso di qualche ora fa.»

Ne dubito. «Pensi che ci tornerai?» gli chiedo. Finalmente mi sembra di riuscire di nuovo a respirare, mentre Hardin mi racconta che la prima mezz'ora di lezione è stata imbarazzante, che ha insultato la donna finché lei non l'ha colpito ripetutamente sulla nuca, e da quel momento in poi ha iniziato a rispettarla.

«Aspetta, sei ancora lì?» dico.

«No, adesso sono a casa.»

«Te ne sei... andato? Senza dirle niente?»

«No, perché dovevo?» domanda, come se fosse un comportamento normale.

Mi piace l'idea che abbia mollato tutto quello che stava facendo per parlarmi al telefono. Non dovrebbe piacermi, ma mi piace. E la cosa mi confonde: «Non ci sta riuscendo molto bene, la faccenda del lasciarci spazio», commento.

«Non ci riusciamo mai.» Lo sento sorridere.

«Lo so, ma...»

«Questa è la nostra versione dello spazio: non sei venuta da me, hai solo chiamato.»

«Forse...» Mi permetto di pensare che abbia ragione. D'altronde non so ancora se è un bene o un male.

«Noah è lì?»

«No, se n'è andato da ore.»

«Bene.»

Guardo il buio oltre le brutte tende della mia stanza. Hardin ride e dice: «È così strano parlare al telefono».

«Perché?»

«Non lo so, parliamo da più di un'ora.»

Stacco il telefono dall'orecchio per controllare, e in effetti ha ragione. «Non sembrava.»

«Lo so, non parlo mai con nessuno al telefono. A parte quando mi chiami tu per rompermi le scatole, o qualche chiamata agli amici, ma mai più di due minuti.»

«Davvero?»

«Sì, cosa c'è di strano? Non sono mai uscito con le ragazze; i miei amici passavano ore al telefono con le fidanzate, a sentirle parlare di smalto per le unghie, o... che cazzo ne so di cosa parlano le ragazze», sghignazza. Mi rattrista un po'

352

ricordare che Hardin non ha mai avuto la possibilità di essere un adolescente normale.

«Non ti sei perso granché.»

«E tu con chi parlavi per ore? Con Noah?» chiede in tono sprezzante.

«No, neanche noi stavamo tanto al telefono. Ero troppo impegnata a leggere romanzi.» Forse nemmeno io sono mai stata una vera teenager.

«Be', meno male che eri secchiona.» Quelle parole mi scaldano il cuore.

«Theresa!» strilla mia madre, riportandomi alla realtà.

«Che c'è, è ora di andare a nanna?» mi prende in giro Hardin. La nostra storia, non-storia, diamoci-spazio-ma-parliamo-al-telefono, si è ulteriormente complicata nell'ultima ora.

«Sta' zitto», gli faccio, e copro il ricevitore con la mano per dire a mia madre che arrivo subito. «Devo andare a sentire cosa vuole.»

«Parti davvero domani?»

«Sì.»

Dopo un momento di silenzio, dice: «Okay, be', sta' attenta… non so cosa dire.»

«Posso chiamarti domattina?» chiedo con la voce che trema.

«No, forse è meglio se non ci sentiamo.» Ho una stretta al cuore. «Be', non troppo spesso. Non ha senso parlare in continuazione se non possiamo stare insieme.»

«Okay», mormoro sconfitta.

«Buonanotte, Tessa.» Chiude la telefonata.

Ha ragione, lo so. Ma non per questo fa meno male. Non avrei neppure dovuto chiamarlo.

69
Tessa

SONO le cinque meno un quarto del mattino, e per una volta mia
madre non è vestita di tutto punto. Indossa un pigiama di seta
e la vestaglia, con pantofole in tinta. Ho ancora i capelli umidi
dopo la doccia, ma ho trovato il tempo per truccarmi un po' e
vestirmi decentemente.

Mia madre mi osserva. «Hai tutto il necessario, vero?»

«Sì, tutto ciò che possiedo è in macchina.»

«Okay, ricorda di fare benzina prima di uscire dalla città.»

«Me la caverò, mamma.»

«Lo so. Cerco solo di aiutarti.»

«Lo so.» Apro le braccia per salutarla, ma lei risponde con
un abbraccio breve e poco caloroso. Decido di prepararmi un
caffè da portarmi in macchina. Nutro ancora un briciolo di
fiducia, l'assurda speranza di vedere apparire dei fari nel buio,
di vedere Hardin che scende dalla macchina con le valigie e mi
dice che è pronto per venire a Seattle con me.

Ma è una speranza folle.

Alle cinque e dieci do un ultimo abbraccio a mia madre e
salgo in macchina, che per fortuna mi sono ricordata di riscaldare preventivamente. L'indirizzo di Kimberly e Christian è
programmato sul navigatore del telefono, ma l'app continua
ad azzerare e ricalcolare il percorso prima ancora di uscire dal
vialetto. Devo proprio comprare un telefono nuovo. Se Hardin
fosse qui mi ripeterebbe che devo procurarmi un iPhone.

Ma Hardin non è qui.

* * *

354

Il viaggio è lungo: sono appena all'inizio della mia avventura e già sento un nodo allo stomaco. Ogni cittadina in cui passo mi fa sentire sempre più fuori posto, e mi chiedo se a Seattle non starò ancora peggio. Mi ambienterò, prima o poi, o tornerò al vecchio campus? O addirittura a casa di mia madre?

Controllo l'orologio sul cruscotto: è passata solo un'ora. Ma a pensarci bene quest'ora è volata, e stranamente mi sento un po' più leggera.

Al controllo successivo vedo che sono passati altri venti minuti senza che me ne accorgessi. Più mi allontano da tutto, più mi sento leggera. Non mi assale il panico su quelle strade buie e sconosciute. Mi concentro sul futuro. Il futuro che nessuno può strapparmi, a cui nessuno può costringermi a rinunciare. Mi fermo spesso per prendere un caffè e mangiare qualcosa, e anche solo per respirare l'aria del mattino. Quando finalmente sorge il sole, a metà del viaggio, mi concentro sulla luce calda e sui colori che si fondono l'uno con l'altro per accogliere il nuovo giorno. Il mio umore si schiarisce insieme al cielo, e mi ritrovo a cantare con Taylor Swift tamburellando le dita sul volante.

Quando oltrepasso il cartello che mi dà il benvenuto a Seattle sento le farfalle nello stomaco, in senso buono. Ce la sto facendo: Theresa Young è ufficialmente a Seattle, pronta a fare carriera, a un'età in cui tanti ragazzi non sanno ancora cosa vogliono fare della loro vita.

Ci sono riuscita. Non ho ripetuto gli errori di mia madre, non ho aspettato che altre persone tracciassero per me la rotta del futuro. Ho ricevuto aiuto, ovviamente, e ne sono grata; ma ora spetta a me fare il passo successivo. Ho uno stage prestigioso, un'amica esuberante e il suo futuro marito, una macchina piena di cose che mi appartengono.

Non ho una casa… non ho niente a parte i libri, qualche scatolone e il mio lavoro.

Ma si risolverà tutto.

Per forza.

Sarò felice a Seattle… sarà come ho sempre immaginato. Sì.

Ogni chilometro sembra durare una vita… ogni secondo è pieno di ricordi, addii e dubbi.

La casa è ancora più grande di come me l'aveva descritta Kimberly. Già il vialetto mi intimorisce: un filare di alberi, siepi ben potate e un profumo di fiori che non riconosco. Parcheggio dietro la macchina di Kimberly e faccio un respiro profondo prima di scendere. Sul portone è incisa una grande v: sto sghignazzando per l'arroganza di quella decorazione quando Kimberly mi apre.

Perplessa, segue il mio sguardo. «Non ce l'abbiamo messa noi, giuro! La famiglia che ci viveva prima si chiama Vermon!»

«Io non ho detto niente», puntualizzo con aria innocente.

«So cosa stai pensando: è orribile. Christian è un uomo orgoglioso, ma neanche lui farebbe una cosa del genere.» Picchietta la porta con un'unghia laccata di rosso e io rido di nuovo. Mi fa strada in casa. «Com'è andato il viaggio? Vieni, entra, fa freddo.»

La seguo nell'atrio, dove c'è un piacevole tepore e il profumo di un caminetto acceso.

«È andato bene… ma è stato lungo.»

«Spero di non dover ripercorrere mai più quella strada», dice con una smorfia. «Christian è in ufficio, io ho preso la giornata libera per accoglierti. Smith torna da scuola tra qualche ora.»

«Grazie ancora per l'ospitalità. Prometto che non mi fermerò più di due settimane.»

«Non stressarti: finalmente sei a Seattle.» Fa un gran sorriso, e per la prima volta me ne rendo conto davvero: Sono a Seattle!

70
Hardin

«Com'è andata kickboxing, ieri?» chiede Landon con voce tirata, i lineamenti distorti dalla fatica, mentre solleva un altro sacco di pacciame. Lo posa al suo posto, si mette le mani sui fianchi e sbuffa: «Potresti anche aiutarmi, sai».

«Lo so», dico, restando seduto e posando i piedi su una mensola nella serra di Karen. «La kickboxing è andata benino. L'allenatrice era una donna, che tristezza, cazzo.»

«Perché? Te le ha date di santa ragione?»

«Come no, figurati…»

«Cosa ci sei andato a fare, comunque? Avevo detto a Tess di non regalarti quel coupon perché non l'avresti usato.»

Mi irrita che la chiami Tess: non mi piace neanche un po'. Ma è solo Landon, mi dico. Di tutti i problemi che ho, Landon è il meno grave.

«Perché mi giravano le palle e stavo per spaccare tutto in quell'appartamento. Perciò, quando ho visto il coupon mentre tiravo fuori i cassetti dal comò, l'ho preso, ho infilato le scarpe e sono uscito.»

«Hai tirato fuori i cassetti? Tessa ti ammazzerà…» Scuote la testa e finalmente si siede sul mucchio dei sacchi di pacciame. Non so perché abbia accettato di aiutare sua madre a spostare tutta questa roba.

«Non lo vedrà, non è più casa sua», gli ricordo, cercando di restare calmo.

Mi guarda con aria colpevole. «Scusa.»

«Sì, sì», sospiro. Non ho neppure la risposta pronta.

«È difficile dispiacermi per te, dato che in questo momento potresti essere lì con lei», afferma dopo qualche istante di silenzio.

«Vaffanculo», sibilo appoggiando la testa al muro.

«Non ha senso.»

«Non per te.»

«Né per lei. E per nessun altro.»

«Non devo spiegazioni a nessuno», sbotto.

«Allora cosa ci fai qui?»

Invece di rispondergli mi guardo intorno: non ho ben capito neanch'io cosa ci faccio nella serra. «Non saprei dove altro andare.»

Pensa che io non senta la sua mancanza ogni secondo? Pensa che non preferirei stare con lei piuttosto che qui a parlare con lui?

Mi osserva di sottecchi. «E i tuoi amici?»

«Quella che ha dato la droga a Tessa, dici? O quell'altra che mi ha costretto a raccontarle della scommessa?» Inizio a contarli sulla punta delle dita. «O forse intendi quello che cerca continuamente di infilarsi nel suo letto. Che faccio, continuo?»

«Anche no. Però te l'avrei potuto dire pure io che i tuoi amici facevano schifo», dice irritato. «Allora, cosa pensi di fare?» domanda infine.

Rinuncio ad ammazzarlo e rispondo: «Esattamente quello che sto facendo adesso».

«Cioè stare qui con me e tenere il muso?»

«Non tengo il muso, seguo il tuo consiglio: sto migliorando me stesso», puntualizzo, tracciando le virgolette in aria. «Vi siete sentiti da quando è partita?»

«Sì, mi ha scritto stamattina per avvertirmi che era arrivata.»

«Sta da Vance, vero?»

«Perché non lo scopri da solo?»

Merda, quanto è fastidioso. «Lo so che sta lì. Dove, sennò?»

«Con quel tizio, Trevor», suggerisce subito. E quando lo

vedo sorridere mi torna la voglia di ammazzarlo. Se lo mettessi al tappeto adesso non gli farei troppo male: è praticamente già seduto per terra. Non gli lascerei neppure un livido, forse…

«Mi ero dimenticato di Trevor, quello stronzo», sbuffo massaggiandomi le tempie. Trevor mi fa incazzare quasi quanto Zed. Ma penso che Trevor abbia buone intenzioni con Tessa, e questo mi irrita ancora di più. Lo rende più pericoloso.

«Allora, qual è la prossima tappa del Progetto di Automiglioramento?» sorride Landon, un istante dopo però torna serio. «Sono molto fiero di te, sai. È bello vedere che ti sforzi, per una volta, invece di provarci per mezz'ora e poi tornare com'eri prima appena lei ti perdona. Sarà molto contenta di vedere che stai cambiando davvero.»

Poso i piedi a terra e mi dondolo sulla sedia. Queste parole mi smuovono qualcosa dentro. «Non farmi la predica. Non ho ancora fatto niente, è passato solo un giorno.» Un giorno interminabile, orribile.

Landon mi guarda con aria comprensiva e sorpresa insieme. «No, dico sul serio. Non ti sei messo a bere e non hai fatto a botte con nessuno, non ti hanno arrestato e so che sei venuto qui per parlare con tuo padre.»

Sono esterrefatto. «Te l'ha detto?» Che figlio di puttana.

«No, non me l'ha detto. Abito qui e ho visto la tua macchina.»

«Ah…»

«Penso che Tessa sarebbe molto felice di sapere che parli con lui.»

«Ma la smetti, cazzo? Non sei il mio psicanalista. Finiscila di considerarti migliore di me, di trattarmi come un animale selvatico da…»

«Perché non riesci ad accettare un complimento? Non ho mai detto di essere migliore di te. Sto solo cercando di esserti amico, di starti vicino. Non hai nessuno, l'hai ammesso tu stesso, e ora che Tessa è a Seattle non hai più nessuno che ti dia sostegno morale.» Mi guarda, ma io abbasso gli occhi. «Devi smetterla di respingere le persone, Hardin. So che non ti piaccio: mi odi perché mi ritieni responsabile di alcuni dei problemi che hai con tuo padre, ma voglio molto bene a Tessa e anche a te, che ti piaccia o meno sentirtelo dire.»

«Non voglio sentirmelo dire», ribatto. Perché deve sempre tirare fuori discorsi del genere? Sono venuto qui per... non lo so, per parlare con lui. Non per sentirmi dire quanto mi vuole bene.

E perché me ne vorrebbe? Lo tratto di merda dal giorno che l'ho conosciuto, ma non lo odio. Pensa davvero di sì?

«Be', è uno degli aspetti su cui devi lavorare.» Si alza ed esce, lasciandomi da solo nella serra.

«Merda.» Sferro un calcio e colpisco lo scaffale di legno. Un cigolio riecheggia nella serra. Scatto in piedi. «No, no, no!»

Cerco di prendere al volo i vasi e le fioriere prima che cadano a terra. Ma pochi istanti dopo il pavimento è pieno di cocci. Non ci posso credere. Non volevo spaccare questa roba.

Forse posso dare una sistemata prima che Karen...

«Oddio», la sento ansimare, e girandomi la vedo sulla soglia con una paletta da giardiniere in mano.

Porca puttana.

«Non l'ho fatto apposta, giuro. Ho tirato un calcio e ho rotto il ripiano per sbaglio... e tutta la roba ha cominciato a cadere, e io ho cercato di prenderla!» spiego in tono concitato, mentre Karen accorre.

Fruga tra i cocci in cerca dei pezzi di un vaso azzurro. Non parla, ma la sento tirar su con il naso e la vedo asciugarsi gli occhi con le mani sporche di terra.

Dopo qualche secondo, dice: «Avevo questo vaso da quando ero bambina. Ci ho trapiantato il mio primo germoglio».

Non so cosa rispondere. Di tutta la roba che ho rotto, stavolta è stato davvero un incidente. Mi sento una merda.

«Questo e il servizio di piatti erano gli unici ricordi che mi restavano di mia nonna», piange.

I piatti. I piatti che ho rotto io.

«Karen, mi dispiace…»

«Non fa niente, Hardin.» Sospira e lascia cadere i pezzi del vaso nella terra.

Ma leggo nei suoi occhi che non è vero. Vedo quanto soffre, e mi stupisco della forza con cui il senso di colpa mi opprime. Resta a fissare il vaso rotto ancora per un po', e io guardo lei in silenzio. Cerco di immaginarla da bambina, già con i grandi occhi marroni e l'animo gentile. Scommetto che era una di quelle ragazze che sono buone con tutti, anche con gli stronzi come me. Penso a sua nonna, che doveva essere buona quanto lei, e ai ricordi che Karen ha serbato per tutti questi anni. In vita mia non ho mai avuto niente che non sia stato distrutto.

«Finisco di preparare la cena. Tra poco si mangia», dice alla fine.

Si asciuga gli occhi per l'ultima volta ed esce dalla serra, come suo figlio pochi minuti fa.

71
Tessa

Non c'è modo di evitare Smith e la sua adorabile abitudine di aggirarsi per casa e guardarsi intorno, salutarti con una formale stretta di mano e poi tempestarti di domande mentre cerchi di fare le pulizie. Perciò, quando entra in camera mia mentre sto mettendo via i vestiti e mi chiede a bassa voce: «Dov'è il tuo Hardin?» non ho il diritto di risentirmi.

Mi rattrista un po' dovergli dire che ho lasciato Hardin alla WCU, ma la tenerezza che mi ispira quel bambino lenisce un po' il dolore.

«E dov'è la WCU?» mi chiede.

Mi sforzo di sorridere. «Molto lontano da qui.»

Batte le palpebre sui begli occhi verdi. «Viene anche lui?»

«Non penso. Smith, Hardin ti piace, vero?»

«Più o meno. È simpatico.»

«Ehi, sono simpatica anch'io!» esclamo, ma lui si limita a un sorrisetto.

«Non proprio», risponde secco.

Scoppio a ridere. «Hardin mi trova simpatica», mento.

«Ah sì?» Mi aiuta a tirare fuori dalle valigie i vestiti.

«Sì, ma non vuole ammetterlo.»

«Perché?»

«Non lo so.» Forse perché non sono molto simpatica, e quando mi sforzo di esserlo è ancora peggio.

«Be', di' al tuo Hardin di venire a vivere qui, come te», sentenzia, quasi fosse un piccolo re che emana un editto.

Mi si stringe il cuore. «Glielo riferirò. Quelle non le devi piegare», gli dico, togliendogli di mano una maglietta azzurra.

«Mi piace piegare.» Nasconde la maglietta dietro la schiena. Cosa posso fare, se non annuire?

«Un giorno sarai un buon marito», osservo sorridendo. Lui ricambia, e gli escono le fossette. Almeno sembra che io gli stia un po' più simpatica di prima.

«Non voglio essere un marito», protesta. Un bambino di cinque anni che parla esattamente come un adulto.

«Un giorno cambierai idea.»

«No.» E così pone fine alla conversazione; continuiamo a piegare i vestiti in silenzio.

Il mio primo giorno a Seattle sta per finire, e domani sarà il primo giorno nel nuovo ufficio. Sono molto ansiosa: non mi piacciono le novità, anzi mi terrorizzano. Mi piace avere la situazione sotto controllo e arrivare preparata in un ambiente nuovo. Non ho avuto molto tempo per pianificare questo trasferimento, a parte iscrivermi ai nuovi corsi, e sinceramente sono meno entusiasta di quanto dovrei. Mentre mi rimproveravo, Smith è sparito, lasciando sul letto un mucchio di vestiti perfettamente piegati.

Devo uscire a vedere Seattle, domani dopo il lavoro. Devo ricordarmi cosa mi piace di questa città: perché adesso, in questa stanza non mia, lontana da tutto ciò che ho conosciuto, mi sento tremendamente sola.

72
Hardin

GUARDO Logan scolare una pinta intera di birra, con la schiuma e tutto. Posa il bicchiere e si asciuga la bocca. «Steph è una psicopatica. Nessuno sapeva che volesse fare una cosa del genere a Tessa», dichiara. E poi rutta.

«Dan lo sapeva. E se scopro che lo sapeva qualcun altro…» minaccio.

«Nessun altro ne era a conoscenza», dichiara con aria solenne. «Be'... non che io sappia. Ma tanto nessuno mi dice mai niente.» Gli si avvicina una ragazza alta e bruna e lui la cinge con un braccio. «Nate e Chelsea arrivano tra poco», la avverte.

«Una serata tra coppie, meglio se me ne vado», sbuffo. Faccio per alzarmi, ma Logan mi ferma.

«Non è una serata tra coppie. Tristan è di nuovo single, e Nate non sta con Chelsea, scopano e basta.»

Non so neanche perché sono venuto, ma Landon mi rivolgeva a malapena la parola, e a cena Karen era così triste che non riuscivo più a stare seduto a tavola.

«Fammi indovinare: viene anche Zed?»

«Penso di no», risponde Logan. «Credo sia incazzato più di te, perché da quel giorno praticamente non ci parla.»

«Nessuno è più incazzato di me», dico a denti stretti. Uscire con i vecchi amici non mi sta aiutando a «migliorare me stesso»: mi innervosisce e basta. Come osano dire che Zed tiene a Tessa più di quanto ci tenga io?

Logan alza una mano. «Non intendevo in quel senso... scusa. Bevi una birra e rilassati.» Si gira in cerca della cameriera.

Vedo arrivare Nate, Tristan e una ragazza che dev'essere Chelsea.

«Non la voglio, una birra», mormoro cercando di stare calmo. Logan vuole solo aiutarmi, ma mi irrita. Tutti mi irritano. Ogni cosa mi irrita.

Tristan mi dà una pacca sulla spalla. «Non ti vedevo da un pezzo», esclama, ma c'è imbarazzo e non sorridiamo neppure. «Mi dispiace per quello che ha fatto Steph, ti giuro che non ne sapevo niente», aggiunge, e l'imbarazzo aumenta ulteriormente.

«Non voglio parlarne», dichiaro in tono perentorio, deciso a chiudere la conversazione.

Mentre i miei amici bevono e parlano di cose delle quali non mi frega niente, i miei pensieri corrono a Tessa. Cosa starà facendo in questo momento? Le piace Seattle? Si sente a disagio a casa dei Vance? Christian e Kimberly la trattano bene?

Ma certo: Kimberly e Christian trattano bene tutti. Quindi sto solo aggirando la vera domanda: Tessa sente la mia mancanza come io sento la sua?

«Bevi anche tu?» mi chiede Nate mostrandomi un bicchierino da shot.

«No, sono a posto così», rispondo indicando la mia bibita, e lui beve da solo.

Non dovrei essere qui. Queste sbronze da adolescenti saranno divertenti per loro, ma a me non bastano più. Loro non hanno una voce in testa che ripete di migliorare se stessi, di combinare qualcosa di buono nella vita. Nessuno li ha mai amati abbastanza da spingerli a diventare persone migliori.

Una volta le ho detto che volevo essere buono per lei. Finora me la sto cavando proprio bene, devo ammettere.

«Me ne vado», annuncio, ma nessuno mi calcola quando mi alzo ed esco dal bar. Ho deciso che non sprecherò più tempo a bere con gente a cui non frega niente di me. La maggior parte di loro non mi ha fatto niente di male, ma nessuno mi conosce davvero né vuole fare lo sforzo di conoscermi. A loro piaceva solo la versione di me che faceva a botte e si portava a letto le ragazze. Ero soltanto una fonte di intrattenimento alle loro feste. Non sanno un cazzo di me, non sapevano nemmeno che mio padre è il rettore della nostra università. Scommetto che non sanno nemmeno cosa sia, un rettore.

Nessuno mi conosce come Tessa, nessuno ha mai provato a conoscermi come lei. Lei mi fa un mucchio di domande indiscrete: «A cosa pensi?» «Perché ti piace quel programma?» «Cosa starà pensando secondo te quell'uomo seduto laggiù?» «Qual è il primo ricordo che hai?»

Ho sempre finto di trovare fastidioso quel suo bisogno di

sapere tutto, ma in realtà mi faceva sentire... speciale... come se a qualcuno importasse così tanto di me da voler conoscere la risposta a domande così ridicole. Non riesco a decidermi: una parte del cervello mi dice di andare a Seattle con la coda tra le gambe, buttare giù la porta della Vance e prometterle che non la lascerò più andare via. Ma non è così facile: c'è un'altra parte di me, più grande e più forte, quella che vince sempre, e quella parte mi sta dicendo che sono un caso disperato, che non faccio altro che rovinare tutto ciò che tocco e la vita degli altri, e quindi farei un favore a Tessa se la lasciassi in pace. Ed è a questa parte che do retta, specialmente perché Tessa non è qui a dirmi che mi sbaglio. E soprattutto perché in passato si è sempre dimostrato vero.

Il piano di Landon per farmi diventare una persona migliore potrebbe funzionare, in teoria, ma poi cosa succederebbe? Resterei quella persona per sempre? Dovrei illudermi di meritarla solo perché non mi scolo una bottiglia di vodka ogni volta che mi arrabbio?

Sarebbe tutto molto più facile se non fossi disposto ad ammettere lo stato pietoso in cui mi trovo. Non so cosa farò, ma non lo scoprirò tanto presto. Per stasera, andrò a casa a guardare i programmi preferiti di Tessa: quei programmi orribili, con trame ridicole e attori pessimi. Magari fingerò che lei sia lì con me a spiegarmi ogni scena, anche se le capisco benissimo. Adoro quando lo fa: è irritante, ma mi piace vedere che si appassiona in quel modo ai dettagli più insignificanti.

Uscendo dall'ascensore continuo a programmare la serata. Guarderò quelle schifezze in tv, poi farò una doccia, probabilmente mi masturberò immaginando la bocca di Tessa su di me, e mi sforzerò di non fare stupidaggini. Forse ripulirò addirittura il casino che ho fatto ieri.

Mi fermo davanti alla porta dell'appartamento e mi guardo

intorno sul pianerottolo. Perché la porta è socchiusa? Tessa è tornata o è entrato di nuovo qualcuno? Non so quale delle due ipotesi mi farebbe arrabbiare di più.

«Tessa?» Spingo la porta con il piede e resto impietrito: suo padre è riverso a terra e coperto di sangue.

«Ma che cazzo?!» grido e sbatto la porta.

«Sta' attento», geme Richard. Seguo il suo sguardo verso il corridoio, dove scorgo qualcosa che si muove.

C'è un uomo, in piedi sopra di lui. Drizzo le spalle, pronto ad attaccare, se necessario.

Ma poi vedo che è l'amico di Richard... Chad, mi pare si chiami. «Cosa gli è successo, e tu che cazzo ci fai qui?» sbraito.

«Speravo di trovare la ragazza, ma mi accontento di te», ghigna.

Mi va il sangue alla testa a sentirlo parlare così della mia Tessa. «Levati dalle palle e portati via il tuo amico.» Indico il pezzo di merda che quest'uomo ha portato in casa mia. Il suo sangue sta sporcando il pavimento.

Chad tira indietro le spalle: capisco che sta tentando di restare calmo ma non ci riesce. «Il problema è che mi deve un mucchio di soldi e non sa dove trovarli», spiega grattandosi con le unghie sporche le braccia coperte di puntini rossi.

Tossico di merda.

«Non è un mio problema», ribatto. «Non ti ripeterò di andartene, e di sicuro non ti do un soldo.»

Ma Chad fa un altro ghigno. «Non sai con chi parli, pivello.» Sferra un calcio a Richard, appena sotto la gabbia toracica. Lui geme, stramazza a terra e non si rialza.

Non sono dell'umore giusto per ritrovarmi due tossici in casa. «Non me ne frega un cazzo né di te né di lui. Se pensi di spaventarmi, ti sbagli di grosso», ringhio.

Non me ne sono già successe abbastanza per questa settimana?

Faccio un passo verso Chad, che indietreggia, proprio come immaginavo. «Te lo ripeto un'altra volta, perché sono educato: fuori di qui o chiamo la polizia. E mentre aspettiamo che la polizia venga a salvarti, ti spacco la testa con la mazza da baseball che tengo a portata di mano per occasioni come questa», lo minaccio dirigendomi verso l'armadio dell'ingresso.

«Se me ne vado senza i soldi che lui mi deve, tutto quello che gli faccio pesa sulla tua coscienza. Avrai le mani sporche del suo sangue.»

«Non me ne frega niente di cosa gli fai», rispondo. Ma non sono sicuro di pensarlo davvero.

«Certo», fa lui guardandosi intorno nel salotto.

«Quanti sarebbero, questi soldi?»

«Cinquecento.»

«Non te li do, cinquecento dollari.» So cosa penserà Tessa quando scoprirà che i miei sospetti su suo padre e la droga erano fondati, e questo mi fa venire voglia di lanciare il portafogli in faccia a Chad e dargli tutti i soldi che ho, solo per liberarmi di lui. Detesto sapere che avevo ragione sul conto di Richard; finora Tessa mi crede solo a metà, ma presto dovrà capire come stanno le cose. Voglio solo che se ne vadano, tutti e due. «Non ho tutti questi soldi con me.»

«Duecento?» prova. Leggo nei suoi occhi un bisogno disperato di droga.

«E va bene.» Non riesco a credere che sto davvero dando dei soldi a questo tossico che è entrato in casa mia e ha preso a botte il padre di Tessa. Non li ho neppure, duecento dollari in contanti. Cosa devo fare, portarmi dietro questo squilibrato al bancomat? Cazzo, che casino.

Che genere di persona torna a casa e si trova davanti una scena come questa?

Io, ecco chi.

Per lei. Solo per lei.

Tiro fuori il portafogli, gli lancio gli ottanta dollari che ho appena ritirato e vado in camera, con la mazza da baseball ancora in mano, a prendere l'orologio che mio padre e Karen mi hanno regalato per Natale. Glielo tiro e lui lo prende al volo: è molto scattante, per le condizioni in cui si trova. Deve essere proprio disperato.

«Quell'orologio vale più di cinquecento dollari. Ora levati dai coglioni», gli dico. Ma non voglio davvero che se ne vada: voglio che provi ad aggredirmi, così posso spaccargli la testa.

Chad ride, poi tossisce, poi ride di nuovo. «Alla prossima, Rick», dice in tono minaccioso prima di uscire.

Lo seguo e gli punto addosso la mazza: «Ah, Chad? Se ti rivedo, ti ammazzo».

Poi gli sbatto la porta in faccia.

73
Hardin

Do un colpetto con la punta del piede alla coscia di Richard. Non ci vedo più dalla rabbia, e tutto questo casino è colpa sua.

«Mi dispiace», geme, e tenta di rialzarsi ma il dolore glielo impedisce. Non ci tengo proprio a tirarlo su io, ma non saprei cos'altro fare.

«Ti metto su una sedia, ma non ti faccio stare sul mio divano finché non ti sei fatto una doccia.»

«Okay», mormora, e chiude gli occhi mentre lo sollevo. È meno pesante di quanto mi aspettassi, soprattutto data la statura.

Lo trascino in cucina e lo faccio sedere su una sedia, e lui si piega in avanti stringendosi il torace.

«E adesso? Cosa devo fare con te?» gli chiedo a bassa voce.

Cosa farebbe Tessa se fosse qui? Conoscendola, gli preparerebbe un bagno caldo e qualcosa da mangiare. Quanto a me, non ho la minima intenzione di farlo.

«Riportami indietro», suggerisce. Si tocca la maglietta con dita tremanti: una mia maglietta, che Tessa gli ha permesso di tenere. La indossa da quando se n'è andato da qui? Si pulisce il sangue dalla bocca imbrattandosi il mento e la barba.

«Indietro dove?» gli domando. Forse avrei dovuto chiamare la polizia appena entrato nell'appartamento, forse non avrei dovuto dare quell'orologio a Chad… Non riuscivo a ragionare lucidamente, pensavo solo a tenere Tessa fuori da questa storia.

Ma ovviamente lei ne è già fuori: è così lontana…

«Perché l'hai portato qui? Se Tessa fosse stata in casa…» Lascio la frase in sospeso.

«Se n'è andata, sapevo che non l'avrei trovata qui», dice con voce tirata.

So che fa fatica a parlare, ma ho bisogno di risposte e la mia pazienza sta per finire. «Sei venuto qui anche qualche giorno fa?»

«Sì. Solo per mangiare e fare una… doccia», ansima.

«Sei venuto fin qui per mangiare e lavarti?»

«Sì, la prima volta ho preso l'autobus. Poi Chad…» inspira e geme di dolore, sposta il peso del corpo sull'altro lato e prosegue: «Si è offerto di portarmi qui, ma appena siamo entrati mi è saltato addosso».

«Come cazzo siete entrati?»

«Ho preso la chiave di scorta di Tessie.»

L'ha presa... o gliel'ha data lei?

«...Dal cassetto», precisa indicando il lavello.

«Allora, vediamo se ho capito. Hai rubato le chiavi di casa mia e pensavi di poter venire qui quando ti pareva per fare la doccia. Dopodiché hai portato qui Chad il Simpatico Fattone, e lui ti ha preso a botte nel mio salotto perché gli devi dei soldi?» *Come sono finito in un reality show?*

«Non c'era nessuno in casa. Pensavo non facesse differenza.»

«Non hai pensato un bel niente, è questo il problema! E se Tessa fosse entrata in casa al posto mio? Te ne importa qualcosa di come reagirebbe se ti vedesse in questo stato?» *Sono infuriato e combattuto. Il mio primo istinto è trascinare questo vecchio pazzo fuori dal nostro... dal mio appartamento e lasciarlo morire dissanguato sul pianerottolo. Ma non posso, perché si dà il caso che io sia disperatamente innamorato di sua figlia, e otterrei solo di farla soffrire ancora di più. Non è meraviglioso, l'amore?*

«Be', e adesso cosa facciamo?» domando grattandomi il mento. «Devo portarti in ospedale?»

«Non mi serve l'ospedale, solo qualche cerotto. Puoi chiamare Tessie e dirle che mi dispiace?»

Liquido l'idea con un cenno della mano. «No, lei non verrà a sapere niente. Non voglio che si preoccupi per queste stronzate.»

«Okay.» Si agita di nuovo sulla sedia.

«Da quanto ti droghi?»

Deglutisce. «Non mi drogo», risponde in tono mite.

«Non mentire, non sono un idiota. Dimmelo e basta.»

Sembra smarrito nei suoi pensieri. «Da circa un anno, ma ho cercato in tutti i modi di smettere da quando ho rivisto Tessie.»

«La farai soffrire, lo sai vero?» Spero che lo sappia. E di certo non avrò problemi a ricordarglielo se mai se lo dimenticasse.

«Lo so, diventerò una persona migliore per lei.»

Non è quello che vogliamo tutti?

«Be', dovrai sbrigarti con la disintossicazione, perché se lei ti vedesse ora...» Non finisco la frase. Sto valutando se chiamare Tessa e chiederle che cazzo devo fare con suo padre, ma so che non sarebbe giusto. Non posso turbarla proprio adesso con un problema del genere. Non ora che sta tentando di realizzare i suoi sogni.

«Vado in camera mia. Fa' pure la doccia, mangia, fa' tutto quello che avevi in programma di fare prima che ti interrompessi io.» Esco deciso dalla cucina, mi chiudo la porta della camera alle spalle e mi ci appoggio. Sono state le ventiquattr'ore più lunghe della mia vita.

74
Tessa

NON riesco a smettere di sorridere mentre Kimberly e Christian mi mostrano il mio nuovo ufficio. Le pareti sono candide, battiscopa e porta grigio scuro, scrivania e librerie nere e dal design moderno. Le dimensioni della stanza sono le stesse del mio primo ufficio, ma il panorama è incredibile... mozzafiato. La nuova sede della Vance si trova al centro di Seattle; sotto di noi la città è in movimento costante, in perpetuo sviluppo, e io mi trovo proprio al centro di questa energia.

«È fantastico, grazie mille!» esclamo, forse con troppo entusiasmo e scarsa professionalità.

«Puoi arrivare ovunque a piedi: caffetteria, ristoranti di ogni tipo, è tutto qui.» Christian osserva orgoglioso il panorama e cinge in vita la sua futura moglie.

«Smettila di vantarti, per favore», lo prende in giro lei, e lui le dà un bacio sulla fronte.

«Be', ti lasciamo in pace. Ora mettiti al lavoro», mi rimprovera scherzosamente Christian. Kimberly lo prende per la cravatta e lo trascina via.

Dispongo le mie cose sulla scrivania e leggo un po', ma prima che arrivi l'ora di pranzo ho già inviato almeno dieci foto del nuovo ufficio a Landon... e a Hardin. Sapevo che Hardin non mi avrebbe risposto, ma non ho potuto trattenermi. Volevo fargli vedere il panorama: forse sarei riuscita a fargli cambiare idea, a convincerlo a venire? No, sono soltanto scuse per l'errore di avergli mandato le foto. Mi manca tantissimo e speravo che mi rispondesse, anche solo con un messaggio... Invece niente.

Landon ha commentato entusiasta ciascuna delle foto, anche quella stupida in cui reggevo una tazza di caffè con la scritta VANCE PUBLISHING.

Più ci ripenso e più mi pento di avere inviato le foto a Hardin. E se le interpreta nel modo sbagliato? Non sarebbe la prima volta. Potrebbe considerarle una conferma del fatto che mi sto rifacendo una vita senza di lui; potrebbe persino credere che gliele mandi per sbattergli in faccia quanto sono felice. Non era questa la mia intenzione, e mi auguro con tutto il cuore che lo capisca.

Forse dovrei scrivere un altro messaggio per spiegarmi. O dirgli che gli ho mandato le foto per sbaglio. Non so quale delle due opzioni sarebbe più credibile.

Nessuna, ci scommetto. Ma sto esagerando: sono solo delle

foto. E il modo in cui le interpreta non è una mia responsabilità. Le sue emozioni non sono una mia responsabilità.

Quando entro in sala break trovo Trevor seduto a un tavolo con un tablet.

«Benvenuta a Seattle», dice sprizzando gioia dagli occhi azzurri.

«Ciao», rispondo con altrettanto entusiasmo, e vado a prendere un pacchetto di cracker al burro di arachidi dal distributore automatico. Sono troppo nervosa per avere fame, ma domani andrò a pranzo fuori dopo avere esplorato un po' i dintorni.

«Finora ti piace la città?» domanda Trevor.

Gli chiedo il permesso con lo sguardo e, poiché annuisce, mi siedo davanti a lui. «Non ho ancora visto granché. Sono arrivata solo ieri. Ma mi piace molto questo nuovo palazzo.»

Due donne entrano nella stanza e sorridono a Trevor; una di loro si gira a sorridere anche a me e io la saluto con la mano. Si mettono a parlare, e poi quella più bassa, con i capelli neri, apre il frigorifero e tira fuori un pasto pronto da riscaldare nel microonde, mentre l'amica si tormenta le unghie.

«Allora devi esplorarla: ci sono tante cose da fare. È una bellissima città», dichiara Trevor mentre mangiucchio distrattamente un cracker. «Lo Space Needle, il Pacific Science Center, musei… un mucchio di roba.»

«Sì, voglio vedere lo Space Needle, e anche il Pike Place Market», dico. Ma inizio a sentirmi a disagio, perché ogni volta che mi giro vedo che le due donne mi guardano e parlottano tra loro.

Oggi sono proprio paranoica.

«Devi vederli. Sai già dove abiterai?» mi chiede chiudendo la finestra sul tablet per dedicarmi tutta la sua attenzione.

«Per il momento sono ospite di Kimberly e Christian… ma solo per un paio di settimane, finché trovo una casa.»

L'ansia che traspare dalla mia voce è imbarazzante. Detesto essere obbligata a stare da loro perché Hardin mi ha impedito di prendere in affitto l'unico appartamento che avevo trovato. Voglio vivere da sola e non essere un peso per nessuno.

«Potrei chiedere in giro, sentire se c'è un appartamento libero nel mio palazzo», si offre Trevor raddrizzandosi la cravatta e lisciandosi il bavero della giacca.

«Grazie, ma non sono sicura che il tuo palazzo rientri nel mio budget», gli ricordo a bassa voce. Lui è il direttore dell'ufficio contabilità e io sono una stagista: una stagista ben retribuita, ma non potrei permettermi di vivere neppure nei bidoni della spazzatura fuori dal suo palazzo.

Arrossisce, rendendosi conto dell'enorme disparità di reddito tra noi. «Okay. Posso comunque chiedere in giro.»

«Grazie», rispondo con un sorriso convincente. «Scommetto che mi sentirò più a casa in questa città, quando avrò una casa.»

«Sono d'accordo: ci vorrà un po' di tempo, ma ti piacerà stare qui.» Mi rivolge uno dei suoi bei mezzi sorrisi.

«Hai impegni dopo il lavoro?» gli chiedo d'impulso.

«Sì», ammette un po' spiazzato. «Ma posso disdirli.»

«No, no, non preoccuparti. Pensavo solo che, siccome conosci già la città, potresti mostrarmela. Ma se hai altri impegni non è un problema.» Spero di riuscire a farmi qualche nuovo amico qui a Seattle.

«Mi piacerebbe molto farti vedere la città. Dovevo solo andare a correre.»

«Correre?» ripeto con una smorfia. «E perché?»

«Per divertirmi.»

«Non mi sembra molto divertente», commento ridendo.

Scuote la testa fingendosi rattristato. «Ci vado quasi ogni giorno dopo il lavoro. Anch'io mi sto ancora ambientando in città, ed è un buon modo per familiarizzarsi con le strade. Potresti venire con me, uno di questi giorni.»

«Non lo so…» L'idea non mi piace.

«Oppure potremmo camminare.» Sghignazza. «Abito a Ballard, è un bel quartiere.»

«L'ho sentito nominare.» Ricordo i tanti siti Internet che ho visitato. «Okay, sì. Andiamo a fare una passeggiata a Ballard, allora.»

Non riesco a non domandarmi cosa ne penserebbe Hardin. Lui disprezza Trevor, ed è già abbastanza faticoso per lui «lasciarmi spazio» come ha promesso. Non che me l'abbia detto, ma mi piace pensare che sia così. Per quanto spazio lasciamo tra noi, fisico o metaforico, per me Trevor è solo un amico. Non ho la minima intenzione di lasciarmi coinvolgere in qualcosa di sentimentale con qualcuno che non sia Hardin.

«Va bene.» Mi sorride, chiaramente sorpreso che io abbia accettato. «La mia pausa pranzo è finita, devo tornare in ufficio, ma ti scrivo il mio indirizzo oppure possiamo partire insieme da qui, se vuoi.»

«Partiamo da qui, ho le scarpe comode.» Indico le ballerine che ho ai piedi, congratulandomi con me stessa per non avere messo i tacchi.

«Benissimo. Ci vediamo nel tuo ufficio alle cinque?» dice alzandosi.

«Sì, va bene.» Mi alzo anch'io e butto nel cestino l'incarto dei cracker.

«Tanto lo sappiamo tutti come ha fatto a farsi assumere», commenta una delle donne dietro di me.

Quando, per curiosità, mi giro verso di loro, tacciono subito e fissano il tavolo. Non riesco a non pensare che parlassero di me.

E meno male che volevo farmi degli amici a Seattle.

«Quelle due sanno solo spettegolare, ignorale», dice Trevor, posandomi una mano sulla schiena e accompagnandomi fuori.

Quando torno nel mio ufficio prendo dal cassetto della scrivania il cellulare. Ho due chiamate senza risposta, entrambe di Hardin.

Devo richiamarlo subito? Ha telefonato due volte, quindi forse è successo qualcosa. Meglio sentirlo, decido.

Risponde al primo squillo: «Perché non rispondi al telefono?»

«È successo qualcosa?» Mi alzo in piedi, un po' spaventata.

«No, niente. Perché mi hai mandato quelle foto?» All'improvviso ho il terrore di aver fatto male a inviargliele. «Ero solo felice del mio nuovo ufficio e volevo mostrartelo. Spero che tu non abbia pensato che volevo vantarmi, mi dispiace…»

«No, semplicemente non capivo», mi interrompe in tono freddo, poi resta in silenzio.

Dopo qualche secondo dico: «Non te ne manderò altre, non avrei dovuto mandarti neppure quelle.» Appoggio la fronte alla finestra e guardo la città sotto di me.

«Non preoccuparti… Come vanno le cose laggiù? Ti piace quel posto?» Dalla voce sembra preoccupato: immagino la sua fronte corrucciata e vorrei lisciarla con una carezza.

«È molto bello.»

«Non hai risposto alla domanda», mi fa notare, come prevedevo che avrebbe fatto.

«Mi piace», mormoro.

«Sì, sembri proprio entusiasta.»

«Mi piace davvero, mi sto solo… ambientando. Cosa succede laggiù?» chiedo, per portare avanti la conversazione. Non mi sento pronta a chiudere la telefonata.

«Niente», risponde subito.

«Ti sto mettendo a disagio? Hai detto che non volevi parlare al telefono con me, ma mi hai chiamata tu, quindi…»

«No, nessun disagio. Dicevo solo che ritengo inutile stare ore al telefono ogni giorno se non possiamo stare insieme, perché non ha senso e mi fa solo soffrire.»

«Quindi vuoi parlare con me?» chiedo, perché sono patetica e ho bisogno di sentirmelo dire.

«Sì, certo che sì.» Sento suonare un clacson in sottofondo, e immagino che stia guidando. «Allora cosa facciamo? Chiacchieriamo al telefono come amici?» mi chiede, e nel suo tono non c'è rabbia, solo curiosità.

«Non lo so, potremmo provarci?» Questa separazione è così diversa dalla precedente: stavolta siamo rimasti in buoni rapporti, non c'è stata una rottura netta. Non so ancora se è di una rottura netta che ho bisogno, quindi decido che ci penserò in seguito.

«Non funzionerà.»

«Non voglio che smettiamo di parlarci, ma ho ancora bisogno di spazio», gli faccio notare.

«E va bene, allora raccontami di Seattle.»

75
Tessa

Dopo aver passato mezzo pomeriggio al telefono con Hardin, a scapito del lavoro, il mio primo giorno nel nuovo ufficio finisce e resto in corridoio ad aspettare Trevor.

Hardin era così calmo, e la sua voce così limpida, come se fosse concentrato su qualcosa. Sono felice che ci parliamo ancora: va molto meglio adesso che abbiamo smesso di evitarci. So bene che non sarà sempre così facile accontentarmi di averlo in piccole dosi, quando in realtà lo voglio tutto e subito. Lo voglio qui con me, che mi abbracci, che mi baci, che mi faccia ridere.

È così che deve sentirsi chi nega la verità a se stesso.

Ma per il momento mi accontento, visto che l'alternativa è la tristezza.

Sospiro e continuo ad aspettare, appoggiata alla parete. Inizio a pentirmi di aver chiesto a Trevor se era libero dopo il lavoro. Preferirei essere a casa di Kimberly, al telefono con Hardin. Vorrei che fosse venuto, così ora uscirei con lui. Potrebbe avere un ufficio vicino al mio, potremmo vederci tante volte al giorno. Sono sicura che Christian gli darebbe un lavoro, se lo volesse. L'ha detto lui stesso, qualche volta.

Potremmo pranzare insieme, forse persino ricreare alcuni ricordi del vecchio ufficio. Comincio a immaginare Hardin dietro di me, io china sulla scrivania, i miei capelli avvolti intorno al suo pugno...

«Scusa il ritardo, la riunione è durata più del previsto.» Trevor interrompe le mie fantasie e io sobbalzo per la sorpresa e l'imbarazzo.

«Ehm, non importa. Stavo solo...» Mi sistemo i capelli dietro le orecchie e deglutisco. «Aspettando», concludo.

Se sapesse cosa stavo pensando... per fortuna non sospetta nulla. Non so neanche da dove mi siano venuti quei pensieri.

Si gira verso il corridoio deserto. «Pronta?»

«Sì.»

Parliamo del più e del meno andando verso l'uscita. C'è silenzío, quasi tutti sono già andati via. Trevor mi racconta del nuovo lavoro di suo fratello in Ohio e mi dice che si è comprato un completo da indossare al matrimonio della nostra collega Krystal, il mese prossimo. Mi domando quanti completi possieda.

Raggiungiamo le nostre auto e seguo la sua BMW nelle strade trafficate fino al piccolo quartiere di Ballard. Secondo i blog che ho letto prima di trasferirmi, è uno dei quartieri più alla moda di Seattle. Stradine strette piene di caffetterie, ristoranti vegani e bar da hipster. Parcheggio nel garage sotterraneo del palazzo di Trevor e mi viene da ridere al pensiero che lui si sia offerto di trovarmi un appartamento in un condominio così lussuoso.

Mi sorride e, indicando la giacca e la cravatta, dice: «Devo solo cambiarmi, ovviamente».

Nel suo appartamento, resto a guardarmi intorno nel grande salotto. Foto di famiglia e articoli ritagliati da giornali e riviste sono incorniciati sul caminetto; il tavolino è coperto da una complessa scultura realizzata con bottiglie di vino fuse insieme. Non c'è un granello di polvere. Sono molto impressionata.

«Sono pronto!» annuncia uscendo dalla camera e tirando su la lampo di una felpa rossa. Mi fa sempre uno strano effetto vederlo in abbigliamento sportivo.

Dopo avere camminato per due isolati, siamo entrambi infreddoliti.

«Hai fame, Tessa? Possiamo mangiare qualcosa.» Il suo fiato si condensa in nuvolette di vapore.

Annuisco convinta. Il mio stomaco borbotta… del resto ho pranzato con un pacchetto di cracker.

Gli chiedo di scegliere un ristorante e finiamo in un piccolo grill italiano lì vicino. Il profumo dell'aglio mi invade le narici e mi fa venire l'acquolina in bocca.

76
Hardin

«Hai un'aria molto più... sana», dico a Richard quando esce dal bagno.

«Non mi rasavo da mesi», fa lui accarezzandosi il mento.

«Ma non mi dire.»

Accenna un sorriso. «Grazie ancora per l'ospitalità...»

«Non ringraziarmi, è temporanea. Questa situazione continua a non piacermi per niente.» Do un altro morso alla pizza che avevo ordinato per me... e che ho finito per dividere con lui. Tessa ha già abbastanza problemi ultimamente, e se posso aiutarla almeno per quanto riguarda suo padre lo farò.

«Lo so. Mi stupisco che tu non mi abbia ancora cacciato», ride. Come se ci fosse da scherzare. Lo fisso: ha gli occhi troppo grandi rispetto al resto del viso, e il pallore mette in risalto le occhiaie.

Sospiro. «Mi stupisco anch'io.»

Mi accorgo che rabbrividisce: dev'essere per l'astinenza dalla droga, qualunque essa sia.

Voglio sapere se la volta scorsa che si è introdotto in casa nostra ha portato con sé della droga. Ma se glielo chiedo e risponde di sì, perderò la pazienza e lo caccerò subito. Per il bene di Tessa e per il mio, mi alzo in piedi e porto il piatto in cucina. La pila di piatti sporchi nel lavello è raddoppiata, ma al momento non ho nessuna voglia di caricare la lavastoviglie.

«Lava i piatti per sdebitarti!» grido a Richard.

La sua risata profonda mi giunge dall'altra stanza, e lo sento entrare in cucina mentre mi chiudo in camera.

Vorrei richiamare Tessa, solo per sentire la sua voce. Voglio sapere come ha passato il resto della giornata... Cosa pensa di fare dopo il lavoro? È rimasta a fissare il telefono con un sorriso stupido dopo la nostra chiamata, come ho fatto io?

Probabilmente no.

Sento che inizio a scontare tutti i peccati che ho commesso in passato: ecco perché Tessa è entrata nella mia vita. Un castigo spietato camuffato da premio. L'ho avuta per qualche mese e poi mi è stata sottratta, ma mi viene ancora sventolata davanti alla faccia con queste telefonate. Non so quanto resisterò prima di ammettere la verità.

Perché è questo che sto facendo: nego a me stesso la verità.

Non deve per forza andare così, però. Posso cambiare il risultato finale. Posso essere la persona che lei vuole senza trascinarla di nuovo nel mio inferno.

'Fanculo, adesso la richiamo.

Il telefono squilla ma lei non risponde. Sono quasi le sei, dovrebbe essere tornata a casa. Dove può essere? Mentre valuto se telefonare a Christian, infilo le scarpe da ginnastica e la giacca.

Si infurierà se telefono a Christian, ma l'ho già chiamata sei volte e non ha risposto.

Questa faccenda del lasciarci spazio mi sta esasperando.

«Esco», dico all'ospite indesiderato. Lui fa sì con la testa, dato che ha la bocca piena di patatine. Almeno il lavello è pulito.

Dove cazzo sto andando?

Pochi minuti dopo parcheggio dietro la palestra. Non so se mi aiuterà, ma ho bisogno di sfogare la rabbia, altrimenti rischio di insultarla o di andare a cercarla a Seattle. Non devo fare nessuna delle due cose: peggiorerei la situazione e basta.

77
Tessa

QUANDO finiamo di mangiare ho i nervi a fior di pelle. Mentre ordinavamo mi sono ricordata di avere lasciato il telefono in macchina, e mi sento più ansiosa del dovuto, visto che non mi chiama mai nessuno. Ma ho paura che mi abbia cercata Hardin. Mi sforzo di ascoltare Trevor, che mi sta parlando di un articolo che ha letto sul *Times*, e tento invano di non pensare a Hardin. Trevor si sarà accorto sicuramente che sono distratta, ma è troppo gentile per farmelo notare.

«Non sei d'accordo?» mi chiede, strappandomi alle mie riflessioni.

Cerco di ricordare di cosa stesse parlando. L'articolo riguardava la sanità... credo.

«Sì», mento. Non so se sono d'accordo, ma non vedo l'ora che ci portino il conto.

Per fortuna arriva il cameriere, e Trevor tira fuori il portafogli.

«Posso...»

Ma sta già pagando. «Offro io.»

Lo ringrazio e guardo l'orologio sopra la porta. Sono le sette passate: siamo nel ristorante da più di un'ora. Faccio un sospiro di sollievo quando Trevor si alza.

Tornando verso casa sua passiamo davanti a una caffetteria, e lui mi osserva con aria interrogativa.

«Magari un'altra di queste sere...» dico con un sorriso.

«Affare fatto.» Mi rivolge uno dei suoi famosi mezzi sorrisi e proseguiamo il cammino.

Lo saluto con un abbraccio e salgo di corsa in macchina: nove chiamate senza risposta, tutte di Hardin.

Lo richiamo subito, ma entra la segreteria. Il tragitto da casa di Trevor a casa di Kimberly è lungo e noioso: a Seattle il traffico è terribile. Clacson a tutto spiano, macchine che cambiano corsia all'improvviso: all'arrivo ho il mal di testa.

Entrando in casa vedo Kimberly seduta sul divano di pelle bianca con un bicchiere di vino in mano. «Com'è andata la giornata?»

«Bene, ma il traffico in questa città è pazzesco.» Sprofondo in poltrona. «Mi scoppia la testa.»

«Bevi un po' di vino, ti passerà.»

Senza lasciarmi il tempo di rifiutare, si alza e mi versa un bicchiere di vino bianco. Bevo un sorso: è fresco e dolce. «Grazie», le dico con un sorriso e ne bevo ancora.

«Allora... sei uscita con Trevor, giusto?» Kimberly è una gran ficcanaso... in senso buono.

«Sì, siamo andati a cena. Da amici», preciso con aria innocente.

I suoi occhi marroni mi scrutano curiosi. «E Hardin sa che tu e Trevor siete... amici?»

«No, ma glielo dirò appena lo sento. Trevor non gli sta simpatico, non so perché.»

«Non gli do torto. Trevor potrebbe fare il fotomodello, se non fosse così timido. Hai visto che occhi azzurri ha?» Si sventola con la mano e ridiamo come due scolarette.

«Volevi dire occhi verdi, amore?» dice Christian entrando improvvisamente nella stanza, e per poco il bicchiere mi cade di mano.

Kim gli sorride. «Certo che sì.»

Ma lui scuote la testa e ci rivolge un sorriso complice. «Penso che anch'io potrei fare il fotomodello.» Ci fa l'occhiolino. Per fortuna non se l'è presa: Hardin avrebbe rovesciato il tavolo se mi avesse sentita parlare di Trevor in quel modo.

Christian si siede sul divano accanto a Kimberly, che sale sulle sue gambe. «E come se la passa Hardin? Vi siete sentiti, immagino...»

Distolgo lo sguardo. «Sì. Sta bene.»

«Com'è testardo. Sono ancora offeso che non abbia accettato la mia offerta, vista la sua situazione», commenta dando un bacio a Kim sotto l'orecchio. Questi due non si fanno problemi con le effusioni in pubblico. E stavolta non riesco a guardare altrove.

«Quale offerta?» chiedo sorpresa.

«Be', la mia offerta di lavoro: te ne avevo parlato, no? Vorrei che fosse venuto qui. Insomma, gli resta solo un semestre prima della laurea anticipata, no?»

Cosa? Perché non lo sapevo? Non avevo mai sentito parlare di una laurea anticipata. Ma rispondo: «Ehm... sì, mi pare di sì».

Christian abbraccia Kimberly e la culla. «È un vero genio, quel ragazzo. Se si fosse applicato un po' di più avrebbe una media perfetta.»

«È vero, è molto intelligente...» concordo. In effetti la mente di Hardin non cessa mai di sorprendermi e affascinarmi. È una delle cose che preferisco di lui.

«Ed è anche un ottimo scrittore», continua Christian, bevendo un sorso di vino dal bicchiere di Kimberly. «Non so perché abbia smesso. Mi sarebbe piaciuto leggere qualcos'altro.» Sospira, e Kim gli allenta la cravatta.

Sono sopraffatta da queste informazioni. Hardin... scrive? Mi ha accennato che aveva provato a scrivere al primo anno di università, ma non è sceso nei dettagli. Ogni volta che cercavo di farmi dire qualcosa, lui cambiava argomento o liquidava la questione in due parole, come se non fosse rilevante.

«Già.» Finisco di bere il vino e, indicando la bottiglia, domando: «Posso?»

«Ma certo, bevi quanto vuoi. Ne abbiamo una cantina piena», risponde Kimberly sorridendo.

Tre bicchieri di bianco più tardi, il mal di testa è passato e la mia curiosità è aumentata in maniera esponenziale. Aspetto che Christian ritorni sull'argomento dell'offerta di lavoro, ma non lo fa. Si mette invece a parlare d'affari: racconta di essere in trattative con un gruppo del settore dei media per espandere le attività della Vance nel cinema e nella televisione. È tutto molto interessante, ma vorrei tornare in camera mia e riprovare a chiamare Hardin. Quando si presenta l'occasione, do la buonanotte a entrambi e vado a rifugiarmi nella mia stanza.

«Portati dietro la bottiglia!» esclama Kimberly.

La bottiglia è ancora piena per metà. Ringrazio Kimberly e la porto con me.

78
Hardin

TORNO a casa ancora indolenzito dopo l'allenamento in palestra. Prendo una bottiglietta d'acqua dal frigo e cerco di ignorare l'uomo che dorme sul divano. Lo faccio per lei, mi ripeto. Tutto per lei. Bevo mezza bottiglietta, tiro fuori il telefono e lo accendo. Mentre sto per chiamarla, lei chiama me.

«Pronto?» dico togliendomi la maglietta sudata.

«Ciao.»

Una risposta breve. Troppo breve. Voglio parlarle. Ho bisogno che lei voglia parlare con me.

Tiro un calcio alla maglietta, poi la raccolgo perché se lei mi vedesse mi rimprovererebbe per il disordine. «Cosa fai?»

«Sono andata a esplorare la città», risponde in tono calmo. «Ho provato a richiamarti, ma è entrata la segreteria.» Sentire la sua voce mi tranquillizza.

«Sono tornato in quella palestra.» Mi sdraio sul letto: vorrei che lei fosse qui con me, la testa posata sul mio petto, e non a Seattle.

«Davvero? Fantastico! Mi sto togliendo le scarpe.»

«Okay...»

Ridacchia. «Non so perché te l'ho detto.»

«Sei ubriaca?» Mi alzo a sedere appoggiandomi al gomito.

«Ho bevuto un po' di vino», ammette. Avrei dovuto accorgermene subito.

«Con chi?»

«Kimberly e Mr Vance... Christian, voglio dire.»

«Ah.» Non so cosa pensare all'idea che esca a bere in una città sconosciuta, ma non è il momento di farglielo notare.

«Christian dice che sei un ottimo scrittore», riferisce in tono accusatorio. *Merda.*

«E perché lo dice?» domando in allerta.

«Non lo so. Come mai non scrivi più?» La sua voce è piena di vino e di curiosità.

«Non lo so. Ma non voglio parlare di me, voglio parlare di te e di Seattle, e del motivo per cui mi eviti.»

«Be', ha detto anche che ti laurei il prossimo semestre.»

Christian non è proprio capace di farsi i fatti suoi. «Sì, e allora?»

«Non lo sapevo», dice, e dal tono capisco che è irritata.

«Non te lo nascondevo, solo che non ho avuto occasione di parlartene. Ti manca molto alla laurea, quindi non è importante. Tanto non sarei andato da nessuna parte.»

«Aspetta», mi dice. Che cavolo fa? Quanto ha bevuto?

La sento farfugliare qualcosa di incomprensibile. «Cosa stai facendo?»

«Eh? Ah, mi si erano incastrati i capelli nei bottoni della camicia. Scusa, ti ascolto.»

«Perché chiedevi di me al tuo capo, comunque?»

«Ha iniziato lui a parlare di te. Sai, dato che ti ha offerto un lavoro e tu hai rifiutato due volte, eri... un argomento di conversazione.»

«Notizie vecchie.» Non ricordo di averle parlato della proposta di lavoro, ma non gliel'ho neanche taciuto di proposito. «Le mie intenzioni riguardo a Seattle sono sempre state chiare.»

«Puoi dirlo forte», ribatte sarcastica.

Cambio argomento. «Non mi hai risposto al telefono. Ti ho cercata tante volte.»

«Lo so, avevo lasciato il cellulare in macchina a casa di Trevor...» Si interrompe di colpo.

Mi alzo dal letto e mi metto a camminare avanti e indietro. Lo sapevo, cazzo.

«Mi stava solo mostrando la città, da amico, tutto qui.» Ha molta fretta di difendersi.

«Non mi rispondevi al telefono perché eri con quello stronzo di Trevor?» ringhio. Ogni istante di silenzio che segue la mia domanda mi fa accelerare i battiti del cuore.

E poi lei sbotta: «Non arrabbiarti con me per Trevor, è solo un amico, e sei tu quello che non è qui. Non scegli tu i miei amici, chiaro?»

«Tessa...» dico in tono di avvertimento.

«Hardin Allen Scott!» esclama, e scoppia a ridere.

«Perché ridi?» chiedo, ma non riesco a trattenere un sorriso. Sono patetico, accidenti.

«Non… non lo so!»

La sua risata mi rimbomba nelle orecchie e mi scalda il cuore.

«Devi smetterla con il vino.» Mi piacerebbe vedere la sua espressione dopo questo rimprovero.

«Costringimi a farlo», ribatte.

«Se fossi lì ti costringerei, stanne certa.»

«E cos'altro faresti se fossi qui?»

Torno a sdraiarmi. Sta dicendo quello che penso stia dicendo? Non si sa mai, con lei, soprattutto quando beve.

«Theresa Lynn Young, stai cercando di fare sesso telefonico con me?»

Viene colta da un improvviso attacco di tosse: immagino che le sia andato di traverso un sorso di vino. «Eh?! No! Era una domanda!» esclama con voce stridula.

«Certo, ora neghi tutto.» Rido del suo tono scandalizzato.

«A meno che… tu voglia fare qualcosa», sussurra.

«Dici sul serio?» Il solo pensiero me lo fa venire duro.

«Forse… non lo so. Sei arrabbiato per Trevor?» Il suono della sua voce è molto più inebriante di qualsiasi alcolico.

Sì, certo che mi irrita sapere che si sono visti, ma non è di questo che voglio parlare adesso. La sento deglutire con forza, sento tintinnare il bicchiere. «Non me ne frega un cazzo di Trevor, ora», mento. «Non bere così in fretta, ti sentirai male.» La conosco troppo bene.

Beve un paio di sorsi in rapida successione. «Non puoi darmi ordini a distanza.» Scommetto che beve per calmare i nervi.

«Ti do ordini a qualsiasi latitudine, piccola.» Sorrido e mi passo le dita sulle labbra.

«Posso dirti una cosa?» fa lei.

«Di' pure.»

«Oggi pensavo a te, alla prima volta che sei venuto nel mio ufficio…»

«Mentre eri con lui pensavi a quando ti scopavo?» chiedo, pregando che risponda di sì.

«Mentre lo aspettavo.»

«Dimmi di più, raccontami cosa stavi pensando», insisto.

Merda, che confusione. Ogni volta che parlo con lei non mi sembra che ci stiamo… prendendo una pausa, mi sembra che sia tutto come prima. L'unica differenza al momento è che non posso vederla e toccarla. Merda, quanto vorrei toccarla, leccare la sua pelle vellutata…

«Stavo pensando che…» inizia, ma poi beve un altro sorso.

«Non vergognarti.»

«Che mi è piaciuto, e mi è venuta voglia di rifarlo.»

«Con chi?» domando, solo per sentirglielo dire.

«Con te, solo con te.»

«Bene. Sei ancora mia, anche se mi imponi di lasciarti spazio; sei ancora tutta per me, lo sai, vero?» le chiedo nel tono più gentile di cui sia capace.

«Lo so», risponde. Provo un sollievo immediato. «E tu sei mio?» mi chiede, con voce molto più sicura.

«Sì, sempre.»

Non ho scelta; fin dal giorno in cui ti ho conosciuta, vorrei aggiungere, ma resto in silenzio e aspetto nervosamente la sua risposta.

«Bene», dice in tono autoritario. «Ora dimmi cosa mi faresti se fossi qui… voglio tutti i particolari.»

79
Tessa

Ho la mente un po' annebbiata, la testa pesante, ma è piacevole. Sorrido radiosa, inebriata dal vino e dalla voce roca di Hardin. Mi piace questo suo buonumore: se vuole giocare, starò al gioco.

«No...» dice in quel suo tono distaccato. «Prima dimmi cosa vorresti che ti facessi.»

Bevo un sorso direttamente dalla bottiglia. «Te l'ho già detto.»

«Bevi un altro po': a quanto pare mi dici cosa vuoi solo quando sei ubriaca.»

«E va bene.» Faccio scorrere il dito sulla testiera del letto. «Voglio che tu mi prenda su questo letto... come mi hai presa su quella scrivania.» Non provo imbarazzo, solo una vampata di calore che si spande su per il collo e sulle guance.

Hardin impreca sottovoce: so che non si aspettava da me una risposta più esplicita. «Allora?» domanda piano.

«Be'...» Mi interrompo per bere un altro lungo sorso, per farmi coraggio. Io e Hardin non avevamo mai fatto una cosa del genere. Qualche messaggio un po' spinto... ma questo è diverso.

«Dillo e basta, non fare la timida.»

«Mi prenderesti per i fianchi, come fai sempre, e io mi aggrapperei alle lenzuola per non cadere. Le tue dita affonderebbero nella mia pelle, lasciandomi il segno...» Stringo le cosce quando lo sento ansimare.

«Toccati», dice. Mi guardo intorno, dimenticando per un momento che nessuno può sentirci.

«Cosa? No», ribatto in un bisbiglio concitato, coprendo il telefono con la mano.

«Sì.»

«Non voglio... non qui. Mi sentiranno.» Vino o non vino, non potrei mai dire cose del genere a chiunque altro che a Hardin.

«Non ti sentono. Dai, so che lo vuoi.»

Come fa a saperlo?

Lo voglio?

«Sdraiati sul letto, chiudi gli occhi, allarga le gambe. Ti dico io cosa fare.» La sua voce è come seta, ma le sue parole sono un ordine.

«Ma...»

«Fallo.» Il suo tono dispotico mi fa rabbrividire, e la mente e gli ormoni si danno battaglia dentro di me. Sentirmi dire da Hardin le cose spinte mi fa impazzire, non posso negarlo.

«Okay, ora che hai accettato», continua senza che io abbia accettato un bel niente, «avvertimi quando ti restano addosso solo le mutandine.»

Oh... Ma vado a chiudere la porta a chiave. La stanza di Kimberly e Christian e quella di Smith sono al primo piano ma, a quanto ne so, loro potrebbero essere ancora al piano terra con me. Mi metto all'ascolto, e con sollievo sento chiudersi una porta al piano di sopra.

Finisco la bottiglia di vino. Il tepore che sentivo in corpo è divampato in un incendio, e cerco di non pensare mentre mi tolgo i pantaloni e mi sdraio sul letto in maglietta e mutandine.

«Sei ancora con me?» chiede Hardin, e scommetto che sta ghignando.

«Sì, mi... mi sto preparando.» Non mi capacito che lo sto facendo davvero.

«Non pensare troppo. Dopo mi ringrazierai.»

«Smettila di leggermi nel pensiero.» Spero che abbia ragione.

«Ti ricordi cosa ti ho insegnato?»

Annuisco, dimenticando che non può vedermi.

«Prenderò questo silenzio nervoso come un sì. Bene. Allora, posa le dita dove le hai posate l'altra volta...»

80
Hardin

SENTO Tessa ansimare e capisco che ha seguito le mie istruzioni. Mi sembra di vederla, sdraiata sul letto a gambe aperte. *Cazzo.*

«Dio, vorrei essere lì a guardarti», gemo, mentre l'eccitazione cresce in me.

«Ti piace, vero? Guardarmi?» boccheggia lei.

«Sì, cazzo, sì che mi piace. E a te piace essere guardata, lo so.»

«Sì, come a te piace quando ti tiro i capelli.»

Per un riflesso condizionato mi porto una mano tra le gambe. La immagino fremere sotto la mia lingua, tirarmi i capelli e mormorare il mio nome. Solo Tessa sa farmelo venire duro così in fretta.

I suoi gemiti sono troppo pacati... Ha bisogno di un altro incoraggiamento.

«Più veloce, Tess, muovi le dita in circolo, più veloce. Immagina che io sia lì, sono io, e le mie dita ti accarezzano, ti fanno stare bene, ti fanno venire.» Parlo a bassa voce, per non rischiare di farmi sentire dall'ospite indesiderato.

«Oddio», ansima lei, e geme ancora.

«Anche la mia lingua ti accarezza, piccola, le mie labbra sono vogliose, ti succhiano, ti mordono.» Tiro giù i pantaloncini

393

e inizio ad accarezzarmi piano. Chiudo gli occhi per concentrarmi sui suoi gemiti.

«Fa' come me, toccati anche tu», bisbiglia. La immagino inarcare la schiena e sollevarsi dal letto.

«Lo sto già facendo», mormoro, e lei piagnucola. *Merda, voglio vederla.*

«Parlami ancora», mi dice in tono implorante. Adoro veder scomparire la sua innocenza in questi momenti... Le piace sentirmi dire le cose porche.

«Voglio scoparti. No, voglio sdraiarti sul letto e fare l'amore con te, con tanta forza da farti gridare il mio nome, voglio spingere, spingere...»

«Sto...» Le si mozza il fiato.

«Sì piccola, lasciati andare. Voglio sentirti.» Taccio quando la sento venire, piagnucolando e mordendo il cuscino. O forse il materasso, non posso saperlo, ma quell'immagine basta a portarmi oltre il limite. Vengo nei boxer dicendo il suo nome in un grido strozzato.

Per qualche secondo – o qualche minuto, non so – sento solo i nostri respiri all'unisono.

«È stato...» sussurra lei, ancora senza fiato.

Apro gli occhi e cerco anch'io di riprendere fiato. «Sì.»

«Ho bisogno di un momento», ridacchia, strappandomi un sorriso. «E dire che pensavo che ormai avessimo fatto quasi tutto.»

«Oh, ci sono molte altre cose che voglio farti. Ma purtroppo dovremmo essere nella stessa città.»

«Vieni, allora», replica subito.

Attivo il vivavoce e mi guardo la mano, il dorso e il palmo. «Hai detto che non mi volevi lì. Abbiamo bisogno di spazio, ricordi?»

«Lo so», risponde in tono un po' triste. «Ed è vero... e mi sembra che così stia funzionando. No?»

«No», mento. Ma so che ha ragione: ho cercato di migliorare me stesso per lei, e ho paura che se mi perdona subito perderò la motivazione. Se... quando torneremo insieme voglio che le cose siano diverse, per il suo bene. Voglio che sia definitivo, voglio mostrarle che il circolo vizioso – come lo chiama lei – si è spezzato.

«Mi manchi così tanto», mormora. So che mi ama, ma ogni volta che mi rassicura l'oppressione che sento nel petto si attenua un po'.

«Mi manchi anche tu.» Più di ogni cosa.

«Non dire 'anche tu'. È come se tu voglia solo darmi ragione», dichiara in tono sarcastico, e il mio sorriso si allarga.

«Non copiarmi le idee», la rimprovero.

«Le copio quando mi pare», esclama divertita, e mi sembra di vederla che mi fa la linguaccia.

«Wow, stasera sei scatenata.» Scendo dal letto: devo fare una doccia.

«È vero.»

«E molto audace. Chi avrebbe immaginato che sarei riuscito a farti masturbare al telefono?» sghignazzo uscendo in corridoio.

«Hardin!» esclama inorridita, come previsto. «E a proposito, ormai dovresti sapere che puoi convincermi a fare quasi ogni cosa.»

«Ah, se solo fosse vero...» mormoro. Se fosse vero, ora lei sarebbe qui.

Il pavimento del corridoio è freddo sotto i miei piedi nudi. Ma quando sento una voce, lascio cadere il telefono a terra.

«Scusa, faceva un po' caldo, perciò...» dice Richard.

Si interrompe, ma è troppo tardi.

«Chi era?» chiede Tessa. La ragazza assonnata e rilassata

con cui stavo parlando non c'è più, ora è in stato di massima allerta. «Hardin, con chi parli?» chiede con più decisione.

Merda. «Complimenti», mormoro a suo padre, e corro in bagno togliendo il vivavoce. «È…»

«Era mio padre, quello?»

Vorrei mentirle, ma sarebbe stupido e io sto cercando di non essere più stupido. «Sì», ammetto, e aspetto di sentirla gridare.

«Cosa ci fa lì?»

«Be'… lui…»

«Lo ospiti a casa?»

Per fortuna l'ha detto lei, così non devo cercare le parole giuste. «Più o meno.»

«Non ci capisco niente.»

«Neanch'io.»

«Da quanto? E perché non me l'hai detto?»

«Scusa… solo da un paio di giorni.»

Sento scorrere l'acqua in una vasca. «Perché è venuto lì?»

Non riesco a raccontarle tutta la verità. «Non ha un altro posto dove andare, immagino.» Apro l'acqua della doccia.

Sospira. «Okay…»

«Sei arrabbiata?»

«No, sono confusa… Mi stupisce che lo ospiti a casa tua.»

«Stupisce anche me.»

Il bagno si riempie di vapore; pulisco con la mano lo specchio appannato. Sembro un fantasma, un guscio vuoto. Ho le occhiaie. L'unica cosa che mi dà vita è la voce di Tess.

«Significa molto per me, Hardin», afferma.

«Davvero?» Sta andando molto, molto meglio di quanto mi aspettassi.

«Sì, certo che sì.»

Mi sento come un cucciolo premiato dal padrone con un bocconcino… e stranamente sono contento di sentirmi così.

«Bene.» Non so cos'altro aggiungere. Mi sento un po' in colpa per non averle detto delle... abitudini di suo padre, ma non sarebbe giusto parlargliene ora, al telefono.

«Aspetta... quindi mio padre era lì mentre tu?...» bisbiglia. Sento un ronzio all'altro capo: deve avere acceso la ventola di areazione in bagno per coprire le sue parole.

«Be', non era nella stanza; non mi piace quel tipo di cose», puntualizzo, facendo una battuta per alleviare la tensione... e riesco a strapparle un risolino.

«Invece scommetto di sì.»

«No, è una delle pochissime cose che non mi piacciono, che tu ci creda o meno. Non ti dividerei mai con nessuno, piccola. Neppure con tuo padre.»

Fa un verso di disgusto. «Sei malato!»

«Eccome», ribatto, e lei ridacchia. Il vino le ha dato coraggio e stimola il suo senso dell'umorismo. E io? Be', io non ho scuse per il sorriso stupido che ho in faccia.

«Devo fare la doccia, per colpa tua mi sono sporcato», dico sfilandomi i boxer.

«Anch'io... be', non mi sono sporcata in quel senso... ma ho bisogno di lavarmi.»

«Okay... Allora sarà meglio chiudere... Buonanotte, Tessa.»

«Anche a te», risponde. Ma non chiude, allora lo faccio io.

Entro nella doccia. Non mi sono ancora ripreso del tutto dall'esperienza. Non è solo che il sesso telefonico sia stato eccitante; è... più di questo. È una riprova del fatto che lei si fida ancora di me, abbastanza per esporsi così. Smarrito nei miei pensieri, mi insapono. È incredibile che soltanto due settimane fa fossimo insieme sotto questa doccia...

«Penso che questo sia il mio preferito.» Tocca uno dei tatuaggi e mi guarda da sotto le ciglia bagnate.

397

«*Perché proprio quello? Io lo odio.*» *Osservo le sue piccole dita scorrere sul fiore disegnato vicino al gomito.*

«*Non lo so; è bello che ci sia un fiore circondato da tutta questa oscurità.*» *Il dito si sposta sul teschio tatuato poco sotto.*

«*Non l'avevo mai vista così.*» *Le alzo il mento per farmi guardare negli occhi.* «*Riesci sempre a vedere la luce in me... Com'è possibile, dato che non ce n'è?*»

«*Ce n'è moltissima. E un giorno la vedrai anche tu.*» *Sorride e si alza in punta di piedi per baciarmi sull'angolo della bocca. L'acqua scorre tra le nostre labbra, e lei sorride di nuovo prima di staccarsi da me.*

«*Spero che tu abbia ragione*», *sussurro così piano che lei non mi sente.*

Quel ricordo mi tormenta, anche se cerco di lavarlo via. Non è che non voglia ricordarla, lo voglio: Tessa è in ogni mio pensiero, sempre. A farmi impazzire è solo il ricordo degli elogi immeritati, dei suoi tentativi di farmi credere che sono migliore di come sono in realtà.

Vorrei potermi vedere con i suoi occhi. Vorrei poterle credere quando dice che sono la persona giusta per lei. Ma come può essere vero, se faccio così schifo?

Significa molto per me, Hardin, mi ha detto pochi minuti fa.

Forse, se continuo a fare quello che sto facendo ora, se mi tengo lontano dai guai, potrò compiere azioni che significano molto per lei. Posso renderla felice e forse, chissà, riuscirò anche a vedere la luce che lei dice di vedere in me.

Forse, dopotutto, c'è speranza per noi.

Ringraziamenti

INCREDIBILE, sto già scrivendo i Ringraziamenti anche di questo libro! Il tempo è volato, e sono molto felice di aver vissuto questa avventura. Devo ringraziare tantissime persone, e proverò a infilarne il più possibile in queste pagine.

Anzitutto i miei lettori e i fedeli Afternator. Non finite mai di stupirmi con il vostro sostegno e il vostro affetto. Accorrete a ogni presentazione, twittate per raccontarmi come avete passato la giornata, vi interessa sapere come ho passato la mia e siete sempre i miei cyber-aiutanti, ovunque io vada. Il legame che c'è tra noi mi sembra più profondo della tipica relazione tra autrice e lettori: siamo qualcosa di più di questo, siamo anche più che amici. Siamo una famiglia. Non vi ringrazierò mai abbastanza per avermi sostenuta ed esservi sostenuti tra di voi. Spero che vi sentiate ancora fieri e proviate un forte senso di appartenenza alla serie. Vi voglio un mondo di bene, siete tutto per me.

Adam Wilson, il mio editor supereroe di Gallery. Abbiamo lavorato tanto insieme e abbiamo fatto uscire questi libri alla velocità della luce. Mi insegni a scrivere meglio e cogli il mio umorismo. All'inizio avevo paura che mi assegnassero un «editor brutto e cattivo», ma tu sei tutto ciò che avrei potuto sperare! Grazie.

Ashleigh Gardner, sei diventata un'amica molto cara. Te l'ho già detto, ma te lo ripeto: sei il tipo di donna che vorrei diventare. Forte e determinata, ma al contempo dolce e spiritosa. Mi consigli sempre ottimi libri e mi porti in strani ristoranti, e non mi fai sentire stupida se mi serve la forchetta per mangiare il *ceviche* o se non capisco qualcosa (anche non legato al cibo!). Ti ammiro moltissimo, sono felice per il tuo matrimonio e voglio ringraziarti di tutto.

Candice Faktor: la quantità di cose che abbiamo in comune è impressionante. Ho capito subito che tu e Amy eravate il mio genere di persone, e ho provato un grande sollievo scoprendo che eravate fantastiche. Adoro la passione con cui parli di qualunque argomento: siamo uguali anche in questo. Sei sempre così spontanea e coerente, e sono grata di lavorare con te e averti come amica.

Nazia Khan, grazie di avermi insegnato a parlare in pubblico e a farmi intervistare senza combinare disastri. Con te ci si diverte sempre, e ti arrabbi solo un po' quando do in giro il mio indirizzo email senza dirtelo (!). Anche tu sei diventata una buona amica, e ora ci stiamo preparando per gli AMA (mentre scrivo, non quando leggerai queste parole), e sono felicissima di andarci con te! Grazie di tutto!

Caitlin, Zoe, Nick, Danielle, Kevin (entrambi), Tarun, Rich, tutti quelli di Wattpad: siete la squadra migliore che esista. So che nessuno di voi si è iscritto a Wattpad sapendo che avrebbe dovuto faticare così tanto per *After* e per me, e voglio ringraziarvi per avermi accolta nella famiglia e avermi aiutata in tutto, anche in cose che non riguardavano *After*. Non vedo l'ora di scoprire cosa ci porterà il futuro! Siete le persone più audaci, creative e divertenti che conosca e vi voglio molto bene. Grazie di tutte le risate, delle foto di Nick, del vino, del giro di casa in casa (bellissimo nonostante la pioggia) e delle enormi quantità di cibo che trovo ogni volta che vengo da voi.

Allen e Ivan: senza Wattpad non avrei trovato me stessa, quindi grazie di aver creato una delle cose più importanti della mia vita. So di non essere l'unica a pensarla così.

Kristin Dwyer, grazie perché mi fai ridere. Sono molto felice di lavorare con te e ti sono grata per le tante ore di lavoro che mi hai dedicato. Adoro il tuo senso dell'umorismo, l'impegno che metti nel lavoro, il modo in cui mi ricordi che il bene vince sempre sul male, e tutte le altre cose che fai per me!

Grazie a tutti quelli che in Gallery hanno accolto me, l'eccentrica esordiente che non sa bene cosa fa ma si diverte a farlo! Grazie per l'impegno che tutti voi mettete in questo progetto, dal marketing alla produzione. Jen Bergstrom e Louise Burke, per avere permesso a Adam di propormi un contratto. Martin Karlow, so che hai lavorato instancabilmente e te ne sono grata! Steve Breslin, come dice Adam: «Tieni questo treno sui binari, più o meno»!

Christina e Lo, siete state grandi mentori e amiche per me, vi adoro!

A tutte le Tessa e tutti gli Hardin del mondo, che si amano alla follia e commettono errori.

A tutti gli amici e i parenti che mi hanno sostenuta fin dal giorno in cui mi sono lasciata sfuggire che... avevo scritto questi libri senza che loro ne sapessero niente. Vi voglio bene.

Ultimo ma non meno importante, il mio Jordan. Sei tutto per me, e non potrò mai ringraziarti abbastanza per essere stato la mia roccia nell'ultimo anno e in quelli precedenti. Abbiamo avuto la fortuna di conoscerci da giovani, e crescere con te è stata un'avventura fantastica. Mi fai ridere e mi fai venire voglia di ammazzarti (ma poi mi mancheresti, a volte). Ti amo.

La storia di Tessa e Hardin
continua in...

Collegati
con Anna Todd su Wattpad

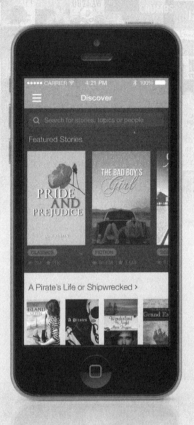

Prima di diventare l'autrice di questo libro,
Anna Todd era una di voi: una lettrice. Si è
iscritta a Wattpad per leggere storie come
questa e per comunicare con chi le scrive.

Scarica Wattpad
per collegarti con Anna:
W imaginator1D

Finito di stampare presso ELCOGRAF S.p.A.
Stabilimento di Cles (TN)
Printed in Italy